D0109168

L'esprit de sel

Ouvrages du même auteur

(Auto)critique de la science
textes recueillis et présentés
par A. Jaubert et J.-M. Lévy-Leblond,
Éditions du Seuil, 1973.

La Physique en questions
t. 1 : Mécanique
Vuibert, 1980.
t. 2 : Électricité, Magnétisme
(en collaboration avec A. Butoli)
Vuibert, 1982.

Quantique (rudiments)
(en collaboration avec F. Balibar)
Interéditions, 1983.

Jean-Marc Lévy-Leblond

L'esprit de sel

Science, Culture, Politique

nouvelle édition

Fayard

EN COUVERTURE

Kandinsky, *Dans le cercle noir*, 1923.
Photographie Musée national d'art moderne
Centre Georges-Pompidou, Paris. © ADAGP.

ISBN 2-02-006692-0
(2-213-01092-7, 1re PUBLICATION)

Le mot « science » redevient un mot clef. Admettons-le. Mais rappelons-nous que s'il y a des sciences, il n'y a pas encore de science, car la scientificité de la science reste toujours sous la dépendance de l'idéologie, une idéologie que nulle science particulière, fût-elle science humaine, ne saurait réduire aujourd'hui, et d'autre part rappelons-nous que nul écrivain, fût-il marxiste, ne saurait s'en remettre à l'écriture comme à un savoir, car la littérature (l'exigence d'écrire lorsqu'elle prend en charge toutes les formes et forces de dissolution, de transformation) ne devient science que par le même mouvement qui conduit la science à devenir à son tour littérature, discours inscrit, cela qui tombe comme de toujours dans « le jeu insensé d'écrire ».

M. BLANCHOT,
L'Amitié.

Avant-Propos

> Le mythe de la science neutre n'est plus. Nous avons tous une responsabilité collective devant le progrès scientifique, et nous devons trouver les moyens de l'exercer, sans nous dissimuler ni les difficultés ni le temps nécessaire. C'est notre devoir à tous, y compris les savants [1].

Les textes ici recueillis ont été écrits entre 1976 et 1981, au cours de cette grise période qui sépare l'extinction des dernières flammes utopiques allumées par Mai 1968 des premières lueurs d'un changement possible. De la révolution rêvée aux réformes tentées, ils illustrent sans doute une trajectoire commune. Je souhaite qu'ils aident à la prolonger.

Les premières années de la décennie 70 avaient vu la généralisation à tous les secteurs de la vie sociale et intellectuelle, d'une critique radicale et passionnée. La science,

1. Puis-je demander au lecteur de deviner l'auteur de cette citation ? Un indice : elle date de 1976.

jusque-là restée un bastion de la neutralité idéologique, n'échappait plus à cette contestation tous azimuts. Un recueil de textes comme *(Auto)critique de la science* (textes rassemblés par A. Jaubert et J.-M. Lévy-Leblond, Seuil, 1973), une revue comme *Impascience* (Éd. Solin), avec sa dizaine de numéros parus entre 1975 et 1977, et bien d'autres livres ou articles, témoignent de ce mouvement.

A les relire aujourd'hui, leurs limites apparaissent clairement. Notre projet était ambigu. Critique de la science, soit. Mais pour la détruire, ou pour la transformer ? Ou plutôt, car l'un et l'autre étaient évidemment hors de notre portée, pour la quitter ou pour y rester ? Le mouvement était polarisé par cette interrogation : abandonner la recherche scientifique – mais pour une autre institution, au prix de quelles nouvelles illusions ? ou pour la marginalité intellectuelle, au prix de quels renoncements ? Ou bien aménager sa place, au prix de quels compromis ? Pris dans cette alternative, nous n'avons pas su échapper à sa tension. Nous n'avons pas réussi, comme le souhaitait l'éditorial du n° 1 d'*Impascience* dans son style 1975 typique, à « articuler les différentes dimensions du social et de l'individuel, du rationnel et de l'affectif, voire du politique et de la psychanalyse » dans notre conception de la science.

De proclamer notre impatience n'en conjurait pas les effets. Trop pressés, confondant jugement pénal et jugement rationnel, procédure et processus, nous entendions instruire le procès de la science plutôt que de nous instruire sur lui. Nous construisions un réquisitoire, alors que l'inculpation n'était pas encore publique. Mais l'enquête ni l'instruction ne sont closes, et les suspects ne sont peut-être pas les coupables. Sans doute devons-nous abandonner le rôle de procureur pour celui d'avocat de la partie civile...

C'est une double constatation qui m'a conduit à m'interroger quant à la nature et la portée du discours critique que nous tenions sur la science. D'une part, ce discours semblait être mal entendu, et ne trouvait pas à s'investir dans une critique sociale active de la science et de la technique. Il restait largement extérieur au mouvement antinucléaire comme aux débats sur les manipulations génétiques ; et il ne réussissait guère à entraîner de remise en cause collective dans le milieu scientifique, re-stabilisé par une idéologie moins triomphatrice mais toujours aussi protectrice. D'autre part, ce discours, qui, dans sa radicalité, se voulait singulier, évoquait des échos multiples en provenance de directions inattendues. Ainsi, en août 1976, Mme A. Saunier-Seïté, alors secrétaire d'État aux Universités, dans un exposé intitulé « Liberté scientifique et démocratie », reprenait quantité d'idées qui, depuis dix ans, circulaient plutôt dans *la Gueule ouverte, Libération* et *Impascience* : la science comme « unique autorité universelle », « l'intolérance de la rationalité scientifique » à l'égard d'autres valeurs, les dangers de nombreuses recherches, la critique de la neutralité prétendue de la science, le refus de laisser son contrôle aux seuls scientifiques, le caractère en définitive politique du « vrai problème » [2]. Et l'on pourrait multiplier les exemples de tels discours critiques directement issus du pouvoir réactionnaire.

Récupération, alors ? Mais si jamais un faux concept eut du succès, c'est bien celui-ci, qui a préservé tant de conforts intellectuels et permis de telles économies de pensée. Car la notion même de « récupération » suppose que certaines idées possèdent une radicalité intrinsèque, une extériorité totale, une criticité absolue par rapport à l'idéologie dominante. La « récupération » consisterait pour cette dernière à intégrer *a posteriori* ces éléments étrangers. Mais l'idéologie dominante est en effet dominante, et marque de son empreinte irrémédiable sa critique même. En d'autres termes : l'univers du discours est continu. Entre les dis-

2. On l'aura compris, voilà donnée la réponse à la devinette de la p. 9 : c'est à Mme Saunier-Séïté que l'on doit l'épigraphe de cet Avant-propos.

cours du pouvoir et celui de la contestation, pas de différence qualitative. Toutes les formes de transition, voire de renversement, existent, et telle phrase de Giscard d'Estaing, par exemple, peut être infiniment plus subversive qu'une citation, mettons d'Ivan Illich. C'est que les discontinuités et ruptures se marquent moins dans les énoncés théoriques que dans les pratiques sociales. S'il y a une leçon à retenir de Mai 68, c'est bien celle-là : on l'a vu alors, devant les choix politiques fondamentaux immédiats, les positions idéologiques générales de chacun furent soumises à un rude questionnement... Mais les nœuds de l'histoire ne sont pas quotidiens qui imposent de telles confrontations.

Ni son impact limité ni ses détournements caricaturaux ne prouvent que la critique radicale de la science ait été inutile. Devant ces difficultés, le mouvement, s'il a perdu de sa visibilité, ne s'est pas interrompu, mais dispersé. La traversée du désert s'est faite souterrainement ; le courant, démultiplié, n'en a que mieux irrigué de nombreux champs sociaux. Une fois comprise la nécessité de travailler au plus près les médiations du scientifique et du politique, par-delà les raccourcis parfois brutaux, c'est un effort multiple d'éclaircissement et d'approfondissement qui a été mené, au cours des dernières années, sur les relations entre science, technique et société, aussi bien dans les institutions universitaires (où le sigle « STS » devient un label reconnu) ou les centres de décision, que dans certains syndicats ou groupes indépendants. Toute une série de questions, touchant tant à des aspects particuliers de l'activité scientifique qu'à ses fondations et ses implications, ont été étudiées, sur un plan théorique comme aussi dans des pratiques nouvelles. Les liens étroits de la science avec l'armée, sa fonction économique dans le système capitaliste, le rôle idéologique de la vulgarisation, la nature de l'enseignement des sciences, les problèmes d'une épistémologie critique, l'évaluation des technologies nouvelles (électronucléaire, génétique) – quelques exemples majeurs des thèmes de réflexion et d'action, objets de rencontres, de campagnes de presse, de livres enfin[3].

Les textes que je présente ici ont donc été écrits dans cette perspective. Par-delà une certaine diversité de leurs prétextes, ils ont en commun quelque acidité de ton, une intention décapante. Cet *esprit de sel*, s'il traduit un goût personnel, répond aussi à ma conviction raisonnée. Au lieu d'offrir des certitudes, maintenir l'inquiétude, et la nôtre d'abord, voilà peut-être notre tâche. Non plus comme mot d'ordre : « un pas en avant des masses », mais plutôt (pour mot de désordre ?) : un pas de côté par rapport au pouvoir – pour que notre discours ne serve pas uniquement à alimenter celui de la domination, ni même seulement à lui répondre. Ceci, qui valait pour la droite, vaut encore pour la gauche. L'opposition et l'hostilité impliquaient la vigilance, la coopération et la proximité l'exigent. Sérieux est le risque aujourd'hui de voir se refermer trop vite les brèches ouvertes, l'urgence des mesures à prendre sur le court terme occultant l'importance des réflexions à mener sur le long terme. C'est la raison d'être de ces quelques textes dont le propos délibéré est de travailler moins à élaborer des réponses qu'à, encore, poser des questions.

Ces questions, telles que je les explore ici, découlent de trois grandes interrogations :

– activité de recherche, la science est-elle bien productrice de science au sens premier, c'est-à-dire de connaissances ? Y a-t-il de nouvelles formes, de nouvelles normes du savoir ? Qu'est la science pour la science ?

– activité intellectuelle, la science est-elle aussi une activité culturelle ? La science moderne est-elle dans la culture, est-elle une nouvelle culture – devrait-elle l'être ? Qu'est la science pour la culture ?

– activité sociale, la science est liée de façon complexe

3. Voir, en particulier, la collection « Science ouverte » que je dirige aux Éditions du Seuil depuis 1973.

aux structures et à la conjoncture politiques. Quel rôle joue-t-elle, quels conditionnements subit-elle ? Qu'est la science pour la politique ?

C'est donc entre ces trois thèmes que les textes rassemblés ont été répartis, avec l'inévitable arbitraire d'une telle organisation, dans la mesure où, précisément, ces essais s'efforcent d'analyser les relations et médiations entre science, culture et politique.

J'ai tenté d'alléger l'esprit, sinon le volume, de ce recueil, en y incluant, entre des textes que j'espère conséquents, quelques brefs écrits de circonstance ou d'humeur.

Il me reste à remercier ceux, nombreux – tous mes amis et quelques adversaires –, qui, par tant d'échanges (conversations, lettres, débats – réels ou imaginaires), sont à l'origine de ces textes.

J.-M. L.-L.

Nice, été 1981.

La science, la science

Une science sociale : la physique

Je voudrais soutenir la thèse suivante : la distinction des sciences (dites) sociales et des sciences (dites) exactes ne relève d'aucun critère épistémologique. Cette distinction, qui souvent se veut opposition, est essentiellement idéologique. Ce qui ne veut pas dire qu'elle est sans raisons, ni sans effets. A la vérité, cette différenciation, si souvent et si hautement réaffirmée, voire revendiquée, n'est que dénégation du fantasme profond qui anime les sciences sociales : être des « vraies » sciences, c'est-à-dire devenir comme les sciences exactes. C'est l'impossibilité empiriquement constatée d'une telle convergence qui est alors théorisée en divergence de fond, complexe d'infériorité transformé en revendication d'altérité. Mais, de l'autre côté, on n'est pas moins intéressé au maintien de la dichotomie : quelle meilleure garantie de la scientificité des sciences exactes que l'aveu d'impuissance des sciences sociales à satisfaire les mêmes critères épistémologiques ? Il ne peut y avoir du scientifique que s'il existe du presque-scientifique, du pas-encore-scientifique. Le complexe de supériorité des sciences exactes exige le faire-valoir des sciences sociales, parentes pauvres et dernières arrivées dans la famille, quitte à leur faire quelques aumônes mathématiques et à leur laisser escompter pour plus tard une part entière de l'héritage.

C'est la physique, pour l'essentiel, qui a jusqu'ici servi de référence aux sciences sociales. Son double prestige de science expérimentale (science « de la nature ») et formalisée (science « exacte ») semblait en faire le modèle par excellence. Mais il n'y a là, au mieux, qu'une définition de la physique en sa spécificité, et non une propriété générale de scientificité absolue. En réalité, entre la physique et les sciences sociales, au petit jeu des ressemblances et des différences, les premières l'emportent largement sur les secondes en importance : la physique est une science sociale, avant tout. Cette thèse n'a, à la vérité, de sens que dans sa double négation. L'affirmation simple exigerait une définition *a priori* des sciences sociales qui ne se fait d'ordinaire que par différenciation avec les sciences exactes – la physique en particulier. Puisque c'est cette différenciation même que je questionne, je veux en fait montrer qu'il est impossible de soutenir sérieusement l'antithèse suivant laquelle la physique n'est pas une science sociale. Il ne s'agit pas ici de proposer de nouveaux critères de scientificité, mais uniquement de révoquer les anciens : tâche délibérément et uniquement critique, contre le privilège archaïque des sciences « exactes » d'être les seules vraies sciences, contre la revendication moderniste des sciences « sociales » à en être aussi, mais autres. En montrant donc la physique comme une science sociale, il s'agit de frapper de nullité l'effort contradictoire des sciences sociales pour simultanément imiter les sciences exactes et s'en distinguer, de même que la tentative plus simple des secondes pour se distinguer des premières. A l'inverse de la fable d'Andersen, le cygne que rêve d'égaler le vilain petit canard n'est lui-même qu'un canard, un peu plus gros peut-être, mais tout aussi vilain.

Avant de considérer la physique elle-même, on peut déjà mettre en lumière la confusion de la dichotomie ici questionnée en remarquant qu'elle se présente à travers un flou terminologique considérable. C'est qu'en effet l'opposition n'est pas explicite entre sciences « exactes » et « sociales », pour se limiter aux termes arbitraires que j'ai utilisés jusqu'ici ; tout autre choix aurait été aussi mauvais, comme on va le voir. On parle communément aussi bien d'un côté de science « de la nature », de l'autre des sciences « humaines ». Je ne m'attarderai pas ici sur les questions épistémologiques : la biologie moléculaire est-elle « exacte » ? idéologiques : y a-t-il des sciences « humaines » qui ne soient pas « exactes » ? ou politiques (un peu faciles) : la physique serait-elle une science inhumaine ?, que cette terminologie peut – doit – susciter. Je ferai seulement remarquer qu'aucune symétrie ne la structure qui renverrait à une, ou même plusieurs, dichotomie(s) nette(s). Si aux sciences « de la nature » on peut opposer soit les sciences « sociales », soit les sciences « humaines », suivant qu'à la Nature fasse pendant l'Homme ou la Société, il n'y a pas, semble-t-il, de « sciences inexactes » à opposer aux sciences « exactes ». Curieuse situation : toutes les sciences ne sont pas exactes, mais il n'y en pas d'inexactes... Comment ne pas voir alors que ces épithètes, loin d'être descriptives, encore moins analytiques, sont purement dénominatives ? Leur signification ne relève pas d'une classification épistémologique, mais d'une utilisation idéologique. Ceci d'un côté est un truisme, aujourd'hui où chacun sait que sociologie, psychologie, etc., qu'elles soient ou non des sciences, ne sont pas si humaines, ni si sociales que ça. Ou plutôt, qu'elles relèvent de notions bien précises de l'Homme et de la Société, qui, elles, n'ont rien de scientifique. Mais c'est de l'autre côté que les choses ne sont pas encore aussi claires : que la physique ne soit pas une science si naturelle, ni si exacte que ça, mérite, je crois, les quelques développements qui suivent.

Pour qu'il y ait une (ou des) science(s) de la Nature, il faudrait d'abord qu'il y ait une nature. Mais rien de moins naturel que l'idée de Nature, on le sait aujourd'hui. De fait, cette notion naît du même mouvement qui engendre la science moderne, et spécifiquement la physique, pendant et après la Renaissance. Elle surgit d'ailleurs simultanément avec la notion d'Homme, en couple indissociable. Avec l'humanisme, philosophie de l'homme, doit apparaître la science qui alors (et jusqu'au XVIIIe siècle) est dite philosophie naturelle. Pour l'Antiquité et le Moyen Age, dont nous n'appelons science le savoir que par un dangereux abus de langage, l'opposition pertinente n'est pas celle de la Nature et de l'Homme, mais celle du Ciel et de la Terre. C'est en tournant sa lunette vers les astres, on l'a assez dit, que Galilée inaugura la modernité. Mais si, à le suivre, puis Newton pour qui la Lune n'est qu'une pomme de l'arbre de la connaissance, le haut et le bas obéissent à la même loi, n'est-il pas vrai alors que la nouvelle science inaugure le règne de la nécessité, et l'Église n'avait-elle pas raison de s'alarmer ? La menace n'était pas si grave. Du même mouvement où se constituait en objet la Nature, apparaissait le sujet : l'Homme, et la vieille dialectique de la nécessité et de la liberté pouvait tranquillement se réinvestir dans ce nouveau couple. Que la physique soit une science de la nature, voilà donc un énoncé vide. Plus précisément, sa réciproque est tautologique : la science de la nature, c'est ce qu'on appellera plus tard la physique, et à l'époque simplement philosophie naturelle. En d'autres termes, il n'y a de nature que pour autant qu'il y ait une science qui la prenne pour objectif. Ou encore, la nature c'est (et ce n'est que) l'objectif de la philosophie naturelle. Objectif en deux sens. D'abord parce que, je veux quand même l'expliciter, la tautologie n'est ici que de la désignation : par-delà le nominalisme apparent, existe une pratique cognitive réelle, « objective ». Ensuite parce que la notion de nature n'est pas un concept scientifique : elle n'est pas elle-même un objet de la physique, mais l'horizon de sa visée épistémologique, son objectif donc (jamais atteint évidemment).

Dire, ainsi, de la physique qu'elle est une science « de la nature » ne permet en rien de la caractériser, puisque la nature n'est autre que ce que nous donne à connaître la physique. La physique ? mais aussi la géologie, la biologie, etc., non ? La multiplicité des sciences de la nature, et même leur multiplication, ne donnerait-elle pas quelque valeur définitoire au vocable ? Bien au contraire : loin que la Nature soit délimitée d'avance comme un champ du réel où le surgissement de successives pratiques scientifiques les caractériseraient comme sciences-de-la-nature, ce sont ses frontières mêmes qui fluctuent au hasard des conflits idéologiques. Ainsi les sciences biologiques n'ont-elles pu être acceptées comme telles qu'après d'âpres batailles pour que la vie (en son essence, non en ses manifestations) puisse être reconnue comme « naturelle » : le problème dit de l'origine de la vie, bien qu'objet actuellement des recherches les plus orthodoxement scientifiques, témoigne encore de ces affrontements, par exemple au travers de ses vulgarisations. A l'inverse, les mêmes sciences biologiques font montre aujourd'hui d'un impérialisme agressif et tentent d'annexer nombre des secteurs des sciences... « sociales » ou « humaines ». La Nature semble s'étendre aux dépens de la Société. Le réductionnisme biologique, la naturalisation des faits sociaux sous-tendent des disciplines entières comme l'éthologie, et maintenant la « sociobiologie ». Leur signification idéologique a été démontrée, et leurs prétentions scientifiques démontées, en de multiples occasions. Je ne les mentionne ici que pour faire mieux ressortir la non-pertinence de toute référence à la Nature pour caractériser une science, fût-ce la physique.

En tout cas, dira-t-on, la physique est bien une science exacte. On sera même prêt à concéder qu'il n'y en a qu'une et que c'est bien celle-là... Mais qu'est-ce à dire ? Je n'ai encore rencontré personne qui, pressé d'expliciter ce critère d' « exactitude », ne tombe tôt ou tard, à travers celui de « rigueur », sur celui de « mathématicité ». C'est qu'en effet, la physique est mathématique. Elle a bien cette rigueur, cette exactitude. Et cette caractéristique est à l'ordinaire pensée comme critère majeur de scientificité. Science à la fois expérimentale (« de la nature ») et mathématisée (« exacte »), la physique offrirait ainsi le modèle idéal de la dialectique entre pratique et théorie que devrait suivre toute science pour mériter son nom. Resterait à comprendre la raison d'être de ce privilège particulier : pourquoi donc les mathématiques font-elles preuve en physique de cette efficacité exceptionnelle ? J'ai essayé ailleurs de montrer en détail qu'il s'agissait là d'une question mal posée[1]. Au lieu de demander *pourquoi*, il faut demander *comment*. On peut alors voir que les mathématiques entretiennent avec la physique un véritable rapport de constitution, et sous-tendent, de l'intérieur, sa conceptualisation même. Par différence, elles ont avec les autres sciences (« de la nature » = chimie, biologie, etc.) un rapport d'application : en extériorité, elles jouent un rôle purement instrumental. Dès lors, il devient clair que si la physique entretient avec les mathématiques ce rapport privilégié, c'est tout bonnement d'en être définie. La mathématicité n'est pas une propriété particulière et éventuellement temporaire, qu'il s'agirait d'expliquer, mais sa spécificité même, tant que l'on s'en tient au niveau épistémologique, tout au moins : on verra plus loin que c'est là un aspect seulement du problème de la scientificité de telle ou telle science. En tout cas, il ne peut être question d'ériger la mathématicité en critère général de scientificité : la chimie, la biologie moléculaire, la géologie moderne (tectonique des plaques) sont là pour nous démontrer l'existence de sciences mûres, autonomes et parfaitement constituées, qui n'obéissent en rien à ce critère. De quel droit l'imposerait-on donc aux sciences « sociales », ou inversement, par quelle déraisonnable aspiration voudraient-elles y satisfaire ? Chacun

1. Cf. J.-M. Lévy-Leblond, « Physique et Mathématique », in *Encyclopaedia Universalis* et dans *Penser les Mathématiques*, ouvrage collectif (Seuil, « Points-Sciences », 1982).

entrevoit ici les réponses qui touchent aux illusions de nécessité, de neutralité et de pureté que les mathématiques véhiculent – servent à véhiculer. Mais là n'est pas mon propos.

Si cette exactitude de la physique, interprétée au sens restrictif de la mathématicité, s'avère ici encore tautologique et triviale, ne peut-elle quand même, en élargissant sa signification, permettre de poser un problème pertinent ? Ne pourrait-on par exemple reprendre une distinction que j'ai trouvée dans un roman de science-fiction (dont j'ai malheureusement oublié le nom et l'auteur...), et opposer, en une symétrie cette fois satisfaisante, des sciences « certaines » et des sciences « incertaines » ? Leur démarcation ne recouvrirait d'ailleurs pas nécessairement celle des sciences exactes, ou de-la-nature, et des sciences humaines ou sociales : d'un côté l'économétrie pourrait bien être certaine (en supposant qu'elle existe), et de l'autre on sait bien ce qu'est la météorologie. Reste que la physique, si le critère a un sens, devrait être une science certainement certaine.

N'est-il pas évident en effet que la physique nous offre un savoir certain, c'est-à-dire définitif et progressif ? Si je veux soumettre cette certitude à la critique, ce n'est pas du point de vue d'un quelconque relativisme historico-épistémologique. La vision de T. Kuhn, d'une physique structurée en strates paradigmatiques totalement hétérogènes les unes aux autres et séparées par de radicales révolutions scientifiques, ne me paraît pas rendre compte de son histoire réelle. Il n'est pas vrai qu'après Einstein l'espace-temps n'a plus rien à voir avec celui que nous avait légué Newton. Bien au contraire, c'est le dépassement même d'une théorie par une autre, plus générale, qui permet de préciser les conditions de validité de la première et donc, en la limitant, de la mieux assurer dans son domaine propre. Que le savoir scientifique ne progresse pas de façon continue et cumulative, mais par ruptures et refontes, n'autorise en rien à nier son extension, ni à douter de la valeur cognitive de ses énoncés. Encore moins est-il question ici de mettre en cause les certitudes de la physique au nom d'Heisenberg et de ses « relations d'incertitude » comme d'abusives et dérisoires exégèses ont tenté de le faire[2]. J'accepte donc l'idée que la physique nous donne un savoir vrai et irréversible sur le monde réel. Est-on pour autant autorisé à la dire « certaine » sans risques de confusion ? Je ne le crois pas, car cette certitude n'est pas si simple, pas si unique, pas si importante que ça.

La vérité et l'objectivité du savoir physique ne sont pas données de façon immanente. Elles ne sont que tendancielles, apparaissant au travers seulement d'âpres conflits, et toujours menacées de régression. Je ne veux pas tant discuter ici les obstacles épistémologiques qu'elles rencontrent que les obstacles idéologiques. Les premiers, internes au fonctionnement propre de la discipline, peuvent être surmontés, et le sont en général, par les processus de rupture et refonte déjà évoqués. Les seconds, par contre, tiennent aux modalités d'articulation du discours et des pratiques spécifiques de la physique avec les discours et les pratiques sociales générales. Il n'est pas toujours aisé, d'ailleurs, de distinguer ces deux types d'obstacles, et la classification ici est empirique plutôt que théorique : si elle me paraît utilisable pour la physique classique (disons en gros jusque vers 1900), elle me semble beaucoup moins pertinente pour la physique contemporaine, où précisément l'idéologie fait massivement irruption dans le champ épistémologique, jusqu'à en rendre malaisée la délimitation. J'illustrerai donc mon propos par deux exemples, plutôt que d'en donner une analyse abstraite.

Le premier est celui de l'arc-en-ciel. Celui-ci présente sept couleurs, nous disent tous les manuels de physique depuis

2. Cf. J.-M. Lévy-Leblond, « Les inégalités de Heisenberg », *Bull. Soc. Fr. Phys. 14*, Suppl. Pédago. *1*, 15 (1973).

les fameuses expériences de Newton. Les encyclopédies nous le répètent et les innombrables images de l'arc-en-ciel, publicitaires, artistiques, symboliques, achèvent de nous en convaincre. Mais regardez un vrai arc-en-ciel : vous distinguez trois, quatre, peut-être cinq couleurs, ou une infinité de nuances. De fait, le spectre coloré est continu, c'est bien la physique qui nous l'apprend aussi, mais après avoir dit le contraire. Cette rectification est impuissante. C'est que la représentation sociale erronée n'est pas un effet extérieur au savoir strict, comme le serait le reflet, déformé en un miroir courbe, d'une droite vérité. Elle surgit du même sein que ce savoir et ne cesse de l'accompagner, relayée par toute la symbolique sociale. Car, si Newton a vu sept couleurs dans le spectre, c'est qu'il entendait sept notes dans la gamme, qu'il y avait sept jours dans la semaine, etc. Quoi donc de plus apparemment arbitraire, de plus culturellement subjectif que cet énoncé « scientifique » ?

Il s'agit sur cet exemple, mineur peut-être mais éloquent, de comprendre comment la physique peut conditionner toute une vision sociale du monde en sa non-scientificité même. Bien entendu, cette aberration trouve sa source bien en deçà de la physique proprement dite. En ce sens, « ce n'est pas de sa faute » ou encore « elle ne le fait pas exprès ». Mais précisément, c'est là ce qu'on veut montrer : l'incapacité d'un discours scientifique vrai à s'autonomiser, à se débarrasser par lui-même des multiples bribes de discours a-scientifique, voire mystique, qui sont nécessaires à sa naissance même et qu'il continue inéluctablement à charrier par la suite. La démonstration pourrait être rendue plus générale, sinon plus claire, à étudier systématiquement le vocabulaire de la physique, largement emprunté au langage courant et qui continue, comme tel, à porter une incroyable charge de métaphores implicites et d'associations inconscientes, dans le discours même des physiciens. Les effets s'en multiplient alors à l'extrême lorsque ce discours spécialisé est à nouveau relayé par le discours social. Le vocabulaire de la mécanique classique : force, travail, poids, masse (pour ne parler que des termes d'origine vulgaire et non des mots savants : énergie, impulsion, moment, etc.) continue, après trois siècles, d'entraîner des confusions et des détournements de sens qui font le permanent désespoir des pédagogues et des vulgarisateurs.

Un exemple encore, majeur celui-ci : c'est la notion de loi de la physique. Il s'agit bien là d'un cas relativement spécifique, car si tous les énoncés fondamentaux de la physique sont dits lois, les autres sciences « certaines » produisent plutôt des règles, voire des principes. Mais la loi physique n'est jamais qu'un avatar de la Loi de Dieu. Quand le Ciel d'où Il légifère rejoint la Terre au sein de la Nature, c'est celle-ci qui devient à la fois source et objet de la loi, puisqu'il faut ainsi doublement entendre l'expression « loi de la nature » (remarquable ambiguïté du génitif !). Les lois de la physique ne sont alors que les divers articles du grand Code de la Nature. Bien plus tard, les sciences « sociales » ou « humaines » tentent, à l'instar de la physique, d'énoncer des lois dont il n'est que trop clair que la visée essentielle est avant tout de conforter la loi civile ordinaire en la faisant apparaître comme « naturelle ». Par quoi la boucle est bouclée, puisque la Loi de Dieu n'était rien d'autre que l'expression aliénée de ladite loi civile. La loi physique, cette citadelle même de l'objectivité, de la vérité, de la certitude de la science, est ainsi minée dans ses fondations : dans sa dénomination même se révèle son inéluctable collusion avec les déterminations sociales si improprement dites extérieures. Cela est si vrai qu'en d'autres circonstances a pu exister une conception du savoir scientifique qui ignorait la notion de loi : ainsi de la considérable somme de connaissances rationnelles qu'a produites la civilisation chinoise. Comme le démontre Needham, ne connaissant pas de législateur divin, la culture chinoise n'a pas ordonné son savoir scientifique en lois, mais s'est donné une conception beaucoup moins discursive et normative de la rationalité[3]. On voit bien, sur cet exemple, apparaître l'impossibilité d'un jugement dernier, qui une fois pour toutes séparerait le grain des concepts (« vraiment » scientifiques), de la paille des mots (assurément idéologiques). A se donner un tamis aussi fin que possible pour opérer le tri, on le verra défoncé d'emblée par les poutres que les pailles nous auront empêchés de voir. Mieux vaut accepter de manger notre pain bis, mais en toute connaissance de cause.

La certitude du savoir physique reposerait-elle alors au moins sur son irréversibilité, dont j'ai dit que je ne la mettais pas en cause ? Mais ce caractère ne peut en rien servir de critère discriminatoire. Sur les formations sociales, sur les comportements humains (je ne dis pas : sur la Société, sur l'Homme), nous avons désormais dépassé des points de non-retour. Marx et Freud ici symbolisent ces ruptures, comme Galilée celle qui inaugure la physique. Il ne s'agit pas pour moi en les convoquant de remplir quelque rite propitiatoire. Encore moins d'affirmer, comme on l'a fait, qu'ils ont, et eux seuls, enfin ouvert à une véritable scientificité de nouveaux continents, fondant l'un la vraie science sociale, l'autre la vraie science humaine. Je ne crois pas à l'existence de normes intrinsèques de scientificité, et le débat sur celle du matérialisme historique et de la psychanalyse me paraît sans objet. Mieux vaut prendre les sciences sociales et les sciences humaines pour ce qu'elles se donnent conventionnellement : des doctrines plus ou moins informes et hétérogènes, dont la principale caractéristique commune est de refuser pour les unes le marxisme, pour les autres le freudisme (ou faut-il dire marxisme-léninisme et freudisme-lacanisme ?) même si c'est en prétendant parfois les intégrer ou les dépasser. C'est à la fascination exercée par ces deux spectres qui hantent les vieux continents du savoir qu'on reconnaît précisément

3. J. Needham, *la Science chinoise et l'Occident* (Seuil, « Points-Sciences », 1976).

l'irréversibilité précipitée par leur apparition. L'irréversibilité d'un savoir donc ne peut permettre de départager deux catégories de sciences ni même et surtout de caractériser les sciences en général. C'est que la clôture d'un champ du savoir, qui le constitue en science, me paraît aujourd'hui une opération purement formelle, de nature moins notionnelle qu'institutionnelle, moins épistémologique que politique. Et cela est vrai de la physique même. La frontière qui la délimite n'est ni fixe ni étanche. C'est en permanence que s'y ouvrent des lignes de fuite, par où s'échappent des groupes entiers de concepts, des corps de doctrine : non qu'ils perdent leur validité, je les ai bien reconnus irréversibles, mais que, manquant soudain de pertinence sociale, ils tombent en désuétude, sauf peut-être au niveau de quelque technique particulière. A l'inverse, dans le territoire de la science la plus rationnelle, les infiltrations sont quotidiennes d'éléments irrationalistes, voire mystiques. C'est que la délimitation de ce territoire s'est faite par expropriation et exclusion. Pour les exclus de la science, quelle différence entre une astronomie et une astrologie aux fondement également incompris (non pas également incompréhensibles, mais, précisément, cette virtualité est sans effets) ? A l'inverse, quelle confiance accorder à un savoir imposé d'en haut, même s'il est scientifique, quand il exige l'abandon et le rejet des savoirs nés d'en bas, même s'ils sont empiriques ? Ésotérique et élitiste dans les faits, la science contemporaine n'assure un développement de la rationalité que sur une base sociale sans cesse rétrécie. Elle nourrit alors nécessairement la croissance simultanée de l'irrationalité ambiante. Il nous faudra donc bien reconnaître un jour qu'il n'est ni nécessaire ni suffisant, pour qu'un savoir soit vrai et juste, qu'il soit scientifique. Au sein du savoir, les frontières de la science ne sont ni à renforcer ni à déplacer, mais à abolir.

Toute cette discussion jusqu'ici est restée limitée à une vision partielle de la science : je n'ai guère analysé que son discours. Mais ce n'est là que la partie émergée de l'iceberg. On ne peut comprendre la nature de la science aujourd'hui qu'en la saisissant comme production, plutôt que comme produit. Dès lors, il devient évident que la physique est bien une science sociale : de la société, non par le savoir qu'elle en donne, mais par les marques qu'elle en porte. Trivialité, peut-on dire : toutes les sciences ne sont-elles pas sociales en ce sens ? Certes, mais la physique plus peut-être que beaucoup d'autres. Dans la mesure même où elle participe, en nombre de ses domaines, de la *Big Science*, elle est incomparablement plus soumise aux déterminations qu'on dit externes : économiques, politiques, militaires. Depuis Hiroshima, en particulier, ses orientations sont étroitement contrôlées par ces facteurs, même si c'est par le jeu subtil de médiations idéologiques qui laissent les physiciens, naïfs, croire à leur autonomie. Les véritables usines à science que sont les centres de physique subnucléaire, ou de physique spatiale, témoignent du mode industriel sur lequel se fait désormais la production scientifique (tout en laissant subsister nombre d'unités de production plus artisanales : développement inégal ici aussi). La division du travail entre théoriciens et expérimentateurs, entre disciplines, entre catégories hiérarchiques, atteint une ampleur inégalée, tout comme la parcellisation des tâches et l'institutionalisation du fonctionnement de la soi-disant « communauté » scientifique. En ce sens, la physique contemporaine témoigne on ne peut mieux que le rapport de l'homme à la nature est avant tout un rapport social. Il faudrait au fond renverser la démarche habituelle : que la connaissance du fonctionnement social (« sciences » ou non, peu importe ici) soit irréductiblement prise dans son objet, qu'il n'y soit pas possible d'isoler le sujet (collectif), que le savoir ne puisse y prétendre à la neutralité, c'est là au fond une extrême supériorité. Les deux significations du génitif dans l'expression « sciences de la société » sont indissociées. On trouve ici une transparence relative, une immédiateté des déterminations, qui permettent un mouvement critique presque spontané. C'est d'ailleurs bien à Nanterre, en sociologie, que la critique de la science avait en 68 forgé les premières armes des nouvelles batailles. A l'opposé, en physique, l'écart apparent entre le sujet et l'objet, la production et le savoir produit, la vérité des résultats et la contingence (apparente) de leurs applications, permet le maintien des vieilles illusions sur la neutralité de la science. De ce point de vue, elle apparaît comme beaucoup plus profondément idéologisée encore que les sciences « sociales » ou « humaines ». C'est pourquoi le caractère « certain » de la physique est en un sens superficiel : réalité certes, mais derrière laquelle tend à disparaître une autre réalité, bien plus épaisse et massive. Les vérités objectales de la physique masquent sa nature objective. Au fond, la vérité, c'est comme les trains : une vérité peut en cacher une autre. Assurez-vous donc que la voie est libre avant de traverser...

Métaphysique, maths et physique

> Or, je soutiens que dans toute théorie particulière de la nature, il n'y a de science proprement dite qu'autant qu'il s'y trouve de mathématique.
>
> Kant *(Premiers principes métaphysiques de la science de la nature.)*

« ... Quand même, on peut dire ce qu'on veut, mais les maths c'est pas comme le latin : c'est dogmatique, sélectif, d'accord, mais au moins ça sert, c'est utile !

– Sans doute... au fait, ça sert à quoi, ou en quoi, les maths ?

– Ben, par exemple, en physique... »

Oui, ça sert en physique. Mais c'est bien le seul domaine où ça sert comme ça. A la vérité, c'est même le seul où, précisément, ça ne « sert » pas, en tout cas pas comme un instrument, ou un outil. En physique, les mathématiques ne sont pas en situation d'extériorité, venant s'appliquer, du dehors, pour permettre ou faciliter telle corrélation numérique, tel rapport quantitatif. Ce sont les concepts mêmes de la physique qui sont sous-tendus par la mathématisation. Ainsi, la notion de vitesse instantanée est-elle proprement incompréhensible sans référence à la dérivation. C'est d'ailleurs sur cet exemple simple que s'inaugure avec Galilée la théorie physique au sens moderne, c'est-à-dire mathématisée. Les maths entretiennent donc avec la physique un véritable rapport de constitution, et pas seulement d'application, comme avec les autres sciences. Celles-ci n'en sont pour autant ni plus ni moins rigoureuses, sinon exactes : la biologie moléculaire, pour n'être pas mathématique (ni le code génétique ni l'allostérie, etc., n'exigent de conceptualisation mathématique) dans ses aspects théoriques, n'en offre pas moins toutes les garanties requises de respectabilité épistémologique. Sans doute faudrait-il nuancer ce qui précède ; certains cantons scientifiques particuliers peuvent également avoir une forte constitutivité mathématique, comme en témoigne le rapport de la génétique avec la statistique. Mais enfin, il ne s'agit pas là des « grandes sciences » en général et, en tout cas, ce sont là subtilités tout à fait secondaires du point de vue de l'enseignement du même nom.

Rien, apparemment, dans l'énoncé de fait de la singularité du rapport entre maths et physique, qui se prête à un jugement de valeur... métaphysique (cf. Kant, ci-dessus). Cette spécificité ne devrait pas être interprétée comme un privilège, mais comme un simple caractère, peut-être partiellement définitoire de la physique d'ailleurs (après tout, à quoi reconnaît-on la physique de la chimie ? et qu'est-ce qui fait appeler chimie physique une certaine zone frontalière ?). Mais tout se passe au contraire comme si c'était cette liaison avec les mathématiques qui conférait à la physique sa noblesse et en faisait le modèle même d'une scientificité, que s'efforcent d'atteindre tant d'autres disciplines. Inversement, le prestige épistémologique et, par-delà, idéologique, des mathématiques, ne peut sans doute se comprendre qu'à partir de leur relation avec la physique. Or, d'où vient que la physique ait ainsi été promue au rang de paradigme ? Ne serait-ce pas de son efficacité dans la pratique sociale, plus que de sa formalisation ? Dans la classification comtienne initiale, la physique occupe le bas de l'échelle, en tant qu'elle traite des systèmes les moins complexes, alors que c'est la sociologie qui tient le haut du pavé. Implicitement, au cours du XIXe siècle, cependant que se fait la jonction de la science physique avec la technique industrielle (d'abord la thermodynamique, puis l'électricité), ce système de valeurs se renverse : il faut bien reconnaître que la science – la physique, en l'occurrence – ne sert pas seulement à interpréter le monde, mais aussi à le transformer. Dès le début du XVIe siècle, Francis Bacon écrivait : « *scientia et potentia humana in idem coincidunt* » ; mais cette conjonction du savoir et du pouvoir n'était encore qu'un rêve. Il faudra attendre plus de deux siècles pour qu'elle devienne réalité. Cependant, ces retrouvailles de la science physique avec la technique, d'où elle était autrefois issue (voir encore Galilée), n'ont rien du retour de l'enfant prodigue. C'est à une place totalement subordonnée aux besoins immédiats qu'est, jusqu'au début du XXe siècle en tout cas, située la science dans le processus de production. La machine à vapeur permet le développement de la thermodynamique bien avant que celle-ci ne perfectionne celle-là, et l'artisan Gramme invente la dynamo sans rien connaître à l'électrodynamique.

Triomphe dérisoire : au moment même où se matérialise le vieux fantasme de la Renaissance, puis des Encyclopédistes, quand le savoir scientifique enfin se réalise massivement en pouvoir technique, s'avancent au premier rang non les savants, mais les industriels, et triomphe non la Raison, mais le Capital. Réalité proprement insupportable, idéologiquement et politiquement, pour la pensée bourgeoise. Le scientisme va donc se donner libre cours, couvrant, sous le mythe du progrès de la connaissance et de ses bienfaits sociaux, les mécanismes réels de subordination de la science aux intérêts de la classe dominante. On assistera alors à un fantastique phénomène de déplacement : les pratiques de production effectives d'où tel savoir scientifique tire son importance sociale seront occultées, au profit d'une mise en valeur de ses caractéristiques les plus théoriques, en l'occurrence la mathématicité (il faudrait se demander si un mécanisme analogue n'a pas opéré dans les dernières décennies pour promouvoir la biologie fondamentale – « moderne », elle aussi – par déplacement à partir des succès et des limites de la médecine empirique). Et la boucle se referme, quand, pour « expliquer » ce que l'on vient de masquer, à savoir l'efficacité de cette science, on invoque justement sa mathématicité... L'idéologie dominante ne sépare la théorie de la pratique que pour surévaluer la première au détriment de la seconde : elle ne peut penser l'efficacité du savoir qu'à partir de sa formalisation, toujours donnée comme préalable et nécessaire à sa mise en œuvre. C'est bien pourquoi les savoirs purement empiriques (savoir technique de l'ouvrier, savoir agricole et météorologique du paysan, savoirs médicaux traditionnels), ne peuvent être reconnus pour valides. C'est pourquoi, inversement, la physique apparaît comme la science par excellence : efficace d'un côté, formalisée de l'autre. Mais ces côtés précisément sont deux, et le passage de l'un à l'autre est loin d'être immédiat : la physique du chercheur astrophysicien n'a quasiment rien à voir avec celle d'un ingénieur de l'automobile ; les adolescents virtuoses du bricolage électronique et de la haute-fidélité brillent rarement dans leur classe de physique ; un professeur de physique à l'université, exemple vécu, peut avoir enseigné l'élémentaire électrocinétique du courant triphasé et se trouver incapable d'adapter au courant force un radiateur électrique prévu pour le secteur ordinaire sans le faire griller par suite d'une erreur pratique grossière – que naturellement il n'aurait jamais commise en théorie... Mais cette dichotomie de fait reste masquée : il suffit (et il faut) que le même mot « physique » recouvre les deux pôles, de plus en plus lointains et incompatibles, pour que les apparences soient sauves et que la contradiction de fait entre l'empirique et le formalisé se dissimule derrière une alliance factice, tels ces vieux ménages déchirés qui se font pourtant bonne figure devant les tiers afin de préserver leur statut social.

Admettons donc que les maths, ça sert en physique. C'est déjà ça. Mais la physique, ça sert en quoi ? En mécanique appliquée, en techniques de l'ingénieur, en électronique industrielle, partout, dans la production, quoi... En principe, oui, mais en principe seulement. On vient de le dire : rien de plus éloigné de la physique qui s'enseigne ou se cherche à l'université que celle qui se fait à l'usine, où elle n'existe d'ailleurs plus en tant que telle, savoir séparé de ses applications. Rien dans l'enseignement scientifique, ni son contenu, ni ses méthodes, ne permet finalement d'avoir prise sur le monde, ce même monde réel où pourtant se matérialisent ces connaissances. Et l'illusion pédagogique est ici dérisoire : aucune réforme de programme ou d'horaire, aucune réhabilitation des travaux pratiques ou manuels ne suffira à combler cet écart. Si un étudiant ou un enseignant de physique sont incapables de maîtriser un objet technique quelconque, rasoir électrique, moteur automobile ou calculateur de poche, autrement qu'au tableau noir, ce n'est pas seulement parce qu'ils ont mal appris ou mal enseigné... C'est d'abord et avant tout que ledit objet technique est le produit d'un processus de production de plus en plus complexe, d'une division du travail extrême ; aucun regard ou geste individuel ne peut le ressaisir dans sa totalité, la boîte noire est opaque et close. Finalement, la science telle qu'on l'enseigne, non seulement ne permet pas à ceux qui croient l'apprendre de transformer le monde, mais elle n'aide même plus à l'interpréter. Il n'y a donc nul paradoxe, au contraire, dans l'extraordinaire coexistence actuelle d'un néo-scientisme et d'un néo-irrationalisme : comment se gausser, au nom de la science, du succès des astrologues, quand des informaticiens popularisent leur grève en tirant des horoscopes sur leurs ordinateurs ? Comment déplorer, au nom de la science, la remontée de divers courants mystiques, quand des physiciens se prêtent aux pitreries « supernaturelles » d'un Uri Geller ?

L'empire des lumières

Tard dans la nuit, un passant voit un homme scruter fébrilement le trottoir sous un réverbère. « Pardon, monsieur, vous semblez chercher quelque chose ? – En effet, j'ai perdu ma clé et ne peux rentrer chez moi. – Puis-je vous aider ? – Avec plaisir, je vous remercie. » Les deux hommes fouillent recoins et aspérités, sans résultat. Finalement, le passant : « Mais êtes-vous bien certain d'avoir égaré votre clé ici ? – Oh non, monsieur, pas du tout ! Je l'ai perdue dans un endroit complètement obscur où il n'y a aucun moyen de la trouver. Ici, au moins, on a de la lumière pour chercher. »

Penser est difficile. Chercher à penser ce qui importe vraiment oblige à affronter l'obscurité, probablement sans succès. On peut alors aussi bien décider d'aller chercher à la lumière : pour passer le temps, en attendant que le jour se lève, ou, peut-être, pour trouver d'autres clés qui – sait-on jamais – ressembleraient à celle que l'on poursuit (mais que, contrairement à celle de l'anecdote, on n'a pas perdue, puisqu'on ne l'a jamais possédée).

Les sciences strictes[1] offrent cette possibilité : on y voit à peu près clair. On peut y chercher dans une relative lumière, et même y trouver quelques clés. Ces clés cependant n'ouvrent plus guère de coffres à trésor, ni même de boîtes de Pandore. Les merveilles de la technique comme ses horreurs ont été engendrées à foison suffisante par nos prédécesseurs. Aujourd'hui, les clés de la science ouvriraient plutôt assez souvent des boîtes remplies de clés, qui à leur tour... Nous manquons moins de serrures que de portes, moins de portes que de demeures. La science fournit des solutions, certes, mais à des problèmes de moins en moins pertinents.

Mathématiques, physique, chimie, biologie, voilà de bons réverbères, toujours lumineux. Que les chiens aujourd'hui les compissent à plaisir croissant ne les empêche pas de briller au-dessus des miasmes où baigne leur base.

Il est vrai pourtant que leur clarté est insultante, et leur arrogance déplacée. Que vaut la lumière électrique sur ce bout de mur et de trottoir lorsque la maison, ses escaliers, ses chambres baignent dans le noir ou ne connaissent encore que lampes à huile ou chandelles – même si le ciel, lui, est clair au-dessus de la terre sombre comme dans le tableau de Magritte dont j'ai emprunté le titre pour ce texte ? Mais faut-il envier pour leurs privilèges ces quelques illuminés qui y voient clair sur des places désertes et froides, ou les plaindre pour leur aveuglement, et leur souhaiter de rejoindre ceux qui tâtonnent dans l'obscurité intérieure ? Moraliser d'ailleurs ne servirait pas à grand-chose. Même en ajoutant les crachats à l'urine, il est peu probable que la rouille rapidement vienne à bout de ces orgueilleux et dérisoires lampadaires.

Il reste alors à montrer combien leurs lumières sont de

1. J'invente cette terminologie pour éviter celles, usées ou inadéquates, de « sciences exactes », « naturelles », « physico-mathématiques », etc. Qu'on ne me demande surtout pas de préciser la (re)striction ainsi introduite.

portée limitée. Les succès des sciences strictes dans l'élaboration d'appareils conceptuels raffinés leur vaut bien des envies. Rares sont aujourd'hui les systèmes de pensée qui ne visent à acquérir statut de science. Cette hégémonie paradigmatique s'étend non seulement à tous les domaines spécifiques du savoir (de la médecine aux « sciences » sociales et humaines), mais à toutes les synthèses spéculatives (du marxisme à la psychanalyse). Pourtant, l'efficacité intellectuelle des sciences strictes ne témoigne pas nécessairement de leur capacité à fournir un modèle général de la pensée. On peut, au contraire, avancer l'idée que ces sciences affirment leur réussite en permettant à leurs praticiens, dans leur activité théorique, de penser le moins possible. Plus précisément, leur appareil conceptuel semble être de nature essentiellement technique, et offrir la possibilité d'un fonctionnement cérébral de type machinique, voire machinal. C'est en canalisant et en organisant très soigneusement la réflexion qu'on lui permet de progresser, évitant les perpétuelles interrogations et remises en cause d'une pensée de la globalité, qui chercherait à saisir le monde sans médiations instrumentales. La déduction scientifique finalement différerait ainsi par nature de la méditation philosophante.

Une métaphore peut ici être envisagée des modes de réflexion avec les moyens de transport. Aucun doute : l'avion, le train, la voiture vont plus vite et plus loin que le marcheur. Mais a-t-on bien perçu l'extrême limitation des voyages qu'ils permettent ? Leur efficacité est à ce prix : une infrastructure lourde et étroite. Quelques aéroports, des voies ferrées, un réseau routier ne recouvrent jamais qu'une infime partie de la planète. Où que vous alliez, vous finirez votre voyage à pied. Au lit, à table, au bord de la plage, au fond de la forêt, votre corps seul atteindra son but. Car c'est bien de votre corps – au sens où Reich disait : « Vous n'avez pas un corps – vous êtes un corps » –, qu'il s'agit au bout du chemin, et de son rapport direct, immédiat, avec le vent, l'eau, la nourriture, un autre corps. Les *moyens* de transport en sont bien qui, à la fin, doivent céder le pas. Il en va de même pour la science, commode souvent, indispensable parfois, dangereuse aussi, mais qui ne peut prétendre à l'hégémonie sur notre pensée.

Là même où la raison scientifique triomphe, elle ne le fait souvent qu'en acceptant et en contournant la difficulté ou l'impossibilité d'une pensée non formalisée ; de même, le passager d'un avion doit renoncer au contact mortel de l'air froid et raréfié. C'est ce que je voudrais montrer ici sur quelques exemples simples tirés de la physique. Science stricte s'il en est, « exacte » et « naturelle » à la fois, elle constitue souvent le modèle de scientificité par excellence. A ce titre, nombre de métaphores lui ont été et lui sont toujours empruntées, par des disciples en quête de respectabilité intellectuelle. Mais les concepts de la physique n'ont de sens et d'efficacité qu'au sein de la théorie physique elle-même, où ils s'agencent et s'articulent en un dispositif cohérent. Isolés et déplacés, ils perdent toute validité. Je me propose donc d'esquisser une *pratique de l'anti-métaphore*. Il s'agira, sur tel phénomène ou résultat particulier (de la physique ici), de montrer comme il est difficile de le penser directement, sans l'appui d'outils intellectuels spécialisés. Le doute devrait en être jeté sur l'utilisation aussi autoritaire qu'arbitraire d'idées trop spécifiques dans des contextes trop généraux. Comment prétendre fonder, ou illustrer, un nouveau courant de pensée philosophique ou sociologique, à partir d'idées empruntées aux sciences physiques, si ces idées, à leur source même, se révèlent, une fois dépouillées de leur technicité mathématique et extraites de leur contexte théorique, faibles, vagues et floues ? Que sert de recourir aux leçons de la relativité ou de la théorie quantique naguère, de la thermodynamique (fût-elle celle des processus irréversibles...) aujourd'hui, de s'appuyer sur l'expansion de l'univers ou la désintégration des particules fondamentales, quand l'oscillation d'un pendule, la torsion d'un ruban ou l'ébullition de l'eau, derrière leur théorisation classique, sont encore fertiles en paradoxes ?

Voici donc peut-être ce qui reste à entendre dans les sciences strictes : une leçon de doute. Non pas au sens où leur « exactitude », prise pour norme, renverrait tout autre savoir à la méconnaissance ou à l'indétermination – thèse éculée et dérisoire. A l'inverse, en permettant, par leur rigueur même, de mesurer l'écart, vaste, entre le fonctionnement de la pensée et sa maîtrise, ces sciences perdent toute prétention à servir de modèle. Si, ailleurs, les outils intellectuels sont moins élaborés, la connaissance n'est pas nécessairement moins profonde. Elle ne doit pas, en tout cas, céder à la facilité et chercher à emprunter les instruments des sciences strictes, théoriques pas plus qu'expérimentaux : l'entropie n'a aucune raison d'être plus utile au sociologue qu'un calorimètre, ni les « incertitudes » de Heisenberg au psychologue qu'un oscilloscope. Même si telle notion, empruntée à une discipline respectable, peut souvent porter le mouvement des idées vers un nouveau domaine, la pensée, si elle se veut conquérante, doit brûler ses vaisseaux en abordant le continent inconnu.

Montrons ici, en tout cas, les aspects ignorés de paysages familiers.

Double tour

Considérez ce livre, posé sur votre table. Sans le soulever, faites-le tourner sur lui-même, jusqu'à ce qu'il ait effectué un tour complet. Il reprend exactement sa position initiale. Il en irait de même après un nombre entier quelconque de tours, dans l'un ou l'autre sens. Un objet quitté des yeux un certain temps et retrouvé à la place précise qu'il occupait peut ainsi avoir effectué un nombre indéfini de tours sur lui-même. Qu'il ait accompli une, deux, mille révolutions complètes, ou aucune, sa relation spatiale avec le monde environnant est restée la même – semble-t-il.

Mais prenez une petite cuillère, par exemple, et suspendez-la horizontalement à un ruban fixé à sa partie supérieure, ruban qui va matérialiser le lien de la cuillère, notre objet d'expérience, avec l'espace ambiant. Donnez à la cuillère un tour complet sur elle-même, autour d'un axe vertical. Elle reprend sa position initiale ; le ruban, initialement plan, accuse maintenant une torsion hélicoïdale qui révèle l'opération effectuée. Après deux tours, puis trois, etc., le ruban montrera une torsion double, puis triple, etc. Ainsi, un coup d'œil au ruban supposé initialement droit devrait immédiatement révéler le nombre exact de révolutions complètes effectuées par la cuillère. Donnez donc *deux* tours sur elle-même à la cuillère, disons dans le sens des aiguilles d'une montre ; puis, en la maintenant rigoureusement parallèle à elle-même, soulevez-la, passez-la derrière la partie verticale du ruban et ramenez-la en sa position première. Le ruban ne porte plus trace de torsion. Bien que la cuillère n'ait à aucun moment changé d'orientation, son seul déplacement a exactement annulé la double révolution initiale.

L'étonnant ici n'est pas tant dans la relation ainsi exhibée entre mouvements de révolution et mouvements de translation – après tout, ces mouvements se déroulent dans un même espace –, que dans le rôle tout à fait particulier joué par la révolution « à double tour ». L'expérience refaite après une révolution initiale d'un seul tour complet conduit bien évidemment à retrouver le ruban affecté d'une torsion d'un tour dans la direction inverse à la première. Sans révolution supplémentaire, et par de simples déplacements parallèles de la cuillère, il est possible de modifier de deux en deux le nombre de tours complets exhibés par la torsion du ruban.

Il y a une différence de nature essentielle entre les rotations comprenant un nombre pair de révolutions, et celles qui en comprennent un nombre impair. Ainsi peut-on dire qu'il n'est pas suffisant de donner à un objet un tour complet sur lui-même ou trois, ou cinq, etc., pour le ramener exactement dans les mêmes conditions de relation avec son environnement spatial. Il faut, pour ce faire, effectuer deux (ou quatre, etc.) tours complets. C'est le double tour qui se trouve être l'unité cyclique de base[2].

Voilà donc une propriété fondamentale, à la fois extraordinairement simple et parfaitement énigmatique, de l'espace où nous vivons. A notre échelle, cette propriété n'a, à ma connaissance, d'autres manifestations que de permettre certains *tours* aux illusionnistes professionnels. Elle a par contre une importance considérable en physique microscopique. La théorie quantique fonde sur cette propriété l'existence de deux classes distinctes de particules fondamentales : les « bosons », décrits par des êtres mathématiques qu'une révolution simple laisse inchangés, et les « fermions », qui exigent au contraire une double révolution pour récupérer leur description initiale. Si l'on sait maintenant que les « fermions » obéissent au principe d'exclusion de Pauli qui, appliqué aux électrons, explique l'essentiel des propriétés de la matière ordinaire, on voit qu'il ne s'agit pas là d'une simple curiosité académique. A la vérité, c'est précisément la découverte expérimentale, puis la compréhension théorique des « fermions », au niveau fort ésotérique de la physique quantique fondamentale, qui ont permis de remonter à la source de leurs étranges caractéristiques, finalement trouvée dans l'inattendue différence de nature entre simple et double tours.

Ainsi une propriété structurelle fondamentale de l'espace est-elle longtemps restée inaperçue, malgré son caractère à la fois élémentaire et paradoxal. Un long détour par une

2. En termes mathématiques, il s'agit ici d'une caractéristique du groupe des rotations spatiales. Ce groupe SO_3 admet pour revêtement universel le groupe SU_2 avec l'homorphisme $SO_3 \simeq SU_2/Z_2$. On dit improprement, mais couramment, que « le groupe des rotations à 3 dimensions est doublement connexe ».

science aux objets très éloignés de la pratique quotidienne et au formalisme mathématique élaboré, a permis de percevoir cet aspect méconnu de notre expérience spatiale immédiate : le seul re-tour à une position antérieure ne garantit pas l'invariance absolue de la situation. Cela, qui est vrai dans le cadre si pauvre et si banal de la géométrie euclidienne, comment ne le serait-ce pas, plus encore, dans des situations bien plus complexes ? Et si l'évidence empirique triviale (le ruban et la cuillère) ici n'est venue qu'enfin illustrer une longue et tortueuse élaboration théorique, appuyée sur un considérable arsenal mathématique, comment ne pas penser que d'aussi simples idées ailleurs nous échappent, faute de ce possible dé-tour ?

Des équilibres

Encore une expérience aisée à réaliser soi-même. Il suffit de disposer d'un pendule, c'est-à-dire d'un objet quelconque suspendu au bout d'un fil ou d'une tige. On peut aller contempler dans une église les oscillations d'un encensoir, comme fit Galilée à Pise, ou considérer le balancier d'*une* pendule ancienne, ou simplement réutiliser la cuillère fixée au ruban de l'expérience précédente. Immobile, le pendule est à la verticale. Écartez-l'en, puis abandonnez-le. Son poids le ramène vers le bas, mais l'inertie l'entraîne au-delà de sa position d'équilibre. Il remonte donc jusqu'en un point symétrique de sa position de départ, y rebrousse chemin et le processus se répète en sens inverse. Une fois déclenchées ces oscillations régulières, fermez les yeux, puis rouvrez-les en un moment choisi *au hasard*, et notez la position du pendule à cet instant. La question est celle-ci : avez-vous plus de chances, au moment aléatoire où vous le regardez, de voir le pendule au voisinage de sa position d'équilibre, ou près de ses positions d'écart maximal ? Pour rendre la question plus précise, divisons le parcours du pendule en quatre zones d'égale grandeur. Alors, si l'on répète un certain nombre de fois, toujours à des instants pris au hasard, le repérage de la position du pendule, le trouvera-t-on plus souvent dans l'une des deux zones centrales, ou dans l'une des deux zones extérieures, ou bien aussi souvent dans les unes que dans les autres ? Avant de lire la réponse, il serait bon que le lecteur élabore la sienne propre...

La plupart du temps, la réponse « intuitive » affirme une fréquence d'observation, et donc de présence, du pendule plus grande dans les deux zones centrales. La raison en serait que ces zones entourent la position d'équilibre, celle où le pendule « désire » se trouver, et donc – croit-on –, celle aux alentours de laquelle il passe le plus de temps. Rien n'est plus faux. Cette position est, de toutes celles que traverse le pendule au cours de son mouvement, celle où il passe avec la plus grande vitesse, entraîné par son inertie. Au contraire, près des points extrêmes de sa trajectoire, ceux où il rebrousse chemin, sa vitesse doit diminuer jusqu'à s'annuler pour se renverser et croître à nouveau (jusqu'au passage à la verticale, etc.). C'est lorsqu'il est au plus loin de sa position d'équilibre que le pendule se déplace le plus lentement, et donc dans ces régions qu'il passe le plus de temps. Il suffit de quelques observations attentives pour se convaincre du fait. La théorie élémentaire des oscillations d'un pendule simple montre que – pour des oscillations d'amplitude modeste en tout cas – le pendule passe deux fois plus de temps dans les zones extérieures que dans les zones centrales (de même grandeur). Autrement dit, lors d'une observation au hasard, on a deux chances sur trois de l'apercevoir dans les premières, et une sur trois seulement dans les secondes (figure p. 47).

S'il est vrai que, par hypothèse, notre pendule est hors d'équilibre, son mouvement néanmoins est parfaitement régulier, oscillations harmonieuses de part et d'autre de sa position stable. On a donc là une sorte d'équilibre dynamique. Le système est, sinon statique, du moins stationnaire. Et son évolution ultérieure ne peut que le rapprocher de son équilibre absolu, en diminuant l'amplitude de ces oscillations par les pertes d'énergies dues aux frottements divers (au pivot, dans l'air, etc.) – à moins bien entendu qu'une intervention extérieure ne modifie son sort. Ainsi ce système, bien que stable, ou plus précisément parce que stable, passe-t-il plus de temps loin de l'équilibre que près. A l'observateur qui ne le considérerait que d'instant en instant, sans s'astreindre à suivre la continuité de son mouvement, il semblerait montrer une propension marquée à s'écarter de l'équilibre et vouloir connaître quelque fin catastrophique.

De quelle prudence ne faudrait-il donc pas s'entourer avant d'oser porter un diagnostic de « crise » sur des systèmes – économiques, sociaux – autrement complexes que le banal pendule ! La perception intuitive, et même la constatation rigoureuse d'une situation de déséquilibre, fût-elle répétée, ne permet pas de conclure à une évolution critique. La plupart des équilibres sont stables : tout écart, s'il n'est pas trop violent, y ramène. Dans ce processus de retour à l'équilibre, s'installent des oscillations, mais en général régulières, stationnaires et souvent amorties. Le processus même d'oscillation fait passer au système la majeure partie de son temps hors d'équilibre pour mieux l'y maintenir. La persistance, ou la fréquence, de situations de déséquilibre ne suffit donc pas à garantir l'instabilité.

On n'en conclura pas pour autant que l'instabilité est impossible et que tout écart à l'équilibre n'engendre que d'innocentes oscillations, conjurant tout développement de crise. Après tout, au pendule hors d'équilibre, il suffit de communiquer une assez grande impulsion pour que, au lieu d'entrer en oscillation, il se mette en *révolution.*

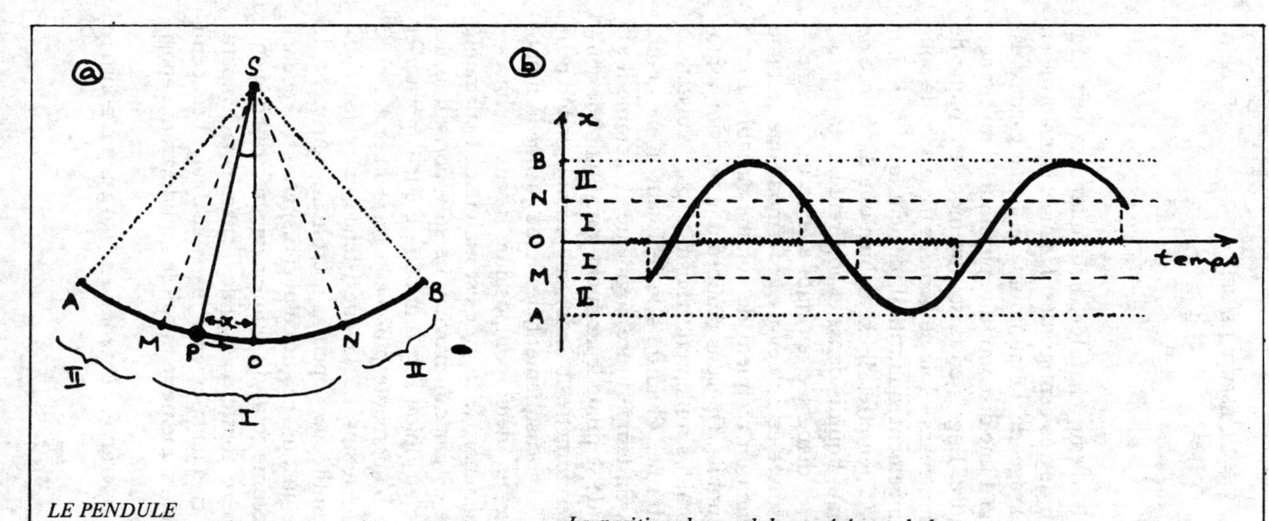

LE PENDULE

Le pendule P, suspendu en S, oscille entre les positions extrémales A et B. Les points M, O, N divisent sa trajectoire en segments de longueur égale. Les zones extérieures II, (AM) et (NB), sont de même dimension que les zones intérieures I, (MO) et (ON).

La position du pendule, repérée par la longueur $OP = x$ est ici représentée dans sa variation en fonction du temps. On voit directement que le pendule passe plus de temps dans les zones extérieures II (intervalles de temps hachuré) que dans les zones intérieures I.

A toute vapeur

Une casserole d'eau, chauffée, bout quand sa température atteint cent degrés centigrades. L'eau se transforme en vapeur : ce passage de l'état liquide à l'état gazeux est l'exemple même d'une discontinuité physique, d'un changement de structure. Engels en faisait un modèle typique de l'une des trop fameuses « lois de la dialectique », celle pour qui « tout changement quantitatif devient qualitatif par bonds ». A 100 °C, en effet, il existe bien une différence de nature entre l'eau, liquide, dense et cohérente, et la vapeur, gazeuse, ténue et dispersée, en quoi elle se transforme.

Pour mieux suivre ce processus, enfermons une certaine masse d'eau dans un récipient de volume variable, fermé par un piston mobile. Opérons d'abord à la pression atmosphérique normale, simplement transmise par le piston au fluide qu'il enferme. Chauffons le récipient, à partir de, mettons, 20 °C. Sa température augmente et, comme il est normal, le liquide se dilate légèrement (ainsi qu'on le constate dans les thermomètres usuels), soulevant le piston petit à petit. A 100 °C, brusquement, le fluide jusque-là homogène se sépare en deux composantes (deux « phases » disent les physiciens) ; le liquide est maintenant surmonté par une couche de gaz qui provient de sa vaporisation. La chaleur fournie au fluide sert tout entière à le vaporiser et la température n'augmente plus ; elle reste fixée à 100 °C pendant tout le temps de la coexistence entre les deux phases. La quantité de vapeur s'accroît au détriment de celle du liquide, jusqu'à ce que celui-ci disparaisse. Pendant ce temps, le volume total du fluide augmente rapidement. Quand la dernière goutte de liquide disparaît, la température recommence à augmenter et le gaz se dilate, beaucoup plus vite d'ailleurs que ne le faisait le liquide avant vaporisation.

Reprenons l'opération au début, en chargeant d'abord le

piston des poids nécessaires pour porter sa pression à 2 atmosphères. Chauffons à nouveau notre récipient, sa nouvelle pression restant constante. Il faudra maintenant atteindre une température de 120 °C avant d'assister à la vaporisation de l'eau. A cela près, le processus – transformation du liquide en gaz – est toujours le même. De façon générale, la température de vaporisation augmente régulièrement avec la pression : elle est de 200 °C sous 15 atmosphères, de 300 °C sous 85 atmosphères, etc.

Mais cette croissance régulière prend fin : au-delà de 217 atmosphères (où la température de vaporisation est de 374 °C), toute différence qualitative disparaît entre l'eau liquide et sa vapeur. Une masse d'eau chauffée voit simplement sa température augmenter sans qu'à aucun moment n'apparaisse d'hétérogénéité : le fluide ne se sépare pas en deux composantes, il se contente d'accroître continûment son volume (voici que le changement qualitatif devient quantitatif...). L'existence de ce « point critique », ainsi qu'on l'appelle, au-delà duquel liquide et gaz ne se distinguent plus (et ce résultat vaut pour tous les fluides) est surprenante en soi. Elle devient choquante si l'on considère un cycle de transformations constitué des étapes suivantes (figure p. 50) :

1) augmentation de température à pression constante (disons de 20 °C à 400 °C sous 1 atmosphère) ;
2) augmentation de pression à température constante (disons de 1 atm. à 250 atm., à 400 °C) ;
3) diminution de température à pression constante (de 400 °C à 20 °C, sous 250 atm.) ;
4) diminution de pression à température constante (de 250 atm. à 1 atm., à 20 °C).

Le fluide est ainsi ramené à son état initial après avoir connu, pendant la première phase du cycle, une discontinuité brutale, la vaporisation, puis des changements parfaitement continus ! Ou encore, en inversant les trois dernières étapes du cycle, on peut arriver au même résultat qu'en effectuant la première, c'est-à-dire à *vaporiser l'eau sans la faire bouillir*; la même masse d'eau a pu être portée d'un état « liquide » à un état « gazeux » tous deux bien déterminés, d'une part grâce à un processus éminemment discontinu, d'autre part au moyen d'une modification parfaitement graduelle. Contrairement aux apparences donc, la distinction entre liquide et gaz n'est pas une différence de nature profonde. Son caractère qualitatif n'est pas intrinsèque, mais dépend du processus de transformation[3].

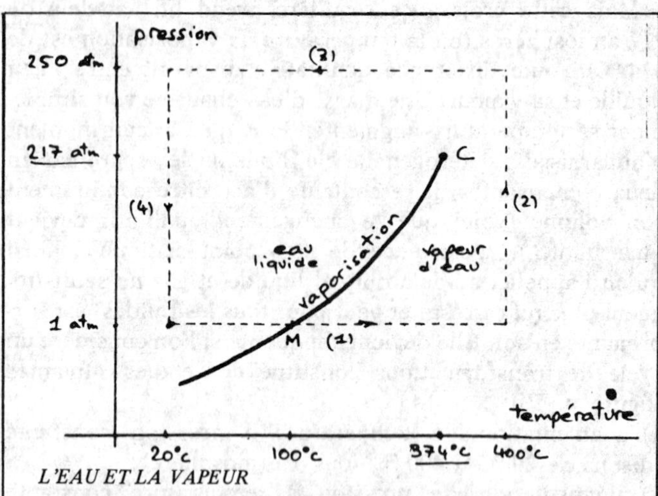

L'EAU ET LA VAPEUR

L'état d'une masse donnée d'eau est déterminé par sa pression et sa température. Il est donc représenté par un point sur ce graphique. La courbe en trait plein y indique le phénomène de vaporisation, qui se produit à une température croissante avec la pression. Sous 1 atmosphère, par exemple, l'eau bout à 100°(point M). A cette pression, elle est liquide en-dessous de 100°, gazeuse au-dessus. Mais la courbe de vaporisation s'arrête brutalement en C. A des pressions supérieures à 250 atmosphères, l'eau «ne bout plus». Les transformations (2-3-4), ou plus généralement toute suite d'états représentée par une courbe qui contourne C, ramène donc la vapeur à l'état liquide sans transformation qualitative.

3. Naturellement, la valeur élevée des pressions et des températures nécessaires rend difficile de procéder à cette expérience dans sa cuisine,

On voit alors que se brouille l'opposition apparemment radicale du continu et du discontinu, du qualitatif et du quantitatif. Si un système aussi banal qu'une simple masse d'eau refuse déjà de laisser décrire son comportement en termes de ces couples de notions, quelle peut donc en être la validité ou la pertinence dans des situations beaucoup plus complexes, telles, par exemple, que les étudient les sciences sociales [4] ?

Dois-je le rappeler : le jeu de la métaphore se veut ici purement négatif. Il n'a pour but que de faire vaciller la netteté de certains concepts. Certains voudront utiliser le phénomène évoqué ici pour suggérer que, peut-être, un changement social donné peut, suivant la façon de procéder, avoir lieu brutalement, ou continûment : la révolution serait contournable. Ils devront pourtant noter que, si une masse d'eau se prête à des expériences diverses répétées, les masses humaines, elles, après ébullition ne reviennent jamais à leur état initial.

---

d'autant plus que, à 400 °C et sous 1 atm., le volume de l'eau (liquide ? vapeur ?) est alors environ trois mille fois supérieur au volume de départ, à 20 °C (1 litre de « liquide », par exemple, se dilate jusqu'à occuper 3 mètres cubes). On comprend pourquoi ce phénomène n'a été découvert que dans les laboratoires, au siècle dernier.

4. La « théorie des catastrophes » du mathématicien Thom cherche à se constituer en une théorie générale du changement. Elle est capable de décrire, de fait, le phénomène ici évoqué – mais non de l'expliquer. Et ses hypothèses, théoriques aussi bien qu'épistémologiques, paraissent beaucoup trop restrictives par rapport à ses ambitions. Cf. Jean-Marc Lévy-Leblond, « Des mathématiques catastrophiques », *Critique*, n° 359 (avril 1977), pp. 430-441.

Le fantasme de/dans la théorie

A propos du livre de S. Weinberg, *les Trois Premières Minutes de l'Univers* (Seuil, « Science Ouverte », 1978).

Il y a quelques milliards d'années, est né notre Univers, en une gigantesque explosion (le « *Big Bang* », selon l'une de ces inimitables onomatopées made in U.S.A.). D'abord magma de très haute densité et de température extrême, il se refroidit en se dilatant, et le jeu des réactions entre particules fondamentales progressivement stabilise sa composition en matière (nucléons, électrons) et rayonnement (photons). Les premières minutes ne dépendent que des lois élémentaires de la physique et ont pu, dans les dernières décennies, être reconstituées assez précisément. Weinberg, l'une des stars de la physique théorique américaine, déroule avec précision le film des débuts de l'Univers, occasion également pour faire le point sur la physique des particules qui y joue un rôle majeur. Cette cosmogonie moderne est née pour l'essentiel de la détection du rayonnement radio cosmique, bruit de fond universel, rumeur affaiblie de l'explosion primordiale. Les premières observations en sont dues à Penzias et Wilson qui ont reçu en

1979 le prix Nobel de physique pour ces travaux. C'est un mérite essentiel du livre de Weinberg, par-delà l'exposé parfois ardu des connaissances cosmogoniques actuelles, que d'en retracer l'histoire : comment les intuitions de théoriciens tels que Gamow, formulées il y a plus de trente ans, ne purent se faire entendre, et comment des découvertes techniquement possibles dès cette époque restèrent en attente ; on y verra d'intéressants exemples d' « obstacles épistémologiques ».

Mais, évidemment, l'écho de ce livre ne tient pas à ses seules qualités pédagogiques, ni à ses aperçus historiques ou épistémologiques. Les origines de l'Univers, celles de la vie, de l'homme, etc., voilà bien les seuls thèmes qui font recette à coup sûr dans la vulgarisation scientifique. Or, de la quête fantasmatique élémentaire qui assure le succès de ce livre à la réponse étroitement spécifique qu'il peut seule y apporter, le décalage est patent. Désillusion ou illusion, ne serait-ce pas le seul choix du lecteur moyen ? Désillusion de constater, malgré tout, la difficulté d'un texte où l'abstraction formelle de la physique théorique ne se dissimule que mieux derrière des mots plutôt que des symboles mathématiques, et où le sens, pour qui ne peut participer à son élaboration, disparaît aussitôt que perçu, comme sable entre les doigts. Ou bien illusion d'identifier ce sens à celui des mots, et de croire comprendre la science à écouter son seul discours public et second (ainsi tel prétend pouvoir écrire de la Méthode scientifique à partir de ses seules gloses et apologies, comme qui voudrait analyser l'économie politique sur la seule base des discours gouvernementaux et déclarations ministérielles). Et ne manquent certes pas les risques d'extrême confusion en la présente occasion. Pour s'en tenir à l'essentiel, l'idée même du « *Big Bang* », d'un début de l'univers, est souvent identifiée à une conception créationniste : l'univers commençant en un certain instant, d'où l'immédiate question d'un avant, d'un comment – sinon d'un pourquoi, ou d'un Qui. Mais pas plus que l'expansion de l'Univers n'a lieu *dans* l'espace (c'est l'espace même qui se dilate), sa naissance n'a lieu *dans* le temps (c'est le temps même qui commence). Que ce soit pour l'exploiter à des fins idéologiques ou religieuses, ou pour la récuser au nom de motivations inverses, la cosmologie moderne ne mérite ni cet excès d'honneur ni cette indignité. Il y a longtemps déjà, la découverte du « zéro absolu » des températures avait suscité des émotions analogues. On s'est à la longue convaincu que ce zéro valait bien un infini ; simple question de repérage et de perspective : ainsi deux rails parallèles se rapprochent-ils bien, leur distance apparente tendant vers zéro, lorsque le regard s'éloigne à l'infini. Demi-savants, trop habitués à utiliser les nombres négatifs, nous oublions que leur pertinence à repérer une situation n'a rien d'assuré *a priori*. Il n'y a pas de temps, ou de températures, « en dessous de zéro », si ce zéro n'est pas un simple repère conventionnel (0° centigrade), mais un point limite effectif (0° Kelvin).

Devant les risques de malentendus et la menace de voir une tentative de diffusion des connaissances scientifiques servir de caution et de véhicule à diverses théo-, idéo-, psycho-, etc., -logies, grande est la tentation du repliement : que les physiciens se taisent donc, si tout discours scientifique, aussi spécifique soit-il, sur l'origine (physique) de l'univers (physique) est entendu comme prétendant à l'universalité et à l'antériorité. Ce serait là un malthusianisme intellectuel bien dérisoire. Car si la science peut avec tant de facilité basculer dans l'idéologie, ne serait-ce pas que celle-ci est toujours déjà là ? A quoi servirait de refermer les portes de la tour d'ivoire, si les traîtres sont dans la place ? Comment croire que l'intense avidité fantasmatique du public diffère par nature de celle qui motive le physicien lui-même ? Pour être canalisée et contrôlée par le dispositif théorique de sa discipline, la recherche du scientifique n'en participe pas moins du commun désir de savoir. La différence devient alors mineure entre le physicien consciencieux, qui prend toutes précautions pour empêcher l'extrapolation de ses résultats, et le journaliste avide de sensationnel ou l'idéologue en quête de caution, qui s'en saisissent. Faut-il enfin avoir si peur des effets négatifs, mystificateurs, d'une vulgarisation scientifiquement compétente mais philosophiquement incontrôlée ? Le succès même d'un livre comme *les Trois premières minutes de l'Univers*, malgré la relative difficulté du texte, démontre à l'évidence que rares sont les lecteurs à vraiment le lire. La plupart sans doute se contentent de le feuilleter – et de rêver. Plutôt alors que d'adopter une attitude foncièrement élitiste, refusant au vulgaire l'accès à une connaissance certes distordue, ne peut-on lui supposer plus de sagesse qu'aux scientifiques et lui faire confiance ? Qui donc, à part les « savants », peut croire que la science épuise le savoir, et que sa vérité définit la seule réalité ? La physique, qui a bien accepté de fabriquer des bombes, trouverait-elle indigne d'alimenter rêves ou délires ?

Cherche et re-cherche, ou le crépuscule de la modernité

– Vous qui êtes physicien, expliquez-moi donc l'arc-en-ciel, ses couleurs, et pourquoi on n'en voit jamais en milieu de journée ?

– C'est que, vous savez, j'ai un peu oublié, c'est si vieux tout ça, mais, si vous voulez, je peux vous parler de nos toutes dernières créations en physique subnucléaire, ces particules de quelques millionièmes de millionièmes de millimètre et de la théorie quantique des champs de jauge non abéliens que nous élaborons pour décrire ces particules...

– A vrai dire... j'aurais une autre question un peu plus simple : comment se fait-il, quand je fais tourner ma cuillère dans ma tasse de thé, pour y mélanger le lait, que la rotation du liquide entraîne les feuilles de thé à se rassembler au centre de la tasse ? Le peu de physique que j'ai retenu me fait penser que la force centrifuge devrait repousser les feuilles sur les bords...

– Tiens, c'est vrai, je n'y avais jamais pensé. Il faudra que j'y réfléchisse. Mais si je vous expliquais plutôt la rotation des étoiles de neutrons, ces vieux soleils tassés sur eux-mêmes, pas plus gros qu'une montagne et prodigieusement denses, où les électrons spiralant dans de puissants champs magnétiques émettent, par rayonnement synchrotron, ces éclats réguliers qui font de l'astre des sortes de phares spatiaux, que nous appelons « pulsars » ?

— Vous pourrez m'en montrer un dans le ciel, ce soir ?

— Oh non ! Il faut pour les détecter utiliser les grands radiotélescopes, enregistrer et analyser leurs signaux sur ordinateur. D'ailleurs, je suis théoricien, je ne peux que faire confiance à mes collègues expérimentateurs et tenter d'interpréter leurs résultats.

— Mais, avant de savoir ce qui se passe si loin, à des milliers d'années-lumière, j'aimerais tant comprendre le monde immédiat, le mien, celui qui m'entoure ! Tenez, encore une question : je me suis promené sur la plage ce matin, à marée basse. Le sable était resté humide. Or à chaque pas, le poids de mon corps, au lieu de faire dégorger l'eau, comme lorsqu'on presse une éponge, provoquait au contraire un assèchement local et temporaire du sable autour de mon pied... Avez-vous une explication ?

— ...

Notre science est moderne, et fière de l'être. C'est sous le label « physique moderne » que sont enseignées des disciplines telles que théorie de la relativité ou mécanique quantique, orgueilleusement opposées à la « physique classique » des siècles précédents. Mais, tout comme le Pont-Neuf est devenu le plus vieux de Paris, cette physique moderne a maintenant trois quarts de siècle derrière elle et se montre bien souvent plus sclérosée que ses ancêtres. D'ailleurs, vues avec le recul du temps, les justifications historiques de cette prétention à la modernité apparaissent peu convaincantes. Ce n'est pas à l'aube du XXe siècle, mais au cœur du XIXe, c'est-à-dire en plein milieu de l'époque trop commodément qualifiée de classique, qu'apparaissent, sur le plan théorique, des traits parmi les plus caractéristiques de la science physique contemporaine, tels que le concept de champ, les méthodes statistiques, les principes d'invariance, etc.

Notre science est moderne pourtant, sinon par son contenu, du moins par sa forme. Les déterminations sociologiques, de fait, l'emportent sur les critères épistémologiques. Et quand on cherche, derrière les produits de la science, son mode de production, on y trouve la division du travail – hiérarchisation des tâches, séparation des disciplines –, et la soumission directe aux pouvoirs économiques, politiques, militaires. Industrialisation, militarisation, institutionnalisation – la science est moderne, en effet. Rien là de particulier, bien entendu, et la généralité d'une telle dénonciation lui fait frôler le dérisoire. Aussi faut-il y voir de plus près et décrire comment se manifeste cette modernité, non plus au niveau global des conditionnements sociaux, mais à l'échelle des comportements quotidiens, dans l'institution scientifique elle-même. On y constate alors une compétitivité effrénée, une quête éperdue de la nouveauté, une valorisation des avances spectaculaires. Les modes intellectuelles se succèdent, inhibant toute réflexion approfondie. A peine a-t-on eu le temps d'assimiler une idée nouvelle qu'une autre lui succède, sans qu'il soit possible d'apprécier véritablement la validité et la profondeur de la délaissée. Comme les objets matériels, les créations intellectuelles désormais sont destinées à la consommation immédiate et à l'usure rapide. L'obsolescence programmée règne aussi dans le monde des idées. Les disciplines scientifiques sont atteintes à des degrés divers par cette pathologie inflationniste ; mais plus elles se proclament « de pointe », plus touchées elles sont : l'excitation maladive de la physique des particules depuis longtemps, de la biologie moléculaire maintenant, fait à beaucoup pitié, sinon horreur.

Notre science est moderne, certes : elle a rompu avec la tradition. Et elle commence à le regretter. Le vertige de ses succès dans l'infiniment petit, l'infiniment lointain, l'infiniment chaud, l'infiniment passé, l'ont précipitée en une frénétique fuite en avant. Notre savoir aujourd'hui est immense, mais fragile. L'apologie de sa modernité cache mal l'angoisse de sa superficialité. Le savant d'hier était homme de culture, le scientifique d'aujourd'hui est homme de technique. Le dialogue qui ouvre ce texte n'a rien d'imaginaire : à quelques exceptions près, les physiciens ne comprennent plus l'arc-en-ciel, ni les merveilles des bulles de savon, ni les sons naturels, etc. Ce sont des pans entiers du savoir qui ont disparu de la formation professionnelle normale du physicien : la dynamique des fluides, la résistance des matériaux, l'électromagnétisme des milieux, l'optique, etc. D'ailleurs, il n'y a plus de physiciens : il y a des spécialistes des interactions faibles en physique des particules, des spécialistes de la physique des plasmas dilués, des spécialistes de la physique de l'hélium liquide, etc. Et, du côté des sciences de la vie, combien de biologistes sauraient distinguer un pinson d'un chardonneret, une russule d'une amanite, raconter les mœurs des fourmis, la saga des vers de terre ?

Notre science est moderne, mais la modernité peut-être touche à ses limites. Comme dans l'usine, la division du travail et l'ultra-spécialisation au laboratoire deviennent contre-productives. La réussite même des disciplines de pointe leur impose maintenant de prendre garde à leur isolement croissant. Aussi assiste-t-on à une véritable renaissance des travaux dans des domaines considérés il y a peu comme dépassés et indignes du moindre intérêt : la physique des liquides ou l'acoustique musicale, par exemple. Les mathématiques ou la biologie offriraient facilement des exemples similaires. Mais il s'agit surtout d'un mouvement culturel profond, et vécu comme tel par des scientifiques de plus en plus nombreux. Lassés par la fuite en avant, rebutés par la pression de la compétition, frustrés par l'absence de compréhension véritable, ils désertent les rangs de ceux qui, dans un coude à coude acharné, éclaircissent au feu et à la hache les lisières de la jungle. Assez d'espace est conquis maintenant sur l'inconnu pour qu'il faille, d'abord, l'aménager et le cultiver. Les défricheurs n'ont fait que le travail de gros. Reste à mettre en ordre le terrain bouleversé, trier les espèces nouvelles – et empêcher, avant tout, les herbes folles de l'oubli de recouvrir bien vite les terrains vagues laissés sans soins. Les signes sont nombreux de ce regain : remise en cause de programmes d'enseignement trop spécialisés, intérêt des scientifiques pour leur propre histoire, reconnaissance nouvelle du rôle de la réflexion épistémologique, succès d'ouvrages « modernes » de physique « classique ». Il faut d'ailleurs s'attendre à ce que ce mouvement, encore minoritaire s'il n'est plus marginal, annonce les configurations majeures de demain : les institutions universitaires, les sociétés professionnelles déjà créent, ou appuient, commissions d'études, revues interdisciplinaires, colloques de réflexion.

Notre science est moderne. Mais elle l'a toujours été. Au fond, les physiciens s'aperçoivent que « personne n'a jamais écrit de physique classique », pour plagier une publicité récente où il s'agissait de musique : si Bach, Mozart et Beethoven ont écrit de la musique en leur temps moderne, il en va de même pour la physique de Galilée, Newton et Ampère. Pourtant, si les musiciens réaffirment la modernité des classiques pour valider le classicisme de leur modernité, le mouvement est inverse chez les physiciens. Leur situation évoque plutôt celle des romantiques du XIXe siècle, qui ont proprement inventé la musique classique pour échapper à la tyrannie de la contemporanéité. Saurons-nous, de même, faire de nos traditions moribondes une culture vivante ? Dans un monde où le poids de la science sur la vie quotidienne n'a d'égal que son ignorance dans le savoir public, les efforts les mieux intentionnés pour vulgariser la science moderne peuvent paraître dérisoires. Alors que la connaissance commune est fort loin d'avoir assimilé le sens et l'importance de la révolution galiléenne et newtonienne dans nos conceptions de l'espace-temps, comment peut-on espérer qu'elle franchisse le saut einsteinien ? Alors que les rudiments de la physique atomique et moléculaire du début du siècle restent ignorés, comment faire comprendre les prouesses de la physique subnucléaire ? Mais surtout : les scientifiques ne pourront partager leurs nouveaux savoirs que s'ils retrouvent les anciens, ceux qui touchaient encore au monde immédiat. Comment s'étonneraient-ils de l'incrédulité, de la méfiance ou de l'indifférence des profanes, s'ils sont incapables de s'intéresser aux couchers de soleil, aux tourbillons du thé ou au sable des plages ? On peut d'ailleurs leur promettre autant de joies intellectuelles et certainement plus d'émotions devant ces phénomènes que devant des clichés de chambre à bulles ou des listings d'ordinateur. Et la lecture de Galilée, de Faraday ou de Boltzmann sera pour eux aussi instructive et certainement plus gaie que celle des *Physical Review Letters* ou des *Communications in Mathematical Physics*.

Notre science est moderne. Quête frénétique du nouveau, elle cherche, certes, mais ne re-cherche pas. Or la reprise du savoir passé qui s'impose maintenant ne sera pas simple réitération, pure relecture, banale exhumation. Un travail complexe nous attend, de refonte et de remodelage. Là même où nos prédécesseurs ont cherché, nous allons devoir *re*-chercher. Le recul du temps nous pousse à distinguer dans les découvertes anciennes ce qui les attache à leur passé de ce qui esquisse leur futur. La science moderne ne saurait être oubliée. Ses lignes de force, ses concepts essentiels, ses grandes structures vont réagir sur la science classique, la féconder, la réactiver. Comme la musique encore : nous ne jouons plus Bach avec les instruments de son époque, ni dans le style d'alors. Notre oreille n'est plus la même, de toute façon, que celle de ses auditeurs. Avec Stravinsky, Bach change. En science aussi, le présent fait vivre le passé : la mécanique classique subit le contrecoup de la mécanique quantique, la lecture de Galilée est transformée par celle d'Einstein. La sécession d'avec la modernité n'est donc pas solution de facilité, refus de l'effort intellectuel, refuge dans la contemplation esthétique et passive des grandes œuvres. Tout au contraire, il nous faut inventer de nouvelles voies pour la pensée scientifique, où le travail conceptuel interne à une discipline ne sera plus séparé de l'analyse externe de son évolution. C'est un brouillage des frontières figées entre la science, son histoire et sa philosophie qui s'impose. La science doit cesser de se croire cumulative, l'épistémologie normative et l'histoire descriptive. Acceptons désormais que le savoir revienne sur ses traces. Ne nous contentons pas d'apprendre, tentons de comprendre. A la fuite en avant, préférons le retour en arrière. Au plein sens du mot, faisons, enfin, de la re-cherche scientifique.

Connaissances de la matière : paléo-modernisme et néo-classicisme

Le soleil, en même temps qu'il nous inonde ostensiblement de sa lumière, nous irradie d'un flux différent, secret et pénétrant. Si à chaque seconde de la journée nous recevons en moyenne sur notre corps quelque cent milliards de milliards de photons, ces grains quantiques de lumière, nous sommes aussi, jour et nuit, traversés à chaque seconde par cent mille neutrinos. Ces particules élusives, sans masse, sans charge, postulées par les théoriciens de la physique nucléaire vers les années 30 pour rendre compte de certains phénomènes radioactifs, posent une énigme majeure à la physique contemporaine. Déchets irrécupérables des réactions nucléaires qui fournissent l'énergie stellaire, leur abondance témoigne avec précision du fonctionnement de la fournaise solaire. Les physiciens ont mis en œuvre de fort importants moyens pour détecter et mesurer le flux des neutrinos solaires et le comparer à leurs modèles théoriques. Après plusieurs années d'expériences, menées à l'aide d'imposants pièges à neutrinos, réservoirs de plusieurs milliers de tonnes, bardés de détecteurs subtils, à l'abri au fond de galeries de mines, un désaccord majeur est patent : on ne recueille pas plus du quart de la quantité de neutrinos prédite par la théorie. Les modèles des réactions nucléaires au cœur du soleil semblaient pourtant au point, expliquant à peu près tous les phénomènes observés, et l'on attendait de l'observation des neutrinos solaires une confirmation triomphale plutôt que cette pernicieuse contradiction... Un moment déroutés, les théoriciens n'ont pas été en peine d'explications. Il suffit, après tout, de doter le neutrino de quelques propriétés nouvelles, encore plus extra-ordinaires, soigneusement ajustées cependant pour ne pas remettre en cause les succès précédents. Plusieurs interprétations *ad hoc* sont possibles. Mais ne serait-ce pas la voie de la facilité que d'accumuler ainsi les hypothèses nouvelles sur l'élément le plus mystérieux de la situation, comme si ses autres aspects étaient connus avec une certitude sans faille ? Peut-être, si le soleil nous envoie moins de neutrinos que prévu, la raison en réside-t-elle dans le soleil plutôt que dans les neutrinos ? De fait, d'autres explications du manque ont récemment vu le jour, non moins subtiles, au contraire, fondées sur une modification de nos idées quant à la structure profonde du soleil, et non sur la nature des neutrinos.

Le débat, loin d'être clos, est emblématique de l'alternative implicite et neuve qui, depuis quelques années, domine le développement de la science physique : *chercher l'inconnu dans le nouveau, ou re-chercher le méconnu dans l'ancien ?* Faut-il poursuivre notre exploration vers le toujours plus petit, le plus rapide, ou, de l'autre côté, le plus vaste, le plus vieux, pour mettre en évidence particules infimes de plus en plus étranges ou astres de plus en plus bizarres, et faire sans répit la chasse aux quarks et aux quasars ? Ou bien devons-nous approfondir notre compréhension d'un monde plus proche, celui de l'expérience quotidienne aussi bien que celui d'une science déjà classique, et éclaircir les mystères qui subsistent au cœur du soleil familier, dans le déferlement des vagues et les divagations du vent ?

Pendant les trois premiers quarts de ce siècle, la question ne s'est guère posée. Une physique qui s'est auto-proclamée « moderne » pour mieux marquer ce qu'elle croyait, ou voulait, être rupture avec son passé « classique », est née au début du siècle. C'est que tout l'acquis du XIXe semblait remis en cause. Certes, ni la mécanique analytique ni l'électricité et le magnétisme ne devenaient « faux ». Mais ils voyaient brutalement délimités leurs domaines de validité, et limitée la pertinence de leurs concepts à l'échelle, somme toute médiocre, du monde courant : pour des trains (pas trop rapides), des dynamos (pas trop puissantes), des microscopes (pas trop précis), tout allait bien. Avec un certain dédain, les physiciens passaient leur bagage aux ingénieurs et, allégés, partaient découvrir les *terrae incognitae* de la matière. Les grandes explorations commençaient. Une fois dépassées les frontières mesquines des ordres de grandeur communs, le monde, à l'échelle des très petites distances, des très grandes vitesses, des très hautes fréquences, se révélait tout autre : l'espace et le temps étaient restructurés, les ondes et les particules se mélangeaient, la gravitation mutait en géométrie. Relativité et quantas, tels étaient les piliers des nouvelles théorisations. Ces révolutions conceptuelles accompagnaient et permettaient l'exploration d'objets physiques nouveaux. En un demi-siècle, les atomes et les molécules, puis les noyaux et les particules fondamentales, devenaient aussi familiers aux physiciens qu'hier les métaux ou les gaz. Dépassant le vieux système solaire, on arpentait désormais les galaxies, on explorait le cœur des étoiles lointaines, on étudiait l'expansion de l'univers entier.

Cette course à l'inconnu n'est certes pas terminée : la recherche des quarks n'a pas perdu son charme, et les regards restent braqués sur les trous noirs. Pourtant, cette physique de la matière extrême n'est plus unique ni hégémonique. Unique, d'ailleurs, elle ne l'a jamais été : des secteurs entiers de la physique se sont tour à tour consacrés à l'étude approfondie et à la maîtrise technique des niveaux de la matière un à un explorés par la recherche dite « de pointe ». Les cristaux, les molécules, les atomes, les noyaux, connus *en principe* depuis un demi-siècle, ont exigé encore bien des travaux avant de se laisser transformer en transistors, en faisceaux laser, en circuits superfluides, en électricité « nucléaire », dans les laboratoires d'abord puis les usines et bientôt les cuisines. La longue chaîne des médiations entre la découverte et sa mise en œuvre, ce passage de relais du chercheur au technologue, est un cheminement toujours lent, quoi qu'on en dise, et encore mal connu. Son occultation donne de la science une image mutilée. C'est faute d'idées, plus que de place, qu'il n'est ici question que du savoir à l'état naissant – la « recherche » – et non de sa croissance – le « développement ». Pour en rester, donc, à cette partie émergée de l'iceberg qu'est la recherche fondamentale, la quête des objets et des concepts les plus lointains, les plus différents, n'est plus aujourd'hui reconnue comme le seul objectif, ni même comme le plus prestigieux.

A son niveau macroscopique, le nôtre, la matière est à nouveau l'objet de recherches fondamentales dont l'intérêt conceptuel et l'importance pratique ne le cèdent en rien à celles qui se mènent aux horizons opposés du microscopique et du mégascopique. La physique du noyau et des particules d'une part, celles des astres et du cosmos d'autre part, ne sont plus les seules, ou presque, à quoi rêvent les jeunes gens brillants en espoir de Nobel. De fait, les progrès les plus marquants de nos savoirs sur la matière dans la dernière décennie concernent les problèmes sur lesquels avait buté la physique classique du XIXe siècle, en particulier :

– L'irréversibilité : comment comprendre que les transformations macroscopiques de la matière soient pratiquement « à sens unique », conduisant toujours à l'uniformité, alors que rien de tel ne se passe à l'échelle microscopique entre les atomes et molécules constituant la matière ? Deux atomes peuvent émerger d'une collision avec des vitesses arbitraires différentes, alors que deux liquides mélangés voient leur température s'égaliser. Et comment concilier, néanmoins, l'existence de structures stables ordonnées et contingentes (les cristaux, les vivants), avec la tendance générale à l'homogénéité ? Les rapports entre équilibre et ordre, comme entre irréversibilité statistique et réversibilité individuelle, ont été considérablement éclaircis ces derniers temps.

– Les changements d'état : la théorie classique de la matière (thermodynamique) pouvait tenir compte des changements d'état, transformations de liquide en gaz, de solide en liquide, etc. : elle ne savait pas les comprendre, décrire, par exemple, la façon dont les propriétés d'un corps varient avec la température lors d'un tel changement d'état. On dispose maintenant d'une approche générale à cette question, unifiant des phénomènes aussi différents que l'ébullition de l'eau et la magnétisation du fer. Cela est d'autant plus remarquable que notre connaissance des états de la matière s'est considérablement enrichie par rapport à la classique trinité gaz-liquide-solide : de nombreux états intermédiaires, dits « partiellement ordonnés », ont été découverts, et mis en application – comme dans les récents et déjà nombreux gadgets à cristaux liquides.

– La turbulence : si la mécanique des fluides classiques rendait parfaitement compte des mouvements d'un fluide en écoulement ordonné, elle échouait complètement devant les tourbillons chaotiques qui agitent un fluide dès que son flux, trop rapide, perd sa belle régularité : l'écoulement d'un robinet ouvert en grand, le déferlement d'une vague, la résistance de l'air devant un avion, le mouvement des masses atmosphériques – autant de phénomènes, et non des moins importants pour tout un chacun, qui défiaient l'analyse et la prévision. Là encore, des progrès notables sont actuellement enregistrés.

Dans tous ces domaines, aujourd'hui de pointe, c'est à une véritable résurgence des traditions de la physique « classique » que l'on assiste, assez brutal réveil d'idées et de problématiques après une latence de plusieurs décennies. Ce renouveau, bien entendu, trouve des causes factuelles. Deux sont sans doute d'importance majeure. D'abord, les physiques micro- et macrocosmiques semblent approcher de bornes objectives : la taille, le coût, la maniabilité des gigantesques ou complexes instruments exigés sont à la limite des possibilités humaines, en tout cas dans les sociétés actuelles. Pour la première fois depuis trente ans, les meneurs de la course aux hautes énergies, qui est l'essence même de la physique des particules, acceptent d'en voir le terme : le prochain grand accélérateur, jurent-ils, sera le dernier. De fait, il n'y aura sans doute pas d'accélérateur de particules en anneau de plus de 10 kilomètres de rayon, de télescope ayant un miroir de plus de 10 mètres de diamètre, comme il n'y a pas eu de pyramides de plus de 150 mètres de hauteur, ou de dirigeables de plus de 300 mètres de long. Le coût social – financier et humain – en devient prohibitif. On comprend que, devant la perspective à moyen terme d'une récession instrumentale inéluctable en ces domaines, la reconversion pour les chercheurs confirmés, l'orientation vers d'autres secteurs pour les débutants deviennent pressantes. Ensuite, le renouveau des études sur la matière commune bénéficie évidemment de certains transferts de méthodes et de techniques mises au point dans les recherches sur les formes exotiques de la matière. Ainsi, la théorie moderne des changements d'état doit beaucoup à certaines idées de la théorie quantique des champs : la « renormalisation », par exemple, est l'une de ces notions paradoxalement rapatriées avec succès de l'étude des interactions entre électrons et photons vers celle de la transition solide-liquide... Mais la contribution essentielle de la physique moderne à la reprise de l'ancienne, c'est l'ordinateur, symbole s'il en est de la modernité. Il n'est aucun des domaines évoqués où son rôle n'ait été crucial. La complexité des calculs était un obstacle déterminant, sinon unique, aux progrès de la physique classique dans ses différents secteurs. La disponibilité des outils puissants et versatiles que sont les ordinateurs modernes a conduit à franchir cette barrière. En permettant de mener à bien des calculs humainement impossibles « à la main », l'ordinateur joue d'ailleurs un rôle qui va bien au-delà de l'obtention de résultats numériques. La levée de l'obstacle du nombre entraîne des progrès conceptuels véritables. Se développe ici, à l'aide de l'ordinateur, une pratique scientifique originale qui devrait faire l'objet de réflexions méthodologiques nouvelles. On peut avancer l'idée qu'outre les pôles bien connus de l'expérimentation et de la théorisation, l'activité scientifique connaît maintenant un troisième pôle, celui de la simulation, à égale distance des deux autres (sans être intermédiaire).

Mais ces conditions objectives de redéploiement de la physique, nécessaires, ne sont pas suffisantes. Elles ne prennent leur efficacité que par leur insertion dans le contexte culturel de l'époque. C'est l'affaiblissement général des valeurs de la modernité qui sape, ici aussi, l'idéologie du progrès sous ses formes les plus brutales. La compréhension intellectuelle totale apparaît sans doute comme une illusion comparable à la domination sociale. Les grandes puissances ont fini par abandonner leurs empires coloniaux pour des formes de contrôle plus subtiles de ces terres lointaines, tout en renforçant leur maîtrise sur les processus politiques domestiques. De même, la science moderne, la physique en tout cas, semble en voie de renoncer à la poursuite exclusive de conquêtes exotiques, pour leur accorder une place plus limitée, et consacrer d'importantes forces aux problèmes encore irrésolus du monde matériel proche. Sur un plan strictement épistémologique, c'est le réductionnisme naïf qui est le grand vaincu. La physique des particules était née du désir de comprendre la physique nucléaire, elle-même engendrée par les problèmes de la physique atomique, etc. On a longtemps cru qu'à déboîter ces poupées-gigognes successives, on pourrait lire sur le visage de la dernière la réponse aux énigmes que posait l'expression de l'avant-dernière, et remonter ainsi de proche en proche... Mais il n'est pas sûr qu'il y ait une dernière, ni, si elle existe, que nous puissions y accéder. Autant, dès lors, consacrer les efforts nécessaires au problème initial en tant que tel... De fait, les différentes étapes successives de la physique microcosmique n'ont constitué qu'une spirale inflationniste, la récurrence n'arrivant jamais à s'établir. Chaque avancée posait trop de problèmes nouveaux pour qu'on puisse espérer résoudre les problèmes anciens qui l'avaient pourtant motivée.

Le vertige de cette chute sans retour dans l'infiniment petit ou l'infiniment grand compte sans doute pour beaucoup dans l'actuel mouvement de retour à une physique du visible et du palpable. D'autres satisfactions intellectuelles se découvrent alors. Le défi à la pensée que constitue la connaissance d'objets ésotériques mais simples n'est pas plus exaltant, tout compte fait, que celui de la compréhension de phénomènes courants mais complexes. La théorie de la turbulence vaut bien la chromodynamique quantique, et la solidification de l'eau est aussi mystérieuse que le refroidissement de l'univers. Après une longue et épuisante fuite en avant, les physiciens découvrent donc les charmes du retour à des traditions restées d'une rassurante solidité. Ainsi la modernité est-elle mise en cause dans ce qui fut l'un de ses bastions les plus avancés. Les physiciens, comme tant d'autres enfants du XXe siècle, reviennent, fils prodigues, au grand XIXe qui les engendra.

De la physique à son histoire, et retour

Il faut se demander pourquoi l'histoire des sciences, aujourd'hui discipline autonome et institutionnalisée (qu'elle soit « science » elle-même ou non), se voit maintenant pratiquée, de façon peut-être « sauvage », par des scientifiques en nombre croissant – ce qui ne va pas sans provoquer l'irritation des professionnels devant ce développement de l'amateurisme... Ce phénomène découle évidemment de la crise, politique et idéologique, que depuis 1968 traverse la science, ou – plus précisément – de la façon dont cette crise est vécue par les agents de la recherche scientifique. Confrontés à une érosion rapide de leurs valeurs traditionnelles, comme aux changements de leur organisation professionnelle et aux implications multiples de leur travail, il n'est guère surprenant que les scientifiques, en proie à l'urgente nécessité de comprendre leur fonction sociale et son évolution, cherchent à vérifier la validité de leurs outils d'analyse en les éprouvant sur l'histoire antérieure de la science. Dans cette perspective, le retour au passé n'est qu'un détour pour en revenir à l'interprétation et à la transformation du présent. Il existe de cette situation au moins un précédent historique récent : l'activité des scientifiques progressistes anglais des années 30. On sait comment les préoccupations politiques des Haldane, Bernal, Needham, etc., motivèrent leur intérêt pour l'histoire des sciences et suscitèrent chez eux d'importants travaux. L'histoire des sciences assume donc ici un rôle essentiellement instrumental et ne prend sens qu'en fonction des orientations idéologiques ou politiques, fussent-elles implicites, de ses nouveaux adeptes. Nous ne devons pas, me semble-t-il, tenter d'occulter ce que d'aucuns considéreront comme un manque d'objectivité. Acceptons donc, pour notre part, que « notre » histoire des sciences puisse différer de celle des spécialistes, tant par ses problématiques que par ses centres d'intérêt et – surtout – par ses critères de validité. Ceci ne veut pas dire, évidemment, que les travaux des professionnels soient pour nous sans intérêt. Bien au contraire, nous avons énormément à y apprendre. Il n'y a aucune raison par contre de les imiter, et nous ne devons ni regretter ni craindre l'irritation, voire le mépris éventuel des experts. Tant pis si nous ne sommes que des « historiens aux pieds nus ».

Mais il ne me paraît pas possible de ne retenir qu'une analyse aussi objectivée et théorisée de notre intérêt collectif nouveau pour l'histoire des sciences. C'est que la crise évoquée est vécue subjectivement par beaucoup d'entre nous et, le plus souvent, sur le déplaisant mode de la frustration. A l'échelle individuelle, nous avons souvent été amenés à « entrer en science » par le désir d'une compréhension globale du monde, l'appétit d'un savoir totalisant et progressif (sinon progressiste). De plus en plus, les conditions effectives de la production scientifique, cloisonnement des disciplines, parcellisation des tâches, hiérarchisation du milieu, inflation de la production (dans le temps et dans l'espace), ruinent ces espoirs. Implicitement au moins, nous avons presque tous voulu devenir des « savants », détenteurs et créateurs de vérités générales et absolues ; nous nous retrouvons « chercheurs scientifiques », de moins en moins maîtres de notre propre production intellectuelle – qui, souvent, nous semble en devenir dérisoire. Il me paraît alors que l'histoire des sciences nous offre la possibilité de ressaisir, au moins partiellement et provisoirement, une totalité qui nous a échappé, et de récupérer les gratifications intellectuelles que nous ne trouvons plus dans la recherche scientifique traditionnelle.

Cette possibilité, d'ailleurs, est double. Le premier aspect, le plus évident, se rapporte au savoir fourni par l'histoire des sciences en tant que telle : nouveau type de connaissance, nouveau champ ouvert à notre curiosité ; même si nous y pénétrons avec nos gros sabots, il y reste manifestement pas mal à moissonner, avec plus de plaisir, de liberté et d'autonomie que dans la plupart des plantations des sciences « exactes », où se presse en cohue l'armée des tâcherons de l'intellect. La démarche ici n'est guère différente, dans son principe, des reconversions opérées par certains d'entre nous vers des domaines jugés plus satisfaisants (de la physique vers la biologie, des mathématiques vers la psychologie). Et le même type de motivation opère chez ceux qui poursuivent des recherches épistémologiques, sociologiques ou économiques, plutôt qu'historiques, sur la science. Mais un deuxième aspect existe aussi, spécifique, lui, de l'histoire des sciences : elle nous permettrait de satisfaire *quand même* notre désir de connaissance dans la branche que nous avions choisie, en nous offrant le savoir scientifique du passé, compensation pour notre frustration face à celui du présent. Il n'y a pas équivalence, certes ; mais la perte de l'éblouissant sentiment de nouveauté que procure une découverte actuelle est aisément compensée par la profondeur qu'offre la compréhension des découvertes passées, perçues qu'elles sont depuis un point de vue postérieur et global qui leur fournit perspective et organisation. Ajoutons enfin que les codes institutionnels n'ayant pas eu autrefois leur prégnance présente, l'étude des textes anciens donne un plaisir d'une tout autre intensité que celle des modernes. Il est difficile encore aujourd'hui de lire Galilée sans excitation intellectuelle, et souvent amusement. On ne saurait en dire autant de la

Physical Review... La pensée parcourant ses chemins anciens peut le faire avec une liberté et une sûreté suffisantes pour justifier ce mouvement récurrent. Ici se marque avec force le salubre « comique des idées » qu'évoque Judith Schlanger dans son beau livre [1].

Je voudrais suggérer à ce propos une analogie entre la science en cette phase et la musique du siècle passé. Jusque vers le milieu du XIXe siècle, en effet, la « musique classique » n'existait pas. La musique, je veux dire celle que les orchestres jouaient et que les mélomanes écoutaient, était celle que les musiciens composaient. Elle était contemporaine par essence, et n'avait guère besoin de se dire « moderne ». Il y avait, *d'autre part*, la musique ancienne, qui n'était guère plus que l'objet de l'histoire de la musique et le domaine des musicologues professionnels. Ce tableau, que je simplifie volontairement, changea lorsque le romantisme redonna vie au passé. Mendelssohn ressuscita Bach. Les programmes de concert, jusque-là essentiellement contemporains, firent une place, timide d'abord, puis de plus en plus grande, aux œuvres du passé. La musique classique était née. Je ne veux pas tenter ici d'interpréter cette évolution et, faute de théorisation, ne souhaite pas transformer cette analogie en homologie structurelle. Il me paraît important cependant d'envisager cette dimension, proprement culturelle, de l'attention croissante portée à la science passée. Il serait souhaitable de mieux comprendre et évaluer cet aspect nouveau.

Reste, après le niveau politique-idéologique et le niveau subjectif-culturel, à évoquer un dernier niveau de compréhension, institutionnel. C'est que l'histoire des sciences (et plus généralement l'analyse critique de la science) pratiquée par les scientifiques a dépassé le stade de la production artisanale par des groupes isolés. Tout un réseau d'organisation et de communication se met en place : tenue

1. Judith Schlanger, *le Comique des Idées* (Gallimard, 1977).

désormais régulière de colloques, échanges de papiers, création de revues, etc. Une véritable mini-institution se crée et explicite ses rapports avec les structures (financières, académiques, etc.) établies. Je n'entends pas en soulignant ce fait me lancer dans une (auto-)critique pour « récupération » (je n'ai d'ailleurs jamais compris ce concept). Il est nécessaire, au contraire, d'utiliser au maximum l'espace professionnel nouveau ainsi disponible, et je souhaiterais vivement qu'il devienne possible en France, pour les jeunes chercheurs, de soutenir des thèses de physique (par exemple) sur l'histoire ou les fondements de leur discipline – comme c'est le cas en Italie. L'analyse historique de la science (comme d'ailleurs l'analyse épistémologique, sociologique et même idéologique – puisque ces composantes encore restent relativement séparées) n'a pas en soi de portée radicale. Malgré nos motivations et intentions, et quel que soit son contenu explicite, l'histoire des sciences ne peut d'elle-même provoquer conversions ou subversions (peut-être des diversions, cependant). La structure institutionnelle de la science, aussi rigide soit-elle, montre – de fait – assez de souplesse pour assimiler et intégrer, voire utiliser à son profit une démarche née pourtant de sa critique. Rien d'original ici, bien entendu, mais la simple particularisation d'un phénomène trop connu depuis 68. Y revenir permet cependant de poser une question essentielle, celle des médiations qui permettraient à notre histoire des sciences « nouveau style » de développer ses potentialités critiques pour répondre à nos aspirations initiales : la transformation de la science – et de l'histoire. Un rôle majeur devrait certainement être joué dans cette instrumentalisation par le développement de nouvelles formes d'enseignement scientifique, à l'université, à l'école, ainsi que dans la vulgarisation scientifique.

Éloge des théories fausses

Maîtriser un concept scientifique c'est, d'abord, connaître les limites de sa validité et de sa pertinence : la précision des outils intellectuels de la science vient de leur spécificité. Tant pour donner aux savoirs scientifiques leur pleine efficacité que pour éviter les abus de leurs extrapolations (idéologiques par exemple), la pédagogie doit fournir la maîtrise des conditions de mise en œuvre des concepts, c'est-à-dire la reconnaissance des situations où ils n'opèrent *pas*. La construction des concepts est indissociable de la délimitation de leur champ.

L'enseignement des « bonnes » théories est évidemment impuissant à permettre cette acquisition puisqu'il s'agit, par définition, des cas où « ça marche ». Il est donc nécessaire d'introduire dans le processus d'apprentissage de « mauvaises » théories pour que leur analyse et leur rejet permettent de circonscrire les domaines d'applicabilité des concepts.

Après tout, la pratique pédagogique ne ferait ainsi que se rapprocher un peu de la science telle qu'elle se fait ! Le travail scientifique réel consiste pour sa majeure partie en un examen d'hypothèses qui se révèlent fausses. L'histoire traditionnelle des sciences et de leurs succès est celle de la seule partie émergée d'un iceberg, qui ne flotterait pas s'il n'était soutenu par un volume beaucoup plus grand d'échecs et d'erreurs.

L'enseignement scientifique devrait avoir pour but essentiel de permettre l'examen critique et la décision raisonnée de la validité des idées et concepts. L'expérience pédagogique est, à cet égard, désolante : des étudiants, même avancés (niveau maîtrise de physique) et compétents dans la mise en œuvre constructive de leur bagage scientifique pour résoudre un problème conventionnel, se révèlent quasiment incapables d'utiliser leur savoir pour réfuter une théorie évidemment erronée, telle l'idée de la Terre creuse (cf. Annexe). Leur extrême difficulté face à une telle tâche ne provient pas de leur manque de *connaissances*, mais de leur manque de *jugement*. Elle démontre une réelle incapacité à mobiliser ces connaissances et à décider de leur pertinence relative devant la question posée. C'est que, contrairement au problème ou à l'exercice traditionnel, résolu d'avance, et qui renvoie explicitement à un bloc de savoir bien délimité (mécanique, électromagnétisme, thermodynamique...), la critique d'une théorie fausse, par la globalité de son sujet et ses limites *a priori* indéfinies, fait en général appel à des savoirs divers et exige leur coordination.

Ces considérations pédagogiques s'étendent tout naturellement à l'épistémologie et à l'histoire des sciences, que la prise en considération systématique des théories fausses (sans parler des expériences...) soumet à rude épreuve.

De fait, un matériau d'une extrême richesse est offert tant par des théories anciennes, abandonnées après avoir eu leur heure de gloire, que par l'abondante production des éternels marginaux de la science, dont les élucubrations, souvent extraordinaires, ne manquent ni de charme ni de subtilité.

Proposons, afin d'y voir un peu plus clair dans cette surabondance de l'erreur, une petite typologie des théories fausses. Par ordre de distance croissante à la vérité reçue, on peut distinguer des théories :

1) adhérentes
2) différentes
3) aberrantes
4) sidérantes.

1) *les théories adhérentes :* ce sont les théories fausses aujourd'hui qui furent vraies hier, et restent souvent d'excellentes approximations. Un exemple typique en est la relativité galiléenne, par opposition à la relativité einsteinienne [1]. Il est aisé de montrer que de telles théories sont loin d'avoir épuisé leurs potentialités et en disent souvent plus qu'on ne le croit [2, 3], ou bien, au contraire, échouent ailleurs qu'on ne le dit. Ainsi, une théorie galiléenne conséquente de l'électromagnétisme est possible et montre déjà l'unification du champ électrique et du champ magnétique [4]. De même, la mécanique newtonienne suffit largement à expliquer l'expansion de l'univers, sans que la relativité générale soit indispensable [5]. Du coup, il devient parfois moins facile que la plupart des livres ne l'affirment de prouver l'échec de ces théories et la nécessité de leurs remplaçantes. La frontière de l'erreur n'est pas toujours visible – surtout si elle passe ailleurs qu'on ne croit.

1. J.-M. Lévy-Leblond, « What is so " special " about relativity ? » in *Group Theoretical Methods in Physics*, A. Janner, T. Janssen and M. Boon eds, *Lecture Notes in Physics*, vol. 50 (Springer-Verlag, Berlin 1976), p. 167.

2. J.-M. Lévy-Leblond, « Les Relativités », *Cahiers de Fontenay*, n° 8, E.N.S. de Fontenay-aux-Roses (septembre 1977).

3. J.-M. Lévy-Leblond, « The Pedagogical Role and Epistemological Significance of Group Theory in Quantum Mechanics », *Nuovo Cimento, 4*, 99 (1974).

4. M. Le Bellac et J.-M. Lévy-Leblond, « Galilean Electromagnetism », *Nuovo Cimento, 14 B*, 217 (1973).

5. C. Callan, R. H. Dicke, P. J. Peebles, *Am. J. Phys. 33*, 105 (1965). Voir aussi J.-M. Lévy-Leblond, « Expansion de l'Univers et obstacles épistémologiques », *la Recherche*, n° 25, juillet-août 1972, p. 669.

2) *les théories différentes :* je désigne ainsi des théories qu'on pourrait encore appeler « cohérentes », à forte logique interne, mais extérieures aux cadres théoriques généraux en vigueur, capables cependant de faire face à la plupart des objections, et qui butent en définitive sur une réfutation convaincante mais subtile. Un exemple excellent est la théorie de la gravitation de Lesage [6]. Cet auteur du XVIIIe siècle proposait de l'attraction newtonienne une explication fort astucieuse, qui éliminait la notion mystérieuse d'action à distance. Pour lui, l'espace était parcouru d'un abondant flux isotrope de corpuscules particuliers (« ultramondains ») dont les collisions avec les corps célestes communiquaient à ceux-ci autant d'impulsions. En vertu de sa symétrie, un corps sphérique isolé voyait se compenser ces actions (figure a). Par contre, deux corps faisaient chacun écran à l'autre, et le déficit de collisions conséquent engendrait une force nette sur la face opposée (figure b). Autrement dit, pour Lesage, les corps ne *s'attiraient* pas mais étaient *poussés* l'un vers l'autre ! Il était aisé de voir que la force

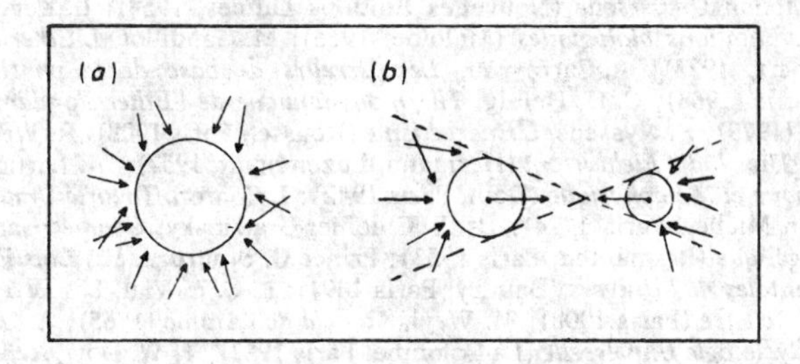

correspondante, à longue distance au moins, variait bien en raison inverse du carré de la distance – puisque la proportion des corpuscules interceptés était de l'ordre de l'angle solide sous-tendu. L'action à distance apparaissait

6. S. Aronson, « The Gravitational Theory of Georges-Louis Lesage », *Natural Philosopher*, 3, 51 (1964).

comme un effet des actions de contact ! Lesage surmonta lui-même avec succès nombre d'objections, et sa théorie fut dédaignée plutôt que réfutée. Elle connut un regain d'intérêt à la fin du XIXe siècle, où elle s'effondra finalement sous les coups de Maxwell. Mais l'argument décisif, brillamment résumé par Poincaré [7], est subtil, et il est intéressant de voir que les critiques courantes de la théorie ne sont pas les bonnes [8] ... Il y a là en tout cas matière à une superbe leçon de physique — et d'histoire.

3) *les théories aberrantes :* c'est dans cette catégorie que se rangent la plupart des propositions des marginaux de la science : le Soleil froid, la Terre creuse, l'atome pneumatique, etc. [9], sans parler des dizaines de protestations contre la relativité einsteinienne [10]. La contradiction entre les

7. H. Poincaré, « La Théorie de Lesage » dans *Science et Méthode* (Flammarion, Paris 1947), p. 263.

8. Voir par exemple R. P. Feynman, *La Nature de la physique* (Seuil, « Points-Sciences », 1980), p. 42

9. Un petit échantillon de ma bibliothèque : L. Jacot, *Attraction ou Distraction Universelle* (Nouvelles Éditions Latines, 1954) ; L. Kervan, *Transmutations biologiques* (Maloine, 1965) ; M. Gandillot, *L'Éthérique* (Vuibert, 1923) ; A. Carrayrou, *Les Erreurs de base de la physique moderne* (1968) ; C. H. Heibig, *Thermodynamique de l'Ether Fondamentique* (1979) ; E. Nyssens, *L'Énergétisme* (Rousset, Paris 1908) ; R. Weckering, *The Nodic Field Atom* (Hermann, Luxembourg 1957) ; A. Lartigue, *Physique et Métaphysique* (Doin, Paris 1942) ; J. Charon, *Théorie Unitaire* (Albin Michel, Paris 1974) ; Dr. S. Galonier-Gratzinsky, *Géométrisation Énergétique* (Pramantha, Paris 1953) ; Prince G. Stourdza, *Les Lois Fondamentales de l'Univers* (Baudry, Paris 1891) ; L. C. E. Vial, *Les Erreurs de la Science* (Paris 1908) ; M. Weyl, *Au-delà de l'Atome* (1965) ; A. Guerrin, *Cyclologie Universelle* (La Colombe, Paris 1962) ; T. W. Dow, *Repeal Kepler's Laws* (Celestial Press, Washington 1960), etc.

10. C. Cornelissen, *Les Hallucinations des Einsteiniens* (Blanchard, 1923) ; H. Bouasse, *La Question Préalable contre la Théorie d'Einstein* (Blanchard, 1923) ; Ch. Nahon, *L'Imposture de la Relativité* (Gravitation, Marseille 1979) ; S. Lévy, *Réfutation mathématique de la théorie de la relativité d'Einstein* (1961) ; L. Brillouin, *Relativity Reexamined* (Academic Press, 1970) ; O. Luther, *Relativity is Dead* (Key, California 1966) ; H. C. Dudley, *The Theory of Relativity, a Reexamination* (Andree 1958) ; O. A. Ribeiro da Cunha, *Les Erreurs d'Einstein dans la transformation de Lorentz* (Rio de J. 1967) ; B. Bourbon, *Critique et Effondrement de la*

assertions de ces ouvrages et les idées admises est souvent difficile à localiser et les erreurs de raisonnement bien dissimulées. Mais si un étudiant (ou un enseignant!), apparemment fort compétent en relativité einsteinienne, est incapable d'en réfuter les réfutations (c'est en général le cas), que vaut son savoir? On trouvera en Annexe la présentation d'une théorie aberrante sous forme d'un sujet d'examen proposé à des étudiants de la maîtrise de physique de l'Université Paris-VII (Unité de valeur « Méthodes qualitatives de la physique »). Les copies rendues, faut-il le dire, étaient elles-mêmes assez creuses...

4) *les théories sidérantes :* il s'agit là des moins intéressantes et des plus pernicieuses. Ce sont des textes qui ont l'apparence de la physique ou des discours qui en font le bruit, sans aucune signification, telles les fausses écritures de Steinberg ou les imitateurs de music-hall qui parlent des langues étrangères sans rien dire. L'absence de sens d'un message est toujours inquiétante, car on n'est jamais sûr qu'il ne s'agisse pas d'une absence de compréhension du récepteur. D'où la prudence de beaucoup devant ces escroqueries intellectuelles, qu'il s'agisse de la « théorie synergétique » de M. Vallée [11], ou de la parapsychologie quantique de M. Costa de Beauregard. L'enjeu ici pourtant dépasse le plan didactique, pour devenir culturel et idéologique. C'est, à mon sens, une question de responsabilité éthique que de ne pas tolérer cette exploitation du savoir scientifique.

La présentation et la discussion systématique des théories fausses permettent de mettre en lumière de nom-

---

Relativité d'Einstein (Ambazac, 1965); G. Casazza, *Einstein e la commedia della relatività* (Bietti, Milano 1923); G. Antoni, *La relativita è proprio indispensabile ?* (Thyrus, Terni 1959); A. S. Otis, *Light velocity and Relativity* (Burckel, N. Y. 1963), etc.

11. Voir « la Théorie synergétique », p. 165.

breux obstacles pédagogiques et épistémologiques trop souvent ignorés ou contournés dans l'enseignement traditionnel. Mieux vaut pourtant les affronter explicitement.

On contribue ainsi à l'élaboration d'une *pédagogie du refus* : permettre à l'élève ou à l'étudiant de dire « non », c'est l'aider à sortir d'une situation passive où il ne peut qu'accepter un savoir *ready-made.* La pratique montre que les gratifications psychologiques apportées par une telle pédagogie sont considérables, et font beaucoup pour accroître la confiance en soi de l'élève – et donc la solidité des acquisitions conceptuelles.

L'enseignement scientifique ne peut contribuer, comme il prétend, à la formation de l'esprit critique que s'il favorise la critique dans la science même, et lui offre donc des cibles pertinentes.

ANNEXE

Un problème de physique : la Terre creuse?

Dans son ouvrage *la Terre creuse* (Albin Michel, Paris, 1971, traduit de l'américain), M. R. Bernard, reprenant de nombreuses spéculations antérieures, développe la thèse suivante :

> La Terre n'est pas une sphère solide avec un noyau brûlant de métal en fusion comme on le suppose communément. En réalité, la Terre est creuse et son intérieur communique avec la surface par deux ouvertures polaires. Sur sa surface intérieure vit une civilisation avancée, créatrice de ces soucoupes volantes qui viennent nous espionner à intervalles réguliers.

Le schéma ci-contre, tiré du livre, illustre la théorie de la Terre creuse.

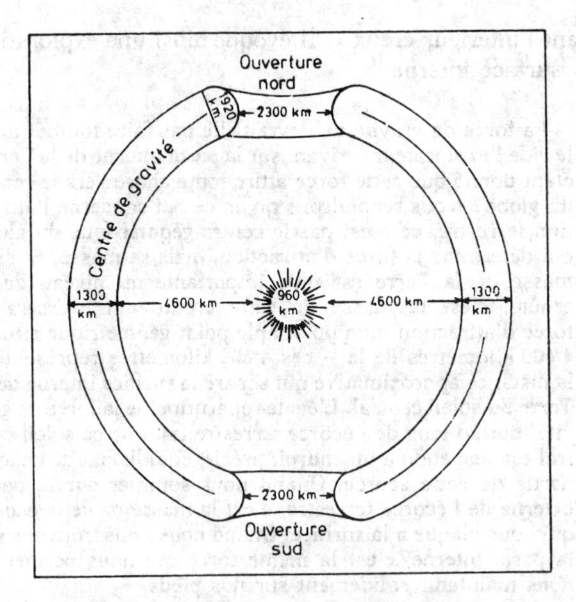

Il est aisé de prouver, en examinant les nombreuses et détaillées photographies de notre globe prises par satellite, que les gigantesques ouvertures supposées par l'auteur n'existent pas. Mais, en abandonnant cette partie de l'hypothèse, comment juger l'idée ? Que nous disent nos théories physiques actuelles sur sa possibilité et sa plausibilité ? Et si nous restons sceptiques quant à cette idée appliquée à la Terre, pourrions-nous la juger, appliquée à une autre planète (Mars, par exemple, ou une planète inconnue d'un système stellaire lointain) sur laquelle nos observations sont plus limitées ? D'ailleurs, Marshall B. Gardner, l'un des auteurs sur lesquels s'appuie R. Bernard, avançait en 1920, dans son livre *Voyage à l'intérieur de la Terre*, que toutes les planètes devraient être creuses puisque « au centre de chaque planète, une partie du feu originel constitue le soleil central, tandis que les substances plus lourdes sont projetées vers la surface où elles forment une croûte solide, laissant l'intérieur creux ». Il évoque ainsi une exploration de la surface interne :

> La force de gravité ne devrait-elle pas faire tomber dans le vide l'explorateur arrivant sur la paroi interne de la Terre, étant donné que cette force attire toute chose vers le centre du globe ? Nous répondrons qu'en ce qui concerne l'attraction terrestre, ce n'est pas le centre géométrique du globe qui détermine la force d'attraction, mais sa masse. Et si la masse de la Terre est plus importante au niveau de la croûte, c'est la masse de cette croûte qui exercera la force d'attraction, non un simple point géométrique situé à 4 600 kilomètres de là – ces 4 600 kilomètres représentant la distance approximative qui sépare la surface interne de la Terre du soleil central. L'égale répartition de la force de gravité tout au long de l'écorce terrestre fait que ce soleil central est suspendu à un endroit précis, équidistant de chaque partie de cette écorce. Quand nous sommes sur la paroi externe de l'écorce terrestre, c'est la masse de cette écorce qui nous plaque à la surface. Quand nous nous trouvons sur la paroi interne, c'est la même force qui nous permet de nous maintenir solidement sur nos pieds.

On discutera successivement, à l'aide des théories physiques couramment admises, et en cherchant les arguments les plus convaincants, les hypothèses suivantes :

1) La planète P est creuse, avec des dimensions voisines, en ordre de grandeur, de celles données par le schéma (on peut abandonner l'idée des ouvertures polaires).

2) *En admettant* 1) : L'intérieur de la planète P comprend un petit soleil (voir schéma). Ce soleil est au centre de la planète.

3) *En admettant* 1) *et* 2) : La surface intérieure de P est habitable et habitée ; on y trouve fleuves, végétaux, animaux (pas nécessairement une « civilisation »).

On s'attachera en particulier à examiner, au stade adéquat de la discussion, les arguments ci-dessus de M. B. Gardner.

La science, la culture

La science : où la culture ?

La science moderne, depuis son émergence à la fin de la Renaissance, est progressivement devenue *la* science tout court. Elle a relégué les autres formes de connaissance, rationnelles ou non, dans le passé historique ou dans la marge institutionnelle : l'alchimie ou l'astrologie ne peuvent plus être considérées que, hier comme prescientifiques, ancêtres de la chimie et de l'astronomie, aujourd'hui comme parascientifiques, cousines occultes des sciences reconnues. Elles n'en sont pas nécessairement moins puissantes pour autant, mais seulement de fait, non plus de droit. En quatre siècles, la science telle que nous la connaissons désormais s'est érigée en modèle hégémonique du savoir. L'importance des arguments « scientifiques » dans les discours politique, économique, thérapeutique, publicitaire et même, récemment, mystique, prouve suffisamment cette position dominante. Que ce recours à la science soit en général rhétorique plus que logique, que la science fournisse arguments d'autorité plus que de raison, ne fait que confirmer sa puissance idéologique.

Mais l'histoire de ce triomphe est aussi celle d'une défaite. Au fur et à mesure qu'elle s'est affirmée comme référence majeure du discours social, la science a perdu contact avec la culture. De façon délibérément simpliste, je schématiserai cette rupture en distinguant quatre phases successives dans les rapports de la science et de la culture :

– *intégration* tout d'abord, aux XVIe et XVIIe siècles, lorsque naît la science moderne, comme composante majeure du vaste mouvement culturel qui accomplit la Renaissance et engendre notre monde. La physique alors s'appelle philosophie naturelle, et science est encore synonyme de connaissance. Galilée n'est pas plus physicien ni Descartes plus mathématicien qu'ils ne sont philosophes et écrivains.

– *alliance* ensuite, au XVIIIe siècle, pendant l'âge des Lumières. A cette époque où émerge l'idée clé du Progrès, il y a certes harmonie entre le progrès scientifique et le progrès historique – mais leurs sphères sont distinctes. Comme le montre l'exemple paradigmatique du mouvement encyclopédiste, la science ne se confond plus avec les techniques, les arts ou la philosophie. Même si elles avancent du même pas, le problème de leurs relations est désormais posé. La science est dans la culture, mais elle s'y distingue. C'est par la médiation des Pope et des Voltaire que les Newton voient leur œuvre scientique transmuée sur le plan culturel.

– *éloignement* progressif au cours du XIXe siècle, où l'idéologie du progrès se structure sur le scientisme devenu son noyau dur, cependant qu'en opposition absolue s'étend le romantisme. Si Blake et Goethe expriment ouvertement leur refus de la science montante, la majorité des artistes, musiciens et écrivains du siècle fait preuve d'une absence d'intérêt encore plus probante. Ni Carnot, ni Maxwell, ni Boltzmann ne seront pris pour héros ou hérauts culturels. Hugo seul (ô combien !) tentera de conserver une vision synthétique de la pensée humaine – il lui faudra toute la hauteur de son génie unique [1].

1. Voir, par exemple, le superbe Livre III, « L'Art et la Science », du *William Shakespeare* (1864).

– *aliénation* enfin en notre temps où le mouvement culturel, qu'il soit artistique, littéraire, philosophique, marque à l'égard de la science une indifférence rancunière, ponctuée d'épisodiques et dérisoires gestes de réconciliation [2]. Et ces tentatives de récupération tournent vite à l'exploitation maladroite de la caution qu'offre l'inattaquable scientificité formelle à tout discours de justification [3]. Mais le hiatus est profond.

Déjà lycéen, on est – on naît, diront même certains – « littéraire » *ou* « scientifique ». Et dans les soirées mondaines, tout physicien ou biologiste aussitôt présenté – pour ne pas dire dénoncé – comme tel entend des écrivains ou peintres présents l'inévitable « moi, vous savez, la science... », sur le ton exact du renard abandonnant aux goujats les raisins jugés trop verts. Si la culture c'est « ce qu'on n'a pas vu, pas lu, mais dont on a entendu causer » (Cavanna) et dont on cause donc, on remarquera qu'à

2. Pour ne mentionner qu'un épisode particulier, je citerai les multiples invocations au soi-disant « principe d'incertitude de Heisenberg », dont j'ai collecté une imposante anthologie, des arguments en faveur de la parapsychologie (cf., parmi tant d'autres, A. Koestler in *Impact* (UNESCO), *24*, nº 4 (oct.-déc. 1974), p. 300), aux discussions sur la linguistique et la psychanalyse (cf. G. Kutukdjian, in *Artaud*, volume collectif (10/18), p. 203), à la critique d'art (cf. Catalogue de l'exposition Jasper Johns, Centre Pompidou, avril 1978) et – naturellement – au discours politique (cf. V. Giscard d'Estaing au colloque « Biologie et devenir de l'homme », Sorbonne, septembre 1974).

3. Il faudrait analyser de ce point de vue l'écartèlement tragi-comique de ces disciplines universitaires encore bien enracinées dans le vieux terreau culturel commun, mais frénétiquement tendues vers l'accession au statut scientifique. Histoire, économie, droit, médecine, esthétique veulent désormais être « sciences » (sociales ou humaines bien sûr, les autres ne l'étant guère...) pour assurer leur respectabilité. Devant ces « Laboratoires de sciences de la décision », ou « Groupes de création artistique et scientifique », je pense toujours à cette honorable maison de pompes funèbres, à la devanture traditionnelle de bois mouluré et de glaces biseautées, qui se transforma un jour en vitrine d'alu et de formica à l'enseigne « Centre de thanatologie » : on pouvait enfin mourir moderne.

l'heure de l'apéritif, tout un chacun suivant son milieu causera sport ou bagnole, ciné ou politique, peinture ou littérature – pas chimie ou maths. D'ailleurs, et pour passer de la culture à ceux qui la produisent, il est notable que l'activité scientifique, contrairement à la création culturelle, ne débouche sur la reconnaissance publique que par tout ou rien. Pour être rendu visible, le chercheur doit être revêtu des atours archaïques du « savant ». Pas d'issue hors de l'anonymat que la consécration ultime – sinon la transfiguration mythique : le Nobel même ne suffit guère, il faut devenir Einstein ou Mme Curie pour marquer l'imaginaire collectif.

On a proposé d'interpréter cette scission comme un dédoublement de la culture, qui serait désormais divisée entre une figure classique, littéraire et artistique, et une figure moderne, scientifique et technique [4]. Les tenants d'une telle conception en général déplorent la situation et appellent de leurs vœux un nouveau syncrétisme qui réconcilierait ces deux cultures opposées. D'autres font justement remarquer que les deux faces d'un Janus ne peuvent ni se contempler ni dialoguer, que l'une regarde vers l'arrière et l'autre vers l'avant. Ils concluent qu'il est temps pour l'ancien de céder la place au nouveau : que la culture contemporaine reconnaisse donc la prééminence de la science et l'accepte comme son cœur même. Mais, pour que l'une ou l'autre de ces perspectives s'impose, encore faudrait-il que soit fondée leur hypothèse commune – à savoir, l'existence même d'une autre culture, scientifique.

Cependant, rien n'est moins évident. Il n'y a culture que par le partage d'une tradition vivante. Une culture, c'est tout un réseau de représentations, d'attitudes, de références qui irrigue le corps social – inégalement certes, mais globalement. Or, je viens de le dire, dès le niveau le plus rudi-

4. La référence nodale est ici naturellement C. P. Snow, *les Deux Cultures* (Pauvert, 1964).

mentaire de la culture, celui de « ce qui reste quand on a tout oublié » (ou rien appris), il n'y a aucune symétrie entre les réminiscences, même les plus vagues, associées pour le tout-venant aux expressions « Shakespeare », « 1789 » ou « cubisme » d'une part, « dérivée », « Wegener » ou « ATP » de l'autre... Mais surtout, *en son propre sein déjà,* la science ne fonctionne pas comme une culture. Sauf exceptions, tout poète, peintre ou compositeur est homme de culture. Plagiaire ou révolutionnaire, il connaît la généalogie de sa création, et sait la place (je ne dis pas la valeur !) de son œuvre parmi les autres, contemporaines et anciennes. A l'opposé, le physicien, biologiste ou chimiste d'aujourd'hui n'a de passé que récent ; il ne connaît que les antécédents immédiats et les proches voisins de ses propres travaux. L'urgente continuité de la recherche scientifique interdit la patience attentive qu'exige toute acculturation. Sa frénétique fuite en avant inhibe la permanente référence au passé, indispensable à l'émergence d'une tradition.

Cette absence de mémoire, cet oubli de l'histoire, pour la science moderne n'est pas seulement un fait, mais une valeur, clairement affirmée par les plus lucides de ses exégètes. Whitehead a ouvertement affirmé cette thèse, souvent reprise depuis lors : « Une science qui hésite à oublier ses fondateurs est condamnée à la stagnation. » Et l'emprise du mythe de la modernité semble toujours aussi forte dans le domaine scientifique, lors même qu'il paraît sérieusement ébranlé dans les domaines littéraire, plastique et musical — voire idéologique.

Sans doute y a-t-il là un trait spécifique de la science, faute duquel, Whitehead a probablement raison, elle cesserait de progresser. Aussi bien convient-il d'éviter les jugements de valeur : admettre cette amnésie constitutive, reconnaître cette adolescence permanente de la science ne revient pas pour autant à la disqualifier comme activité sociale ou à mépriser sa contribution intellectuelle. C'est à d'autres critères, éthiques ou esthétiques, qu'on renverra le débat sur sa valeur. La culture d'ailleurs n'est pas, en tant que telle, à l'abri d'un nécessaire et similaire procès. Mais les enjeux sont distincts et les rôles, idéologiques aussi bien que technologiques, différents.

La science donc n'est plus dans la culture. Encore moins est-elle devenue une autre culture. Le problème des rapports entre science et culture me paraît donc beaucoup plus grave que celui d'une alternative malheureuse. A la question banale du choix (la science ou la culture ?), un léger saupoudrage de ponctuation permet de substituer l'interrogation cruciale du manque (la science : où la culture ?).

Ces remarques seraient de portée limitée si leur seule fonction était d'appeler les scientifiques à un peu plus de modestie, et les autres à un peu moins de révérence devant la science. Les spécialistes des quarks ne connaissent guère l'explication de l'arc-en-ciel, les astrophysiciens ne savent en général pas reconnaître les étoiles et planètes visibles, les biologistes sont de piètres naturalistes. Tout cela certes est bon à savoir pour, le cas échéant, rabattre leur superbe et leur prétention à un savoir universel. Mais, après tout, tant qu'ils font correctement leur travail de spécialistes, est-ce si grave ?

Pour eux, non. Pas tout de suite, au moins. La science ne peut sans doute plus, ou pas encore, avancer autrement. Mais justement : n'avance-t-elle pas trop vite ? Le danger est celui du fossé qui s'élargit à grande vitesse entre connaissance commune et connaissance scientifique. Il ne s'agit pas ici des différences de nature entre ces formes de connaissance : que l'on parle de la pluie et du beau temps à l'aide de dictons populaires ou de hautes pressions, que l'on évoque Saint-Médard ou les millibars, cette hétérogénéité serait plutôt féconde – si l'on acceptait l'interaction et la confrontation des discours. Tant que l'on parle de la même chose, il est réjouissant de pouvoir en parler diversement. Mais le drame est celui d'une divergence des objectifs de connaissance, d'une séparation des objets mêmes de la science d'avec ceux de la vie quotidienne : à quelle expérience commune peuvent être rapportés les discours publics de la science vulgarisée sur les quarks, les trous noirs, l'ADN ou les clones ? Et l'on voit la seconde raison du hiatus entre science et culture – ou la première : il n'y a pas pour la science de rôle culturel, de tradition à partager. Elle n'a pas de tradition, et de toute façon ne pourrait plus la partager, trop isolée désormais, et dans le temps et dans l'espace du savoir [5].

Le domaine de la science classique, où se confrontaient la pratique courante du monde quotidien – celui des machines simples, de l'électricité élémentaire, comme des phénomènes naturels visibles – et l'expérimentation scientifique, est aujourd'hui déserté. En deçà, la vaste majorité de l'humanité condamnée à un face à face empirique et passif avec la technique usuelle et la nature visible. Au-delà, les chercheurs lancés sur des pistes lointaines et divergentes, à la poursuite d'objets invisibles, d'idées ésotériques, à l'aide d'instruments sophistiqués. Entre les deux, des communications incertaines et fragiles, nécessitant de si nombreux relais que s'introduisent nécessairement brouillages et confusions. Comment expliquer à l'homme de la rue la relativité einsteinienne alors que la relativité galiléenne même n'est pas maîtrisée de beaucoup de physiciens ? Comment faire comprendre les subtilités de la non-localité quantique alors que la notion classique d'action à distance médiatisée par un champ n'est pas assimilée ? Comment

5. Il vaut la peine d'observer que les arguments de ce diagnostic d'inculture porté sur la science *stricto sensu* ne s'appliquent *pas* à la technique. D'ailleurs, je l'ai dit, on parle mécanique automobile, voire maintenant microprocesseurs, au comptoir des bars... Je pense effectivement qu'*il y a* une culture technique propre *et* qu'elle n'est pas coupée totalement de la culture générale. Mais la question est d'une telle importance qu'elle demande plus ample réflexion. Notons seulement la floraison récente d'écrits sur ce thème, en particulier dans les excellentes revues *Culture technique* et *Milieux*.

transmettre les acquis de la génétique moderne alors que la simple théorie mendélienne est si peu comprise ?

C'est dans ces friches de l'intellect, dans ces brûlis de la pensée, trop vite délaissés par leurs explorateurs avant que d'être *mis en culture* et restés, ou redevenus, demi-sauvages, qu'errent et prolifèrent les monstres de la raison. Apprentis-sorciers naïfs ou roublards sont nombreux à les nourrir, pour tenter de combler ces béances du savoir de leurs spéculations ou de leurs mystifications. Les communications sont assez longues et indirectes pour qu'il soit aisé de greffer la parapsychologie sur le message quantique, ou le racisme sur les nouvelles de la génétique.

Une constatation simple met en pleine lumière ce hiatus entre connaissance de pointe et savoir commun qui caractérise la science et la différencie des formes de la culture : *il n'y a pas d'amateurs de science.* Les arts et les techniques connaissent tous cette catégorie essentielle des amateurs qui assurent la transition entre les consommateurs ou utilisateurs passifs et les praticiens actifs professionnels. Outre les musiciens d'orchestre et les auditeurs de concerts, il y a tous ceux qui jouent, plus ou moins bien, du piano, de la flûte, du violon, pour eux-mêmes. Outre les ingénieurs en électronique et les spectateurs de télévision, il y a tous les bricoleurs du transistor. Mais dans les sciences, et surtout les plus prestigieuses, c'est un profond fossé qui sépare les chercheurs de laboratoire des lecteurs de vulgarisation. Il n'y a pas de microbiologistes du dimanche, pas de fans de la physique des particules. Quelques domaines, seuls, offrent aux amateurs un champ d'activités à la fois sérieuses et ludiques : l'astronomie d'observation, la mycologie ou l'entomologie. Mais ce sont, précisément, des sciences « classiques »... Aussi précieux que soient la survie et le développement de ces activités, leur extension aux secteurs modernes de la science ne peut guère être envisagée. Ces cas d'espèce ne font que rendre plus inquiétant le *no man's land* qui sépare science et culture.

Pourtant, la culture doit-elle abandonner tout espoir du côté de la science ? Ne peut-elle au moins espérer quelques contributions d'ordre général ? N'y a-t-il vraiment pas, dans les découvertes scientifiques contemporaines, des composantes capables de féconder le terreau culturel, sur le plan de l'esthétique comme sur celui de la philosophie ? L'innovation scientifique ne devrait-elle pas modifier, d'une façon ou d'une autre, notre conception du monde ? Peut-on accepter que la richesse et l'excitation de certains débats d'idées, en physique ou en biologie, soient réservées aux initiés ? Certes non. Tout enjeu intellectuel d'importance déborde nécessairement le cadre de sa discipline, et la discussion ne saurait être limitée aux experts.

Cependant, les dangers sont extrêmes qui menacent, et l'intérêt et l'utilité de l'extension publique des débats scientifiques. Le plus grossier est celui de la trivialité par excès de généralité. Une théorie nouvelle, dont les concepts ont une validité limitée à un domaine précis du réel, se voit soudain promue en discours universel. D'explication, nécessairement particulière, elle devient simple description, prétendument globale. De ses notions, vidées de leur signification par l'abandon des contrôles de pertinence, il ne reste plus que les mots. Son extension même fait perdre son sens et sa force à la théorie, comme une rivière en crue perd sa direction et sa vigueur lorsqu'elle déborde de son lit pour s'étaler dans la plaine indéfinie. Le fleuve devient marécage. La théorie des systèmes, branche particulière de l'automatique, la théorie des catastrophes, domaine précis de l'analyse mathématique, la théorie écologique, discipline spécifique des sciences de la nature, ont été ainsi promues ces derniers temps au rôle de conceptions du monde, procurant de multiples aperçus profonds — au sens de « creux », comme disait mon professeur de philo. Peut-être ces marées noires de la pensée sont-elles moins dangereuses, par leurs quelques effets corrosifs sur certaines idées délicates, que par la viscosité de l'épaisse couche de banalité obscure dont elles recouvrent toute analyse.

Un second danger, déjà évoqué, est celui de l'aberration par abus d'extrapolation. Le court-circuit entre certains fantasmes (la transmission de pensée) ou préjugés (l'inégalité raciale) et des questions scientifiques qui restent ouvertes (la non-localité quantique, les mécanismes de la spéciation) permet de shunter les contrôles de la pensée critique et, grâce à l'argument d'autorité scientifique, de mettre la rationalité au service de l'irrationnel.

Un troisième risque pèse encore sur l'intégration culturelle des avancées scientifiques : l'illusion de l'autonomie intellectuelle des sciences. Pratiquement toutes les grandes questions, qui ont mobilisé la réflexion épistémologique interne des scientifiques, ne sont que l'écho de problèmes philosophiques et métaphysiques majeurs et universels. Aussi bien la querelle du déterminé et de l'aléatoire en physique quantique que la controverse de l'inné et de l'acquis en biologie sont des avatars particuliers et actuels de controverses aussi anciennes qu'essentielles [6]. Bien entendu, la spécification et la concrétisation de telles questions au sein d'une discipline précise et dans un cadre conceptuel contrôlé sont d'un immense intérêt, et leur importance dans le débat général ne saurait être sous-estimée. Encore faut-il bien comprendre que la science n'est ici qu'un passage et non une origine. Aussi la plus grande attention est-elle de mise à l'égard du discours spécialisé quand il traite d'un problème universel. Il convient de distinguer – autant que faire se peut – entre la contribution nouvelle, la forme originale que la question a reçue de son incarnation particulière, et la simple reprise, derrière un vocabulaire peut-être renouvelé, de positions philosophiques antérieures. Entre les lignes de Bohr on doit lire Kierkegaard, derrière Heisenberg

6. Voir par exemple les travaux de G. Holton sur le rôle des *themata* dans l'histoire des sciences : *l'Imagination scientifique* (Gallimard) *l'Invention scientifique* (P.U.F.).

apercevoir Platon, chez De Broglie entendre Descartes [7]. Que la science n'appartienne pas à la culture ne l'empêche pas de lui être soumise. Ses contributions sont des rendus pour autant de prêtés, et ne peuvent être appréciées qu'en connaissance des causes qui sont les leurs. Il s'agit ici d'un point crucial : la vigilance à l'égard des illusions d'une pensée scientifique autonome atténue fortement les autres risques dénoncés. Ceux de la trivialité et de l'aberration sont suscités par l'importation en contrebande, dans les domaines scientifiques, de marchandises intellectuelles de piètre qualité, ensuite présentées comme des créations locales et originales – tels ces « menorahs » qu'on trouve en Israël et sur lesquels, une fois retournés, on lit « *made in Hong Kong* ».

Si l'exercice sans défaillance de la vigilance critique est présentement nécessaire à la reprise de relations fécondes entre la science et la culture, cette condition ne saurait suffire. Il faut également que la science fasse place, en son sein, à sa culture propre ; car le néant culturel intérieur de la science est intimement lié à son exploitation au service de l'autorité ou de l'obscurité. Si ces frères ennemis, le scientisme et l'irrationalisme, prospèrent aujourd'hui, c'est que la science inculte devient culte ou occulte avec la même facilité. Le temps est venu que chaque scientifique connaisse aussi l'histoire de sa discipline, ses origines, ses réalisations passées, ses répercussions économiques, sociales et idéologiques. D'ailleurs, c'est la possibilité même de poursuivre l'activité scientifique qui serait bientôt mise en danger par la persistance de ce manque culturel, pour deux raisons au moins. D'une part, la formation professionnelle étroitement spécialisée des chercheurs les menace de crises d'incompétence subites et graves en cas

7. Voir L. S. Feuer, *Einstein and the Generations of Science* (Basic Books, 1974) ; traduction française partielle : *Einstein et le conflit des générations* (P.U.F.-Complexe, 1979).

de mutations profondes dans les méthodes et les objectifs de leur discipline; seule une assise culturelle assez large dans leur science peut les en prémunir. D'autre part, le soutien, ou simplement la tolérance, que la recherche scientifique exige du corps social, ne serait-ce que pour son financement et son recrutement, risque de faire un jour défaut si persiste le penchant actuel à l'ésotérisme et à la fuite en avant.

Des tendances fort intéressantes semblent se faire jour à cet égard. Dans la physique actuelle, le puissant renouveau de la mécanique théorique, de la dynamique des fluides, comme de la thermodynamique, marque la fin d'une certaine modernité [8]. La course aux hautes énergies ou aux distances cosmiques ne sont plus les seuls domaines de prestige de la recherche. Par-delà le développement de la microphysique et de la mégaphysique, une nouvelle physique du monde à notre échelle renoue directement avec les traditions d'un XIXe siècle trop longtemps considéré comme dépassé. Du côté des sciences de la vie, les études sur le terrain du comportement animal, comme les recherches sur les écosystèmes [9], rompent avec les orientations jusqu'ici dominantes de la biologie moléculaire et peuvent à nouveau se parer du titre, un temps désuet, de sciences naturelles. Ces nouvelles directions de la recherche ne prendront toute leur importance du point de vue culturel que dans la mesure où elles pourront rapidement influer sur la diffusion des connaissances scientifiques. Tant les contenus et les méthodes de l'éducation que ceux de l'information sont à revoir complètement. Il serait paradoxal que les écoles, les médias ou les musées continuent à donner une image

8. Voir « Cherche et re-cherche, ou le crépuscule de la modernité », p. 56 ; et « Connaissances de la Matière : paléo-modernisme et néo-classicisme », p. 63.

9. Pour une initiation brillante et attrayante, voir P. Colinvaux, *Why Big Fierce Animals Are Rare* (Princeton University Press, 1978); traduction française Éditions du Seuil, 1982, collection « Science Ouverte », sous le titre *les Manèges de la Vie*.

aussi lointaine de la science au moment où celle-ci s'engage dans un mouvement de rapprochement. Faut-il vraiment accepter que, dans les articles de journaux, les émissions télévisées, les programmes scolaires et les vitrines des musées, l'accent continue à être mis aussi unilatéralement sur les quarks ou l'ADN, lorsque les physiciens se réintéressent à l'écume des vagues et les biologistes aux mœurs des passereaux ?

Une analogie peut ici être éclairante avec l'histoire de la musique occidentale. La musique, en effet, longtemps ne fut que moderne. Jusque vers le premier tiers du XIXe siècle, chaque époque ne jouait guère que sa propre musique. Les compositeurs et les formes musicales du passé étaient relégués dans les livres d'histoire, et les programmes des concerts ne faisaient place qu'aux contemporains. Au moment même où les musiciens commencèrent à s'engager sur des voies radicalement nouvelles, ils éprouvèrent, semble-t-il, le besoin de raffermir leurs attaches avec la tradition en inventant, littéralement, l'idée de musique classique. C'est Mendelssohn, on le sait, qui conféra à Bach sa stature culturelle. Comparaison n'est pas raison, et bien des aspects empêchent l'analogie d'être poussée trop loin. J'affirme cependant que là réside l'une de nos tâches urgentes : *inventer la science classique*, en faisant de cette épithète une marque de valeur et d'appel, non plus de caducité et d'abandon.

C'est là bien sûr un programme d'ampleur, qui exige d'abord l'assentiment d'une importante « masse critique » de scientifiques et de médiateurs — chercheurs, enseignants, vulgarisateurs. Nous n'en sommes pas là, et les nouvelles tendances évoquées esquissent tout au plus, si j'ose dire, un certain brouillon de culture. En attendant, nous ne sommes pas pour autant condamnés à la passivité. Car s'il est trop tôt pour que la culture à nouveau soit fécondée par la science et en reçoive contributions et impulsions positives, une autre tâche plus modeste, plus actuelle et peut-être plus nécessaire peut être dévolue à la pensée scientifique. Celle-ci peut intervenir dans le procès culturel comme avocat du diable, témoin du doute et contre-expert du concept. Faute d'aider à la construction d'une nouvelle culture, la science peut aider au démantèlement des vieilles idées. Faute de tracer des voies futures, elle peut éclairer des impasses présentes. Sans nul doute, la science est faite de *disciplines*. Les contraintes qu'elle se donne, les remises en cause dont elle est faite, la peine infinie que lui coûte la moindre avancée font son mérite essentiel. La science est une perpétuelle démonstration de l'extrême difficulté de penser. C'est par son refus du laxisme verbal, son rejet du flou conceptuel qu'elle peut être utile – seul domaine peut-être de la pensée où l'on ne peut pas dire aujourd'hui n'importe quoi.

La plupart des avancées scientifiques récentes sont difficilement compréhensibles aux profanes quant à ce qu'elles apportent et construisent, faute de bases et de médiations suffisantes. Par contre, elles peuvent sans mal être présentées dans leur fonction de critique et de dépassement [10]. Ainsi, confrontées à certaines idées de la physique théorique, la plupart des grandes catégories de pensée apparaissent-elles bien insuffisantes. Les dichotomies générales qui structurent nos réflexions ne sont guère opérantes devant toute question un tant soit peu affûtée : le couple continu/discontinu rend bien mal compte des transitions de phase liquide-gaz [10], comme de la nature des objets quantiques ; l'alternative fini/infini échoue à interpréter la propagation de la lumière (finie quant à sa vitesse, infinie quant à sa « rapidité [11] ») ; l'opposition stable/instable est ébranlée par des considérations élémentaires sur les systèmes oscillants, comme un simple pendule [10] ; l'antinomie déterminé/

10. Cf. « L'empire des lumières », p. 37.

11. Cf. J.-M. Lévy-Leblond, « L'un des finis », in *Arts-Sciences, processus de création et de recherche,* Inspection générale de l'enseignement artistique (séminaire de mars 1979).

aléatoire est mise à mal par les développements récents en théorie quantique de la mesure, comme en dynamique hamiltonienne classique. Des exemples analogues seraient fournis à foison par toute autre discipline. Mettre l'accent sur ces effets décapants de la pensée scientifique permettrait de lui donner un statut culturel majeur. Il faut permettre à la science de jouer le rôle d'*empêcheuse de penser en rond.* Et donc, pour commencer, l'empêcher de penser en rond elle-même. D'ailleurs, « on n'aurait aucune peine et on aurait grand avantage à représenter la science comme un effort pour découvrir et démontrer le caractère non scientifique des affirmations et des méthodes scientifiques [12] ». Alors, la fonction de la science serait moins de tenir le discours de la vérité, ou tout au moins d'une vérité, sur le monde, que d'affirmer, ou plus souvent d'infirmer, la pertinence et la validité de ce discours. Car « la sauvegarde du vrai tient moins dans son affirmation que dans la considération du caractère limité de tout ce qui apparaît comme vrai [13] ».

12. B. Brecht, *Me-Ti, Le livre des retournements* (L'Arche, 1968), p. 79.

13. M. Horkheimer, postface au livre de T. Koch, *Porträts zur deutsch-judischen Geistgeschichte* (Verlag M. Dumont Schanberg, Köln, 1961), cité et traduit par J.-L. Schlegel dans *Esprit*, mai 1979, p. 23.

Questions que pose une laborantine en lisant...

Qui donc construit télescopes et accélérateurs géants?
Dans les journaux, on donne le nom des savants.
Les savants serrent-ils les écrous?
Von Braun fabrique les fusées de la NASA.
Tout seul?
Gell Mann découvre les mystères des particules élémentaires.
N'a-t-il pas à ses côtés au moins une secrétaire?
Quand la bombe éclata, Oppenheimer trembla.
Personne d'autre ne tremblait?

A chaque page, une découverte.
Qui imprime les livres?
Tous les ans, un Prix Nobel.
Son laboratoire qui le balaie?

Autant de récits,
Autant de questions.

D'après Bertolt Brecht, « Questions que pose un ouvrier en lisant », in *Poèmes*, vol. 4 (L'Arche).

B. B. et G. G.,
la science en scène

> Où est Brecht, et sa soif de science ?
> ...
> C'est sa curiosité qui l'a perdu.
>
> B. Brecht, « Chant de Salomon », *Poèmes*, tome 3 (L'Arche, 1965).

Les interlocuteurs du dialogue suivant, qui n'est pas entièrement imaginaire, avaient lu – outre l'œuvre de Brecht, on veut l'espérer – la *Lecture de « Galilée »* de Bernard Dort (in *les Voies de la création théâtrale*, CNRS, 1972), certains passages du livre d'E. Schumacher, *Bertolt Brechts « Leben des Galilei »* (Henschel Verlag, 1965) et la critique par M. Cournot d'une représentation de *la Vie de Galilée* dans *le Monde* du 29 novembre 1973, ainsi que *Pour la science* de J. Metzger (Éditions Sociales, 1974) et *(Auto)critique de la science*, textes réunis par A. Jaubert et J.-M. Lévy-Leblond (Seuil, 1973). Bernard Dort m'a très aimablement prêté divers documents et J.-B. Grasset amicalement traduit plusieurs textes allemands.

C., M. et P. sortent du théâtre de Gebervilliers, où ils viennent d'assister à une représentation de *la Vie de Galilée*, dans une mise en scène de Marcel Graindorge...

C. Cette pièce est très surestimée ! Brecht n'était pas au mieux de sa forme en l'écrivant. Il a rapetissé un beau thème en ne retenant que l'image d'Épinal du découvreur en conflit avec des prêtres qui se soucient d'abord de maintenir l'ordre établi. Mais en 1938, quand Brecht a écrit la première version de sa pièce, il aurait pu disposer pourtant, s'il l'avait voulu, d'une documentation suffisante pour se convaincre que le sujet était moins simple.

M. Vous allez un peu vite, C., et le problème me paraît plus sérieux, pour Brecht et pour nous, que vous ne le pensez. Si *la Vie de Galilée* résulte d'une méforme, celle-ci a duré de 1938 à 1955, date de la troisième version de la pièce, celle qui était représentée tout à l'heure. Aucune œuvre de Brecht n'a connu autant de remaniements. Quant à la documentation, Brecht était loin d'être un novice en matière d'histoire des sciences, et de science tout court. Vous savez qu'il avait, dans sa jeunesse, un moment entrepris des études scientifiques. Son intérêt pour la science et les scientifiques restera constant, et apparaît tout au long de son œuvre : il cite Copernic dès *Homme pour homme* et dans un poème ; il consacre des contes à Giordano Bruno et Francis Bacon (dans les *Histoires d'almanach*). Il approche personnellement les scientifiques de son époque : en 1930, il va écouter une conférence d'Einstein, en 1938 il consulte, à propos de Galilée justement, le physicien Møller. Dans l'exil californien, Brecht suit des conférences du philosophe Reichenbach sur le déterminisme et la théorie quantique, lit des traités d'histoire des sciences. En 1955 encore, à Varsovie, il ira discuter avec L. Infeld, spécialiste de relativité et ancien collaborateur d'Einstein. On trouve d'ailleurs dans *Me-Ti* nombre de réflexions sur la science moderne, dont certaines remarques épistémologiques fort pertinentes. Et n'oubliez pas que l'un des interlocuteurs des *Dialogues d'exilés* est un physicien, de même que l'un des personnages principaux dans *les Jours de la Commune* (dont un autre personnage s'appelle Langevin !). Vous voyez que, pour Brecht, la science n'est pas une préoccupation secondaire et épisodique.

P. De toute façon, Brecht ne prétendait pas faire œuvre d'historien des sciences universitaire, et son Galilée portait évidemment en lui du Niels Bohr, de l'Einstein. La bombe d'Hiroshima éclata pendant que Brecht, en Californie, travaillait avec Laughton à la seconde version de la pièce. Ses *Notes sur un rôle* et son *Journal de travail* témoignent de l'impact de l'événement. Quant à la troisième et dernière version, elle fut écrite sur la fin de la guerre froide, peu après le procès Oppenheimer, alors que Brecht consacrait beaucoup de travail militant à la défense de la paix. Il faut donc entendre aussi la pièce comme un appel aux scientifiques, appel à lutter au service des forces pacifiques, contre le détournement à des fins destructives des prodigieuses puissances libérées par la science. En refusant de rédiger ses livres en latin, dans le langage privé des clercs, en s'exprimant en italien, dans la langue des ouvriers de l'Arsenal de Venise et des marchandes de poisson, Galilée veut les associer aux conquêtes de la science. Il préfigure ainsi, pour Brecht, le nécessaire engagement de l'intellectuel au côté des masses populaires.

C. Galilée, savant progressiste donc ? Mais peut-on raisonnablement penser aujourd'hui que la science a été « détournée » d'une vocation intrinsèquement bénéfique et pacifique, contre la volonté des scientifiques ? N'ont-ils pas d'eux-mêmes livré leurs découvertes au pouvoir politique, comme l'histoire de l'énergie nucléaire le montre éloquemment ? Finalement, au XVIIe siècle, l'Église était en avance sur Galilée. Les responsables romains ne voyaient pas sans inquiétude se manifester les premiers symptômes d'un monde où le calcul, la précision, les équations se substituaient à la présence humaine, à l'à-peu-près, à la méditation. Or, si Copernic et Kepler mettaient un certain frein à leur scientisme, Galilée le claironnait, parfois aveuglément. Le cardinal Bellarmin, lui, n'était pas certain que les raisons de la science auraient éternellement raison et que les essences mathématiques, même exprimées en italien, feraient le bonheur des hommes. Rome avait raison de conseiller à Galilée l'examen critique des conséquences de l'attitude scientiste à partir du moment où les calculs débordaient sur la vie courante. C'est là que Brecht a manqué la grande pièce.

P. Au contraire, mon cher C., et votre attitude ne fait que renforcer mon admiration pour Brecht qui, bien avant le temps présent, semble avoir prévu les attaques lancées aujourd'hui de toutes parts contre la science et la technique, accusées de tous les maux qui menacent l'humanité. Il est bon d'entendre célébrer hautement « les temps nouveaux » de la raison, contre le nouvel obscurantisme et l'irrationalisme maintenant propagés par la bourgeoisie elle-même. C'est que le progrès de la science, s'il a un temps servi le capitalisme, se heurte maintenant de plein fouet à la loi du profit maximum. La bataille de Galilée est de nouveau d'actualité, et Brecht nous le rappelle avec la plus grande force.

M. Dites donc, C., parce que Jeanne d'Arc n'était sans doute pas pucelle, doit-on pour autant donner raison aux Anglais et à l'évêque Cauchon ? Et vous, P., allez-vous pour justifier son patriotisme, défendre sa virginité – comme déjà la Marseillaise et le drapeau bleu-blanc-rouge ? Vous semblez d'accord tous deux sur ceci au moins que Galilée serait, pour Brecht, un héros entièrement positif. Évidemment, c'est ainsi que l'a monté et joué Graindorge tout à l'heure, et bien ainsi, donc, que l'a compris le public : vous avez entendu les enthousiastes « hip, hip, hip, hourra pour Galilée » qui fusaient d'un groupe de jeunes à la fin de la représentation ! Mais si la première version de la pièce était bien une défense et illustration de Galilée par Brecht, les suivantes deviendront de plus en plus critiques. Dans ses *Notes sur un rôle,* écrites lors de sa collaboration avec Laughton, Brecht n'a pas de mots assez durs pour Galilée après son abjuration ; il parle de son « reniement », de sa « servilité », de son « avilissement », le traite de « personnage nuisible », de « traître », d' « agent provocateur ». La grande autocritique finale de Galilée doit être prise à la lettre.

C. Mais croyez-vous donc que c'est pur hasard si cette *Vie de Galilée* est si souvent mal comprise et malgré sa lettre, donc, lue comme une hagiographie ? Brecht lui-même a plusieurs fois affirmé n'être pas satisfait de cette pièce. Il pensait qu'elle violait ses propres principes esthétiques, ceux du théâtre épique, et qu'elle péchait par « opportunisme ». Il sentait bien que l'effet de distanciation fonctionnait très imparfaitement par rapport au personnage de Galilée. Sans doute n'avait-il pas réussi à prendre lui-même suffisamment de distance...

P. On en revient donc au procès de Brecht, qui vous intéresse plus que celui de Galilée, C., admettez-le !

C. D'accord. Le fait est que Brecht, comme tous les marxistes d'ailleurs, est scientiste. Vous avez rappelé, M., son intérêt pour la science, exceptionnel chez les écrivains de son temps. Mais Brecht n'est-il pas par là même un homme du XIXe siècle, dans la tradition positiviste ? Rappelez-vous les apologies de la technique et des machines qu'on trouve par exemple dans *le Vol au-dessus de l'océan*. Brecht a besoin de croire en la Science, qui serait non seulement vraie, mais par essence bonne, pour étayer sa foi marxiste. Que serait donc le marxisme s'il ne se voulait science ? Et n'est-ce pas finalement par cette prétention à la scientificité qu'il a séduit tant d'intellectuels (à commencer par Marx), et Brecht en particulier ? Mais la cohérence veut alors que si le marxisme, juste (politiquement), est vrai (scientifiquement), alors la physique, par exemple, qui est vraie, soit juste aussi, et pousse à la roue de l'histoire – dans la bonne direction.

M. Non, je ne pense pas que Brecht ait été scientiste au sens où il aurait privilégié la science comme phénomène historique autonome, ou même déterminant. Bien au contraire, il a souvent insisté sur la subordination du rôle des connaissances scientifiques aux conditions sociales. Permettez-moi une citation tirée de *l'Achat du cuivre*, parmi bien d'autres : « Plus nous arrachons de choses à la nature grâce à l'organisation du travail, aux grandes découvertes et inventions, plus nous tombons, semble-t-il, dans l'insécurité de l'existence. Ce n'est pas nous qui dominons les choses, semble-t-il, mais les choses qui nous dominent. Or cette apparence subsiste parce que certains hommes, par l'intermédiaire des choses, dominent d'autres hommes. Nous ne serons libérés des puissances naturelles que lorsque nous serons libérés de la violence des hommes. Si nous voulons profiter en tant qu'hommes de notre connaissance de la nature, il nous faut ajouter, à notre connaissance de la nature, la connaissance de la société humaine. » Sur un plan purement épistémologique, d'ailleurs, Brecht avait une conception remarquablement peu scientiste de la vérité scientifique : « On n'aurait aucune peine et on aurait un grand avantage à représenter la science comme un effort pour découvrir et démontrer le caractère non scientifique des affirmations et des méthodes scientifiques », écrit-il dans *Me-Ti*. Et dans le même livre, il se réfère toujours à la théorie marxiste comme à « la Grande Méthode », témoignant ainsi d'une conception plus heuristique que dogmatique du matérialisme dialectique – qui semble, pour lui, être plutôt une dialectique matérialiste. N'oubliez pas que le marxisme de Brecht lui vient pour beaucoup de l'hétérodoxe Karl Korsch pour qui « le marxisme est essentiellement critique et non positif [...] et ne constitue ni une philosophie matérialiste positive ni une science positive ». On est donc loin de la démarcation absolue qui séparerait la vérité Scientifique de l'erreur Idéologique, suivant certains théoriciens modernes ! Finalement, il se pourrait, au contraire, que Brecht ait été le moins scientiste des marxistes, au moins quant à ses conceptions politiques.

P. Je ne comprends pas très bien votre discussion... C'est un *fait* que nous vivons une ère sans précédent, l'ère de la Révolution Scientifique et Technique. Brecht, l'un des premiers, a le mérite de s'en être rendu compte, et d'avoir voulu y adapter les formes de l'art moderne. Il est normal et nécessaire que naisse aujourd'hui une nouvelle conception de l'art, marquée par le poids que la science acquiert dans tous les domaines de la vie sociale. Et Brecht, au moins, avait de ces rapports entre la science et l'art une vision plus riche que Vasarely ou Xenakis. Loin de ne voir dans le progrès scientifique et technique qu'un arsenal de nouveaux instruments, matériels ou formels, il y puise des formes de pensée, des méthodes d'analyse et même des modèles d'écriture pour toute son œuvre. Ainsi, dans *l'Achat du cuivre*, élabore-t-il sa théorie du théâtre épique en s'opposant directement à la dramaturgie aristotélicienne, comme Galilée avait fondé la nouvelle physique contre le même Aristote. D'ailleurs les dialogues de *l'Achat du cuivre* sont explicitement inspirés des dialogues galiléens, de même que le *Petit Organon* emprunte son titre au *Novum Organum* de Bacon. Rien de surprenant, puisque Brecht déclare y élaborer une théorie du « théâtre de l'ère scientifique ».

C. Oui, et la loi de la chute des corps, l'oscillation des pendules, le mouvement des corpuscules atomiques, et autres phénomènes physiques ou chimiques, fournissent à Brecht un stock important d'exemples et de métaphores maintes fois reprises. Vous voyez bien, M., le scientisme de Brecht, que vous contestez dans ses conceptions politiques, vous êtes contraint de le reconnaître au moins dans ses théories esthétiques. Et vous n'allez pas prétendre les unes indépendantes des autres !

M. Avez-vous lu le *Journal de travail* qui vient d'être publié ?

C. Pas encore.

M. Je vous le recommande très vivement. Il jette un éclairage assez neuf sur quantité d'aspects de Brecht, et révèle une dimension critique, et autocritique, largement sous-estimée jusqu'ici. Lisez par exemple ce qu'il écrit en septembre 1939 sur l'attitude de l'URSS au début de la guerre ! Mais, pour en revenir à notre discussion, je vous livre ce passage du *Journal*, datant de 1945 : « Max Gorelik, qui dans son livre *New Theaters for Old* a rendu compte du théâtre épique, me mène de plus en plus vers les lacunes théoriques : je vois ses erreurs de compréhension. Une étrange odeur de puritanisme monte de la reproduction gorélikienne, quelque chose qui sent le laboratoire. Le côté esthétique se réduit en formalisme. *Le Théâtre d'une époque scientifique devient un théâtre scientifique* » (c'est moi, M., qui souligne). Et peut-être avez-vous, comme moi, négligé jusqu'ici le quatrième appendice de *l'Achat du cuivre* ; en fait, je ne l'ai lu que dans le *Journal de travail*, précisément, où Brecht écrit le 3 août 1940 : « Si, au moyen de l'effet de distanciation, le théâtre suscite chez le spectateur une attitude faite d'étonnement, d'invention et de critique, l'attitude même qui est requise dans les disciplines scientifiques, le théâtre n'en devient pas pour autant une institution scientifique, c'est simplement le théâtre de l'ère scientifique. »

C. Donc Brecht était bien d'accord avec P. sur ce point au moins que notre période est une « ère scientifique », même si le concept de Révolution Scientifique et Technique n'était pas encore à l'honneur chez les communistes...

M. Mais rien ne permet de dire qu'il s'en soit tellement réjoui, du moins après 1945 et Hiroshima, contrairement aux modernes zélateurs de la « R.S.T. ». A sa mort, Brecht travaillait sur un *Prométhée* où le mythe classique s'inverserait : Prométhée n'y serait plus enchaîné par ceux d'en haut, mais par ceux d'en bas, par les hommes, pour avoir livré aux dieux le secret du feu (nucléaire, évidemment), les mettant à même de détruire le monde des hommes. En même temps, Brecht envisageait de donner une suite à *la Vie de Galilée*, à partir de celle d'Einstein (qui venait de mourir), et du cas Oppenheimer.

C. Curieux, quand même, cette fascination de Brecht pour les hommes de science eux-mêmes : Einstein, Oppenheimer, après Copernic, Bacon, Giordano Bruno et Galilée...

P. Mais n'oubliez pas que l'un des problèmes politiques fondamentaux et constants de Brecht est celui des rapports entre les intellectuels et la classe ouvrière ; comment amener les « travailleurs intellectuels », comme il disait, sur des positions révolutionnaires ? Dans la mesure où les scientifiques sont les intellectuels les plus représentatifs de la période actuelle, il n'est guère surprenant que Brecht, à partir de Galilée, puis d'Einstein, tente de montrer comment leurs intérêts propres, en tant que scientifiques, devraient les conduire à mettre leur savoir au service du peuple, plutôt que de le livrer, par lâcheté, ou par inconscience, aux détenteurs actuels du pouvoir.

C. Ouais... Je ne suis pas si sûr que Brecht ait eu beaucoup d'espoirs quant à la possibilité d'amener, comme vous dites, les intellectuels dans leur ensemble sur des positions révolutionnaires. En réalité, que ce soit par exemple dans *Turandot* ou dans *Me-Ti*, il est d'une férocité impitoyable à l'égard des intellectuels, les « Tuis », dont il montre sans illusions l'absence d'autonomie sociale et la soumission à la classe dirigeante : « L'écrivain Fe-Hu-Wang déclara à Me-Ti : " Les travailleurs intellectuels restent à l'écart de votre combat ; les têtes les plus intelligentes tiennent vos vues pour fausses. " Me-Ti répondit : " Les têtes intelligentes peuvent être utilisées de très sotte façon, tant par le pouvoir que par les possesseurs eux-mêmes. C'est justement pour soutenir les affirmations ou les institutions les plus ineptes ou les moins défendables qu'on loue les services des têtes intelligentes. Les têtes les plus intelligentes ne s'appliquent pas à connaître la vérité, mais à connaître les moyens de se procurer des avantages, en disant le contraire de la vérité. Elles ne recherchent pas leur propre approbation, mais celle de leur ventre. " »

M. Mais, curieusement, Brecht semble beaucoup plus indulgent à l'égard des scientifiques que des intellectuels en général ! Dans *Turandot*, par exemple, on peut identifier parmi les Tuis, sociologues, économistes, historiens, écrivains, etc. — ni mathématiciens, ni physiciens, ni biologistes. Et les physiciens de *Grand'peur et Misère du Troisième Reich* sont blâmés pour leur couardise, non pas pour avoir collaboré avec le régime nazi, comme Heisenberg et tant d'autres le firent en fait. A l'inverse, nous avons déjà évoqué le mal qu'a eu Brecht à faire de Galilée un personnage négatif. D'ailleurs, il continue à entretenir à son égard les illusions mêmes qu'il dénonce si souvent par ailleurs. Ainsi, il reproche à Galilée d'avoir « lâché le peuple » en abjurant, et d'avoir ainsi permis aux puissants de s'emparer de la science nouvelle, comme si une autre attitude individuelle eût changé le cours de l'histoire, à supposer d'abord qu'elle eût été possible !

C. C'est vrai qu'on trouve là l'ambiguïté majeure de *la Vie de Galilée*. Les deux dernières lignes du grand monologue autocritique de Galilée basculent soudain du politique dans le moralisme. Elles font référence à une éthique de la science, à une déontologie des savants : Galilée devrait être exclu, dit-il, de la « communauté des hommes de science » pour avoir « trahi les devoirs de sa profession ». Mais justement, c'est une profession, pas une mission ! Et ces « devoirs » ont toujours été « trahis » par tous les « savants », et n'ont jamais constitué qu'un commode alibi. Curieux comme ici Brecht verse dans une conception idéaliste et moralisatrice. De ce point de vue, c'est F. Dürrenmatt qui, dans *Der Physiker* (pas encore paru en français, malheureusement), a donné au théâtre l'analyse la plus lucide de l'illusion où se complaisent souvent les scientifiques, d'autant plus asservis aux maîtres qui les emploient qu'ils se croient à l'écart du système. Ils confondent objectivité et neutralité de la science. Il y a donc chez Brecht un paradoxe, que renforce encore sa fascination manifeste pour les « grands hommes » de la science, Galilée, Einstein... Lui qui a traqué partout le mythe du grand homme à travers l'histoire, semble y céder dans l'histoire des sciences.

M. Absolument. Même s'il n'admire pas toujours ses grands hommes de science sur le plan personnel – et moral (« un grand homme peut manquer de grandeur », dit Brecht de Galilée) - il ne semble pas se poser de questions sur leur statut même de « grands hommes » : « Malheur au pays qui n'a pas de héros » ou « malheur au pays qui a besoin de héros », en tout cas Galilée, chez Brecht, n'échappe pas à l'héroïsme. Alors on a envie de paraphraser Brecht lui-même, et d'évoquer les *Questions que pose un ouvrier en lisant* [1] (*Poèmes*, vol. 4).

C. ... alors que Brecht fait dire à son Galilée qu'il était « aussi fort que les autorités », qu'il « avait une possibilité unique », que « la constance d'un seul homme aurait pu

1. Cf. « Questions que pose une laborantine en lisant », p. 102.

provoquer de grands ébranlements », et ce, au mépris de toute vérité historique. Brecht n'aurait-il pas besoin de projeter sur Galilée cette image d'une puissance historique individuelle pour se rassurer quant à son propre poids sur le cours de l'histoire ? Après tout, il lui faut bien réconcilier sa dénonciation de la subordination des Tuis, et sa conscience aiguë d'être un intellectuel bourgeois...

M. Comme s'il y en avait d'autres !

C. ... avec ses objectifs politiques révolutionnaires. La science, avec son développement historique relativement autonome et apparemment progressif, ou même progressiste, lui fournirait le modèle d'une situation historique où des intellectuels peuvent individuellement avoir une influence réelle sur le mouvement historique. On tiendrait là une raison, au moins, de l'évidente identification de Brecht à Galilée.

P. Mais vous ne pouvez nier que la science ait effectivement joué au XVIIe siècle un rôle historique majeur, à la fois économique, en préparant la révolution industrielle, et idéologique, contre l'obscurantisme religieux et l'argument d'autorité ! La référence des intellectuels progressistes d'aujourd'hui aux scientifiques d'alors, avec toutes leurs contradictions, me paraît tout à fait justifiée.

M. Que la science ait effectivement joué à cette époque un rôle révolutionnaire n'implique en rien que ses acteurs en aient été conscients ! Le Galilée historique était de fait un « fils très respectueux de l'Église », physicien génial certes, mais très médiocre politique. Il n'a probablement pas même saisi tous les enjeux de la bataille où il a été entraîné. Or la « trahison » que lui reproche finalement Brecht aurait exigé cette lucidité. Par ailleurs, si la science a pu être subversive, ce ne fut guère que contre la religion, et pendant une brève période historique. L'idée que Brecht s'en fait, une école du doute, porteuse d'un regard neuf sur les hommes comme sur les choses, sur la société comme sur la nature, sur les rois comme sur les astres, est tristement démentie par l'histoire même. La nouvelle astronomie n'a jamais sérieusement ébranlé la vieille astrologie chez « les poissonnières et les paysans de Campanie » – et pas toujours chez les scientifiques eux-mêmes. Quant aux arguments d'autorité des politiciens et idéologues d'aujourd'hui, écoutez donc la télé, c'est bien la science qui le plus souvent leur sert de caution.

C. Centrales nucléaires, ordinateurs, Concorde...

P. Vous êtes à la limite de la mauvaise foi ! Finalement, vous reprochez à Brecht de ne pas avoir pris en compte les conditions modernes de la production scientifique. Mais la crise de la science, c'est la crise du capitalisme. Son asservissement aux nécessités dictées par le grand capital, la dégradation de la situation des scientifiques, ce sont des phénomènes récents que Brecht ne pouvait pas prévoir !

C. Certes, mais la question ici est beaucoup plus générale. Il s'agit des relations entre la science et les autres pratiques sociales qui la conditionnent. Brecht, évidemment, ne les ignore pas, mais les traite de façon remarquablement abstraite. Un cas particulièrement frappant de cette élision est la suppression dans *la Vie de Galilée* de la « scène de l'Arsenal » qui figure dans diverses notes ou ébauches de Brecht. Dans cette scène on aurait vu Galilée au milieu des ouvriers de l'Arsenal de Venise, et perçu « le lien qui unit le travail scientifique de Galilée à la vie pratique et à l'activité des gens simples ». Une telle scène aurait été, elle, conforme à la vérité historique, dont témoigne par exemple ce texte célèbre de Galilée (le vrai), qui ouvre le *Dialogue des sciences nouvelles* : « SALVIATI : C'est un vaste champ que me paraît ouvrir aux méditations des esprits spéculatifs la fréquentation assidue de votre fameux arsenal, Seigneurs vénitiens, et en particulier celle des ateliers de mécanique, où toutes sortes d'instruments et de machines sont constamment mis en usage par un grand nombre d'ouvriers dont certains, grâce aux observations de leurs prédécesseurs et à celles que leur suggère une pratique quotidienne, doivent forcément acquérir une expérience remarquable et un jugement des plus subtils. SAGREDO : Votre Seigneurie ne se trompe pas. Quant à moi, curieux de nature, je me rends souvent en ce lieu pour mon plaisir et j'y recherche la compagnie de ces ouvriers... Leur conversation m'a aidé plus d'une fois à trouver la cause d'effets non seulement merveilleux, mais obscurs et à peine croyables. » L'absence de cette scène, comme le souligne très justement Bernard Dort, marque les limites de l'analyse de Brecht. Elle dédialectise les rapports entre Galilée et les ouvriers, entre les scientifiques et le peuple.

M. Le scientifique apparaît ainsi comme un acteur majeur sur la scène historique, et son œuvre semble peu tributaire, ou de façon très abstraite, du procès de production social. Brecht, finalement, privilégie, quoique très certainement contre son intention explicite, une conception unilatérale des rapports entre la science et la société, où la première détermine la seconde beaucoup plus qu'elle n'est conditionnée par elle.

P. Moi, je trouve vos critiques bien théoriques. Vous êtes des intellectuels pisse-froid ! L'œuvre de Brecht, et tout particulièrement cette pièce, est autrement vivante. Par-delà les leçons politiques de *la Vie de Galilée*, Brecht montre comment l'appétit de savoir d'un Galilée témoigne de sa vitalité, de son amour de la vie. Quelle leçon pour tous ceux qui voient dans la science une activité routinière et desséchante, étouffant la créativité et l'enthousiasme !

C. La science comme source de joie créatrice, de satisfaction intellectuelle... Oui, peut-être, à l'époque de Galilée. Mais aujourd'hui, plus guère, malheureusement. La science, de fait, est devenue une activité de plus en plus routinière et desséchante. Elle s'est industrialisée, les tâches s'y sont parcellisées, le travail divisé et hiérarchisé. La plupart des scientifiques ne sont plus que des tâcherons de l'intellect. Sans doute leur travail leur fournit-il encore des satisfactions, de prestige social en particulier inaccessible à l'O.S. lambda, mais croyez-moi, rien de commun, pour la plupart d'entre eux, avec les émotions d'un Galilée voyant le « Grand Livre de la Nature » s'ouvrir à lui pour la première fois. La découverte était peut-être une vocation, la recherche est une profession.

P. Mais vous savez bien que cette évolution, déplorable, d'accord, et due à la mainmise du capital sur le procès de production de la science, date pour l'essentiel des dernières décennies ! Brecht ne pouvait y être aussi sensible !

M. Certes, et c'est bien ce qui lui permet de montrer le savoir scientifique comme plaisir – et peut-être de le prendre comme archétype du plaisir intellectuel. Et je pense que nous pouvons trouver ici l'un des ressorts les plus puissants des relations ambiguës de Brecht avec la science. Brecht a déclaré quelque part – je ne retrouve malheureusement pas ma source – qu'il voulait être « l'Einstein du théâtre ». Il y a donc bien chez lui cette très nette et profonde identification à la figure du savant, déjà évoquée tout à l'heure. Je la rapporterais volontiers à cette affirmation si fréquente et si marquée chez lui du plaisir de la pensée...

C. Oui. De Galilée, précisément, il écrit qu'il ne résiste pas plus à une belle idée qu'à un bon verre de vin, que les meilleures idées lui viennent pendant un bon repas...

P. Et la princesse Turandot est « excitée [...] physiquement [...] par l'élégance de certaines formulations » ; « une position inédite [...] des problèmes [...] la met à la merci d'un homme »...

C. Il faudrait même parler d'une véritable jouissance de pensée chez Brecht. Cette bonne santé de l'intellect, cette absence de culpabilité, est d'ailleurs ce qui fait pour beaucoup la force et l'importance de Brecht, aujourd'hui encore...

M. Aujourd'hui surtout !

C. Mais quel rapport avec le rôle de la science en tant que telle chez Brecht ?

M. Précisément, mon hypothèse est que ce rôle est lié à la question de la culpabilité. Comment la jouissance du savoir ne jetterait-elle pas au moins un doute sur la fonction de ce savoir ? Comment, pour un intellectuel qui se veut révolutionnaire, être sûr que son activité propre est politiquement juste, à partir du moment où on lui reconnaît explicitement sa charge de plaisir ? Travaille-t-on pour l'émancipation du prolétariat ou pour ses satisfactions personnelles ? Le puritanisme traditionnel du mouvement ouvrier et ses tendances anti-intellectualistes n'ont sans doute permis à aucun intellectuel marxiste d'échapper à cette question.

P. Confer hier les théoriciens de l'anarchisme désirant !

M. Mais cette question serait automatiquement réglée, et la compatibilité entre les deux ordres de motivation garantie, si l'intellectuel était sûr de la *vérité* du discours qu'il tient. Cette vérité pourrait alors être à la fois source de gratifications individuelles et de mobilisation collective.

P. Autrement dit, ce discours serait juste au double sens de la justesse et de la justice...

M. Belle formule ! Chez Brecht, je crois cette aspiration à la vérité de son propre discours très intense. Ce serait la clé de sa solution au problème de l'intellectuel révolutionnaire. On comprend alors toute l'importance de la science pour lui : dans quelle autre activité de pensée, dans quel autre discours, existe-t-il des critères objectifs de vérité ?

C. La science serait donc le grand fantasme de Brecht...

P. Ah non ! Vous n'allez pas le traîner sur un divan, ou lui reprocher d'avoir ignoré et méprisé Freud. C'est une critique sans doute justifiée, mais un peu éculée et pas très féconde.

C. Vous avez raison. Et le grand absent chez Brecht n'est pas Freud, mais Nietzsche – même si ses temps et lieux ne l'expliquent que trop bien. En tout cas, nous avons fini par apprendre, aujourd'hui, que la vérité d'un discours n'est pas suffisante, ni même peut-être nécessaire, pour le rendre révolutionnaire.

M. ... ne serait-ce que parce qu'il existe, non pas *une*, mais des vérités et que, comme les trains, elles peuvent se cacher mutuellement. Ainsi, contrairement à ce que pensait Brecht, l'objectif n'est peut-être pas d' « *ajouter*, à notre connaissance de la nature, la connaissance de la société humaine » : le progrès aujourd'hui de la première pourrait bien inhiber celui de la seconde, et le progrès demain de la seconde rendre la première en grande partie inutile ou caduque.

P. Moi, je me demande finalement si c'est bien du vrai Brecht qu'il a été question ici, et si vous ne l'avez pas soumis au même type de projection qu'il a fait subir à Galilée. Vous l'utilisez pour discuter de vos propres problèmes !

M. Et à quoi d'autre pourrait-il donc nous servir ?

L'horoscope et l'ordinateur : l'activité irrationaliste de la science contemporaine

> On dirait même que la pure lumière de la science a besoin, pour resplendir, des ténèbres de l'ignorance.
>
> Karl Marx (1856).

Ce texte, écrit en 1975, n'a fait que gagner en actualité avec l'amplification des courants du nouveau syncrétisme, la singulière alliance entre le scientisme et l'irrationalisme. Le trop fameux colloque de Cordoue est venu, en 1980, confirmer largement mon double scepticisme. Entre tant d'autres exemples plus récents, je retiendrai celui-ci, de juillet 1981, illustrant à la lettre le titre, de six ans antérieur, de cet article : les promoteurs de la télématique n'ont rien trouvé de mieux, comme argument publicitaire pour le système TELETEL, que de le munir d'un programme astrologique permettant à tout un chacun d'obtenir son horoscope à partir de son terminal d'ordinateur domestique.

Le physicien Niels Bohr, l'un des fondateurs de la théorie des quanta, recevait un jour dans sa maison de campagne un collègue. Celui-ci, apercevant un fer à cheval porte-bonheur cloué sur la porte, s'étonna : « Comment, Niels, toi, un scientifique, tu partages une telle superstition ? – Bien sûr que non, aurait répondu Bohr. Mais tu sais, il paraît que ça marche même quand on n'y croit pas. » Cette histoire, très certainement apocryphe, les physiciens aiment à se la raconter en témoignage de leur détachement ironique à l'égard des vieilles croyances. Mais peut-être faut-il l'interpréter au second degré, et donc la prendre au pied de la lettre. C'est que, malgré les apparences proclamées, jamais les ponts n'ont été totalement rompus entre les anciennes magies et les nouvelles sciences. A l'origine historique de la science moderne, l'ambiguïté est totale : Kepler était astrologue autant qu'astronome et les écrits alchimiques de Newton sont aussi volumineux que ses œuvres physiques et mathématiques. Certes, à mesure qu'elle s'érige en modèle universel du savoir, la science refoule les formes de pensée antérieures. Mais sa victoire ne semblera définitive que tardivement. Il faudra au cours du XIXᵉ siècle que la science devienne une institution majeure, en même temps qu'elle s'intègre à la production capitaliste, pour que triomphe le scientisme. Apparemment ! Car le XXᵉ siècle est au contraire marqué par la coexistence on ne peut plus pacifique du rationnel (à ce qu'on croit) et de l'irrationnel (comme on dit – un peu vite). Les médecins n'ont pas fait reculer les guérisseurs, ni les astrophysiciens les astrologues, et les psychanalystes ni les uns ni les autres. Au moins a-t-on longtemps pu croire que seule la domination idéologique d'une bourgeoisie obscurantiste maintenait les masses populaires dans les ténèbres de la superstition. Le socialisme ferait enfin bénéficier le peuple des lumières de la raison, aux flambeaux courageusement brandis par les scientifiques. Une école démocratique, une vulgarisation progressiste, permettraient enfin aux héros de la science d'en devenir les hérauts.

L'ère de la grande confusion

Mais, ces derniers temps, la raison des meilleurs (les savants, bien sûr) n'apparaît guère comme la plus forte, et une cinquième colonne de la superstitition semble avoir sérieusement ébranlé celles du temple de la science. Décidément, 1975 aura bien été « l'année du magicien » (voir l'article de J.-B. Renard, *le Monde*, 4-5 janvier 1976) et cela, jusque dans la tour d'ivoire. Voici en vrac quelques témoignages de cette ère de grande confusion où nous sommes entrés :

* La revue officielle de l'UNESCO, *Impact-Science et Société,* consacre tout son numéro d'octobre-décembre 1974 aux « Parasciences », sous l'égide d'Arthur Koestler qui y explique télépathie et perception extra-sensorielle par les théories quantiques, cependant que le soviétique A. P. Doubrov y passe de la « biogravitation » à la « psychotronique ». Et c'est un physicien, O. Costa de Beauregard qui – sous pseudonyme – écrit dans la *Revue métapsychique et de parapsychologie*, n° 18, p. 13 (1976), un article intitulé « La fonction Psi et la magie de la mécanique quantique », expliquant la parapsychologie comme effet et solution des paradoxes épistémologiques de la théorie quantique.

* La célèbre secte de Moon a organisé en novembre 1975 une « Conférence internationale sur l'unité des sciences ». Aux côtés de Moon lui-même, figuraient comme conseillers et participants une belle brochette de prix Nobel de physique, chimie et biologie (entre autres Wigner, Heisenberg, Segré, Cooper, Herberg, De Duve, Szent-Gyorgi, Salk et un Néel bien de chez nous), plus quelques Koestler (encore lui), Mc Luhan, Piaget, Piganiol, etc. A leur décharge idéologique, on peut préciser que chacun de ces conseillers se vit offrir un dédommagement de 3 000 dollars.

* Une « Fondation de parapsychologie » américaine tient, avec la participation de scientifiques réputés, des colloques réguliers sur les rapports de ladite parapsychologie avec l'anthropologie, la pharmacologie ou la physique quan-

tique. C'est d'ailleurs le physicien O. Costa de Beauregard (encore) qui récemment recommandait ces travaux à l'attention de ses collègues.

* En France même, avec quelque retard, vient de se constituer en novembre 1975 la « Fédération française de parapsychologie ». Elle est présidée par Rémy Chauvin, professeur à l'université Paris V (pardon, il préfère écrire : à la Sorbonne) – oui, l'auteur des *Surdoués*. Sitôt constituée, cette Fédération a demandé sa reconnaissance officielle et... des crédits gouvernementaux. En 1975, la faculté de médecine de Tours a d'ailleurs accepté un mémoire pour le Certificat d'études spéciales en psychiatrie, intitulé « La parapsychologie en psychiatrie et en psychanalyse », par le Dr C. Moreau. Le 7 août 1976, dans *le Monde*, H. Gastaut, professeur de neurophysiologie clinique et président de l'université d'Aix-Marseille II, revenait à la charge. Dans un long article, il montre, sur la base d'une enquête, l'incertitude de nombreux scientifiques sur ces questions et en conclut à la nécessité de reconnaître officiellement, et d'enseigner, la parapsychologie, ou mieux la « psychotronique ».

* Un célèbre éthologiste, N. Tinbergen, lors de la cérémonie de réception de son prix Nobel, en 1973, fait dans son discours officiel l'apologie des « techniques de contrôle corporel » d'un certain charlatan, Alexander, assez connu outre-Manche.

* *L'Inconnu*, « la revue des phénomènes et des sciences parallèles », fondée fin 1975, comme sa rivale *l'Autre Monde* en février 1976, explique le don de prémonition par les propriétés de la dernière particule subnucléaire découverte en 1975 : les physiciens ne l'ont-ils pas baptisée Psi, tout comme « le facteur des phénomènes paranormaux » ?

* Dans *Nostra*, en janvier 1976, à côté d'un article sur Camille Flammarion, « un authentique savant et un précurseur du spiritisme » (ce qui est parfaitement exact), on pouvait lire cette petite annonce : « Groupe normand de calcul de viscosité sonore des extraterrestres souhaite prendre contact avec scientifiques d'autres régions. Résultats acoustiques très encourageants. »

* Du côté de l'extrême gauche, la revue *Sexpol* diffuse les élucubrations du Laboratoire d'orgonomie générale qui reprend – entre autres – les fantasmes du vieux Reich sur l' « orgone ». Et combien glissent de l'écologie à des sciences plus occultes ? L'on trouve dans *Libération* des

petites annonces comme celle-ci (du 25 mars 1976) : « Si vous croyez aux sciences occultes, astrologie, etc., on peut tout pour vous ; nous sommes les marginaux de l'occulte. Aquarius. »

* R.L. Vallée, un ingénieur du Commissariat à l'énergie atomique, lance une « théorie synergétique unitaire »[1] capable d'ouvrir à l'humanité des ressources énergétiques inépuisables. Même pas fausse puisqu'elle n'existe qu'à l'état d'ectoplasme, cette « théorie » reçoit l'appui de quelques groupuscules franc-maçons, se propage dans les colonnes de *Science et Vie,* et se voit recommander à l'attention de M. d'Ornano, ministre de l'Industrie et de la Recherche, par son collègue du Travail, M. Durafour (à propos de Vallée, voir *la Recherche,* juillet-août 1976, p. 661).

* Les affichettes du « programme de méditation transcendantales » placardées à la faculté des Sciences de Jussieu par les disciples du Maharishi Mahesh Yogi, « fondateur de la science de l'intelligence créatrice », utilisent cet argument convaincant : « La recherche scientifique a montré que lorsqu'un pour cent de la population d'une ville pratique la méditation transcendantale, le taux de criminalité diminue. » Mais cette secte trouve une dangereuse rivale avec la nouvelle « Église de scientologie de France », qui offre des « tests de personnalité gratuits » en son centre du quartier Latin.

* Le philosophe R. Ruyer a publié, l'an dernier, un ouvrage de philosophie ésotérique, *la Gnose de Princeton,* sous-titré « Des savants à la recherche d'une religion », et basé sur des travaux en cours dans le célèbre Institut scientifique américain (?).

* Sur les Champs-Élysées, *Astroflash* « a mis au service de l'astrologie les extraordinaires ressources de l'électronique, la rigueur et la rapidité des ordinateurs ». Un IBM 360 y remplace avantageusement la voyante des foires d'antan. *Le Monde* du 28 janvier 1976 publiait un placard publicitaire pour des « séminaires de formation en astrologie, animés par Daniel Verney, ancien élève de l'École polytechnique ». Et, l'an dernier, des programmateurs grévistes d'une société d'informatique tentaient de populariser leur lutte en tirant des horoscopes sauvages sur leurs ordinateurs. On vend déjà aux États-Unis des calculateurs de

1. Voir « La théorie synergétique », p. 166.

poche spécialement programmés pour le calcul astrologique.

* Aux États-Unis toujours, un écrivain scientifique, E.L. Van Deusen, vient de publier un livre, *Astrogénétique*, fondant une nouvelle discipline. L'idée en est rationnelle : il s'agit de baser l'astrologie sur l'instant, non de la naissance, mais de la conception...

* Un cas mérite enfin d'être mentionné en détail : c'est la résistible ascension d'Uri Geller, le fameux tordeur de cuillères israélien, qui a fait en France diverses apparitions à la télévision et à la une des journaux. Il reçoit aux États-Unis la caution de physiciens du Stanford Research Institute, Targ et Puthoff, dont l'étude des pouvoirs « supranormaux » de Geller est publiée par la plus que sérieuse revue scientifique anglaise *Nature*. La même revue, malgré une réserve apparente, publie ensuite des articles similaires de physiciens anglais connus : Bohm, Hasted, Bastin, O'Regan, puis Taylor. Ce dernier écrit tout un livre, *les Supercerveaux*, sur Geller et ses émules [2]. En France, le journaliste scientifique d'Europe n° 1, Albert Ducrocq, fonde fin 1974 une commission Geller, qui se persuade vite de la réalité d'un « effet Geller » authentique. Cette commission, avec les journalistes scientifiques Lucien Barnier et Hilaire Cuny, expérimentera dans le Laboratoire de télémétrie de l'INSERM en avril 1975. En novembre 1975, *Sciences et Avenir* publie une interview, par F. de Closets, de Ch. Crussard, directeur scientifique de Péchiney-Ugine-Kuhlmann. Ce dernier, après expertise au Centre de recherche métallurgique d'Ugine à Voreppe et au Laboratoire d'électronique et de physique appliquée de Limeil-Brévannes de diverses pièces gellérisées, se déclare convaincu des pouvoirs de Geller. C'est finalement une campagne menée, non par des scientifiques, mais par des illusionnistes professionnels, évidemment plus compétents en la matière, qui fera pâlir l'étoile de Geller aux États-Unis (voir *The Magic of Uri Geller* par J. Randi, Ballantine, 1975). Ici même, d'ailleurs, ses fans semblent maintenant se faire un peu plus discrets (sur l'affaire Geller, lire l'article de M. Blanc dans *la Recherche* d'avril 1976, et les *Cahiers Rationalistes*, n° 322 de mars 1976).

2. Le Pr. Taylor depuis s'est rétracté publiquement et a eu l'honnêteté rare d'analyser la supercherie dont il a été victime.

La tentation totalitaire

On le voit, la rationalité scientifique est incapable désormais de s'imposer à un grand nombre de ceux-là même qui en sont les détenteurs supposés. C'est que, émiettée, elle a perdu cohérence et puissance. La parcellisation de la recherche en disciplines et spécialités toujours plus étroites, la division du travail scientifique entre théoriciens et expérimentateurs, entre managers, chercheurs, techniciens et laborantin(e)s, empêche aujourd'hui l'émergence chez le scientifique moyen de toute vision globale du monde fondée sur sa pratique. Aussi limitée et déformée qu'ait pu être une telle vision au temps du scientisme triomphant, elle n'en existait pas moins. Pour tenter de reconquérir cette maîtrise perdue, les scientifiques sont alors prêts à toutes les compromissions. Les physiciens accepteront l'existence de phénomènes « paranormaux » en les récupérant dans leur propre sphère conceptuelle ainsi astucieusement dilatée : l' « effet Geller » sera expliqué en termes de nouvelles forces ou particules, plutôt que d'y reconnaître une fine manipulation de phénomènes psychosociologiques assez ordinaires. La tentation totalitaire s'empare de chaque science à mesure qu'elle doit reconnaître ses limites : c'est aujourd'hui la biologie animale qui prétend expliquer le comportement humain, l'informatique et la cybernétique qui envahissent l'économie et l'histoire. A voir l'efficacité de ces « théories » sur notre système social, on comprend d'ailleurs que certains de leurs tenants croient aussi bien à l'astrologie et à la chiromancie.

Que le « grand public » n'arrive plus à distinguer science et magie, rien alors d'étonnant. La science a longtemps fondé ses prétentions universelles sur son efficacité pratique et son intelligibilité théorique. De son efficacité que dire ? Sinon qu'elle devient un peu trop grande : la physique, oui, sait faire des bombes ; ou pas assez : la médecine, non, ne peut plus accroître la durée de la vie humaine. Mais la magie, ça marche souvent aussi, ne serait-ce que par les multiples connaissances psychosociologiques intuitives et implicites mises en œuvre. La science officielle le sait bien, qui envoie aujourd'hui ses ethnologues étudier les guérisseurs africains et ses pharmacologues leurs plantes médicinales : on pourra toujours leur revendre ensuite sous forme de pilules « *made in* Occident » leur savoir exproprié. Quant à l'intelligibilité, l'ésotérisme de la science aujourd'hui l'emporte largement sur celui de la magie hier. C'est à cause des conditions sociales, dira-t-on, et ce n'est pas une caractéristique du savoir scientifique en soi. Or, précisément, ce savoir n'existe pas en soi, indépendamment de son mode de production et de diffusion réel qui, *hic et nunc*, en restreint l'accès, et partiel encore, à une minorité.

L'exclusion et le don

Le « public », comme son nom l'indique, n'accède à la science que sous la forme du pur spectacle, télévisé en particulier. Aucune différence entre les manipulations de l'illusionniste et les « manips » du chimiste (expériences, en jargon de laboratoire) telles qu'elle sont *vues* : leur réalité propre n'est pas directement perceptible, leur signification ne peut pas être comprise d'emblée. Mais l'activité technique où une telle pratique scientifique collective pourrait trouver à s'enraciner est elle-même mutilée et limitée, réservée à des spécialistes. Le rapport quotidien aux objets techniques, automobiles ou appareils électroménagers, permettrait l'accès à une physique autre, le rapport aux corps, le sien, les autres, pourrait fonder une médecine autre, si précisément nous n'étions pas exclus de la maîtrise de ces objets et de ces corps au travers de l'élitisme de la physique et de la médecine telles qu'elles sont. L'expertise de quelques-uns empêche la compétence de tous – y compris la leur propre. Il est tentant alors pour les exclus du savoir, pour peu qu'on les y aide un peu, de fantasmer sur l'existence de dons supernaturels disponibles à tous. Pour être guérisseur, astrologue, Geller, il faut être « doué » – mais cela suffit : pas besoin d'études, d'examen, d'institution. C'est la grande illusion : des savoirs différents permettraient d'accéder au pouvoir manquant. A l'inverse, il faudra bien prendre le pouvoir – et sans doute le détruire – pour fonder et maîtriser le savoir nouveau.

Certes, il existe – encore – du savoir hors de la science. Les rebouteux ont su réduire les luxations avant les chirurgiens, les guérisseurs et les sorciers soigner les maladies fonctionnelles avant l'avènement de la médecine psychosomatique, les sourciers trouver de l'eau avant les hydrologues, les paysans et les marins prédire le temps avant la météorologie des microclimats, etc. Mais, justement, ces savoirs populaires reculent chaque jour inexorablement devant l'impérialisme de la science moderne. Plus grave encore, la mutation des conditions sociales prive de sens toute la symbolique collective au travers de laquelle ces savoirs exprimaient certaines connaissances effectives. Du coup, leurs racines arrachées, leur code oublié, ils tendent à basculer dans la superstition pure et simple. Tel dicton météorologique, telle préparation de plantes médicinales, tel énoncé astrologique dont l'éventuel contenu objectif et le sens subjectif, inextricablement liés, sous-tendaient la validité et la pertinence dans une société rurale traditionnelle, par exemple, perdent toute signification dans une banlieue ouvrière ou au quartier Latin. Ici non plus, pas de retour en arrière possible. La critique de la science n'a rien à voir avec la mode rétro. C'est bien parce que cette science aujourd'hui, comme jadis le savoir traditionnel, touche à ses limites, qu'elle peut et doit être mise en cause. C'est parce que sa prétention à être la forme définitive du savoir social devient de plus en plus dérisoire, que naît l'exigence d'un dépassement. Les savoirs anciens ici ne peuvent donc servir d'horizon, ni offrir d'alternative. Ils constituent, par contre, de précieux contre-exemples, démontrant la relativité des formes du savoir à ses conditions sociales. Ils nous prouvent que la science, comme la magie, est mortelle.

La médaille sainte

Il sourd donc aujourd'hui, du sein même de la science la plus orthodoxe, une intense activité irrationaliste qui lui dénie toute possibilité de s'opposer à la remontée des courants obscurantistes. Astrologie et astrophysique, ennemies mais sœurs, ne sont plus que les deux faces d'une même médaille sainte. Et les sciences autrefois dites occultes le savent bien qui, audacieusement, quittent leur obscurité et se parent du nom de « sciences parallèles ». Parallèles, en effet, aux sciences à marque déposée : elles vont dans le même sens. A contre-courant. L'œcuménisme fait école. Comme les vieilles religions, science et superstition passent de la rivalité à la complicité. A la lutte pour la suprématie se substitue le respect mutuel des zones d'influence, voire l'alliance plus ou moins clandestine contre la montée de la critique. C'est que l'enjeu est vital pour l'une comme pour l'autre. Le bouleversement social en gestation, sans précédent, ravagera les catégories du savoir comme celles du pouvoir. Les physiciens et les magiciens, ceux qui « y » croient et ceux qui n' « y » croient pas, disparaîtront ensemble.

Après-propos

Décidément, on est toujours le scientiste de quelqu'un ! D'aucuns ont compris le texte précédent comme une nouvelle mouture du rationalisme borné et dogmatique, comme un anathème autoritaire jeté contre ce et ceux qui voudraient échapper à la loi de la science. Mais il faudrait voir à ne pas confondre énoncé de fait et jugement de valeur. La thèse soutenue ci-dessus est que la science aujourd'hui exerce une telle domination idéologique qu'elle investit la plupart de ses critiques. C'est à qui trouvera, contre elle, les arguments les plus... scientifiques. Deux attitudes sont possibles devant les parasciences pour qui se réclame d'une certaine « impascience ». On peut entendre « parascience » comme on entend « paratonnerre » ou « parachute » et donc y chercher, ne serait-ce qu'à l'état latent, de quoi se prémunir contre la science refusée. Mais on peut aussi entendre « parascience » comme on entend « paraphrase », « parallèle » ou... « paramagnétique ». L'étymologie bien sûr ne suffit pas à justifier cette position. Si elle a été adoptée ici, c'est qu'elle correspond à cette certitude qu'on ne s'en tirera pas si facilement, qu'on n'échappera pas de sitôt à l'impérialisme de la science. Il n'y a pas d'Autre de la science où pourrait dès maintenant s'investir dans la transparence et l'innocence retrouvées (?) notre désir de savoir. L'image tentante que parfois nous croyons entrevoir n'est qu'un brillant et lointain reflet de la réalité même que nous mettons en cause. Au lieu de le poursuivre à travers le miroir, au risque de nous y heurter ou de nous y perdre, contemplons dans cette image les traits exacerbés de son modèle, et retournons-nous pour lui faire face.

La leçon de Cordoue

A propos du colloque « Science et Conscience » organisé en 1979, à Cordoue, sous l'égide de France-Culture.

*Il y a donc des physiciens « préoccupés par la parapsychologie, férus de sagesse orientale, enclins à la métaphysique » (*le Monde, *24 octobre 1979) ! Quel soulagement d'apprendre que les scientifiques ne sont pas encore de simples machines à penser, voire des robots véritables comme le biologiste d'*Alien, *ce film révélateur où, si l'on y réfléchit bien, l'Autre ne devient dangereux qu'en raison de la curiosité scientifique, et mortel que par l'incapacité des humains à contrôler leur environnement technologique.*

La science apparaît peut-être moins intimidante, et sa hautaine rationalité bien limitée, quand on voit des physiciens « marcher » naïvement face à ces illusionnistes, tels Uri Geller ou J.-P. Girard, qui cachent leur jeu derrière un masque parascientifique, ou s'engouer pour les sous-produits gadgétisés des mystiques asiatiques : gourous pseudo-bouddhistes comme montres à quartz, la main-d'œuvre orientale est bon marché et la demande occidentale en pleine expansion.

On veut espérer que la barrière ainsi levée entre le rationnel et l'irrationnel facilitera la libre circulation – dans les deux sens : si les scientifiques gambergent avec tant de naturel, c'est qu'ils n'ont pas l'apanage de la raison, ni donc les profanes celui de la déraison. De fait, les signes sont nombreux, du débat sur les centrales nucléaires à celui qui s'amorce sur les manipulations génétiques, que les réticences du public devant les projets scientifiques et technologiques ne sont pas sans raison. *Saluons donc le colloque de Cordoue comme une contribution salutaire, même si elle est involontaire, à l'autocritique de la science.*

Morceau Choisy

Dans un « Point de vue » publié par le Monde *du 3 septembre 1976, Mme Choisy explique, à propos de Monseigneur Lefebvre, que les traditionalistes ne le sont qu'en apparence, et que la science moderne explique et justifie les rites anciens. Ainsi « le temple est une figure géométrique calculée pour former un champ électromagnétique d'une grande puissance » et la position traditionnelle du prêtre, dos tourné aux fidèles, donc « vers le foyer en pleine expansion du soleil naissant », est « une technique de lumière cohérente, comme dirait un physicien moderne ». Mieux, « c'est de la physique aussi que relève la vexante question des prières en français ». En effet, « c'est le son, le rythme et non le contenu des mots qui amplifient l'énergie », et « le phénomène de résonance (« action à distance d'une vibration sur une autre vibration »,* dixit *Mme Choisy) explique l'effet quasi miraculeux qui suit la récitation de certaines syllabes sacrées ».*

En tant que physicien, je découvre là des horizons insoupçonnés. Ma science serait ainsi beaucoup plus proche de l'humain (et donc du sacré) que je ne le croyais. Et la crise de l'Église pourrait au moins résoudre celle de la science, en rendant à cette dernière une finalité et un sens perdus. Les séminaires se plaignent de ne plus recruter, et les facultés des sciences de manquer de débouchés : réglons donc ces deux problèmes d'un coup. On aboutirait alors sans peine à cette

« théologie du scientifique » que réclame Mme Choisy. Les dernières traces de la malheureuse affaire Galilée seraient enfin effacées. Monseigneur Lefebvre devrait transformer son séminaire en laboratoire. Faute de devenir pape, il pourrait recevoir un prix Nobel, et l'on pourrait chanter la science d'Écone (à pleins tubes – à essais).

Le Tao de la physique

Dans son livre, le Tao de la physique *(Tchou, 1979), Fritjof Capra, adepte de la physique théorique et chercheur en mystique orientale, nous offre une initiation à certains aspects conceptuels de la théorie quantique et aux problèmes de la physique des particules fondamentales, ainsi qu'une vulgarisation des plus intéressantes, aux yeux d'un profane en tout cas, du taoïsme, l'une des traditions mystiques de l'Extrême-Orient. Mais sa thèse, selon laquelle « les lois de la physique moderne confirment les concepts qui régissent les mystiques de l'Asie » et « la spiritualité orientale fournit un cadre philosophique pour la physique la plus avancée », laissera pour le moins sceptique. La juxtaposition de citations de Heisenberg ou d'Einstein et de textes des Upanishad ou de la Bhagavad-Gītā, avec l'occurrence dans les unes et les autres de mots communs, tels que « vide », « lumière », « vibration », ne suffit pas à démontrer que ces termes identiques (en vertu de quels présupposés de traduction, d'ailleurs ?) renvoient à des concepts analogues. De façon symbolique, la double page centrale du livre confronte, en face à face, une page de formules de théorie quantique des champs et une page d'un texte oriental dans sa langue et son alphabet d'origine. L'essentiel de ces textes leur est certes commun : ils sont tous deux incompréhensibles pour la très grande majorité de l'humanité (et l'un ou l'autre l'est pour sa quasi-totalité).*

Il est remarquable que dans la science moderne le formalisme et l'abstraction soient parvenus à un degré tel que, lorsqu'il s'agit d'en expliciter le contenu conceptuel, on peut, semble-t-il, le faire à partir de n'importe quelle tradition philosophique ou culturelle. La survivance du scientisme et le renouveau du mysticisme invitent alors tout naturellement à proposer un ésotérisme au second degré, multipliant celui d'une science moderne par celui d'une mystique traditionnelle. Il y a là tout un filon à exploiter. Après le Tao de la physique, *à quand* le Soufisme de la biologie, le Vaudou de la sociologie, *sans même mentionner – trop facile! –* la Cabale des mathématiques?

Le dada de l'épistémologie

A propos du livre de P. Feyerabend, *Contre la Méthode* (Seuil, « Science ouverte », 1979).

Son essai, dit Feyerabend, est « l'esquisse d'une théorie anarchiste de la connaissance ». Mais, s'empresse-t-il de préciser, il ne s'agit pas d'un anarchisme militant, doctrinaire et puritain. Aussi espère-t-il qu'après avoir lu son livre, le lecteur le considérera « comme un dadaïste désinvolte et non comme un anarchiste sérieux ».

Certes, la provocation est d'importance, et les thèses de Feyerabend résolument iconoclastes : « Le seul principe qui n'entrave pas le progrès est : *tout est bon* » ; « La prolifération des théories est bénéfique à la science » ; « Il n'y a pas d'idée, si ancienne et absurde soit-elle, qui ne soit capable de faire progresser notre connaissance » ; « Les interventions politiques ne sont pas forcément négatives ; on peut en avoir besoin pour vaincre le chauvinisme de la science qui résiste à tout changement du *statu quo* » ; « Le rationnel ne peut être universel, et l'irrationnel ne peut être éliminé » ; « La science est beaucoup plus proche du mythe que la philosophie des sciences n'est prête à l'admettre ».

Ce n'est pas par facilité, mais bien en *désespoir* de cause que Feyerabend plaide pour une épistémologie libertaire, à quoi nous acculent aujourd'hui à la fois le débat philosophique sur la connaissance scientifique et l'analyse politique de ses effets.

Le second aspect est d'une criante évidence : les armes matérielles aussi bien qu'intellectuelles fournies par la science, fusées spatiales et arguments d'autorité, sont parmi les plus efficaces instruments de la domination sociale. Mais cette dénonciation, tout en étant de la plus grande importance, ne porte, peut-on dire, que (!) sur le contexte social de la connaissance scientifique et non sur son essence intellectuelle.

Or, la critique de Feyerabend tire sa force d'être profondément enracinée dans le débat épistémologique des dernières décennies sur la nature de la science. Ce débat peut être vu comme l'histoire d'un affinement progressif, d'une subtilité croissante, des réponses apportées au problème clé des critères de validité ou, mieux, de validation du savoir scientifique. Au vieux schéma rationaliste de l'induction-déduction-vérification vont se substituer, après Duhem (repris par Quine), le néo-positivisme logique, les normes poppériennes de la réfutabilité, puis les critères épistémo-sociologiques des « programmes de recherche » selon Lakatos, maître et ami de Feyerabend. Cet affinement est un affaiblissement continu. Les méthodologies successives sont de moins en moins contraignantes – et de moins en moins opératoires. A regarder la science comme elle se fait, et nous devons beaucoup ici à l'empirisme tant décrié de la sociologie des sciences anglo-saxonne, la rationalité de ses discours apparaît résulter de difficiles reconstructions *a posteriori* et n'est en rien apparente dans la production du savoir où « des méthodes de validation irrationnelles sont rendues nécessaires par le développement inégal des différentes parties de la science » et où « *tout est bon* » pour féconder le terreau de la science : traditions culturelles, interventions politiques, voire mythes et délires.

Si la réfutation par Feyerabend des tentatives méthodologiques modernes est si convaincante, c'est qu'il en démontre l'échec, pour l'essentiel par faute de pertinence, sur nombre d'exemples tirés de l'histoire des sciences. Le moindre n'est pas celui de la geste galiléenne à laquelle il consacre sept chapitres d'analyse impitoyable et détaillée des textes. En substance, nous dit l'auteur – je paraphrase sa thèse dans notre dialecte épistémologique local –, la naissance de la physique galiléenne est bien celle de la science moderne : cependant, elle tient ce caractère inaugural d'être une coupure, non pas épistémologique, mais bien idéologique. Si Galilée finit par l'emporter, c'est moins parce qu'il peut démontrer que persuader, et que les nouvelles forces sociales ont intérêt à son triomphe. Et son argumentation tire sa force essentielle de ses extraordinaires talents de propagandiste. D'un point de vue strictement méthodologique, c'est la prudence de ses adversaires qui est justifiée : comment faire confiance à la lunette astronomique, dont on ne comprend pas le fonctionnement, pour étudier le Ciel, qui par sa nature diffère de notre bas-monde et échappe à ses instruments ? Ainsi donc, la Raison triomphe grâce à de mauvaises raisons, et la Science, pour s'opposer à la Foi, recourt à la mauvaise foi.

La pilule est amère, et l'on comprend que beaucoup refusent la purge épistémologique que propose Feyerabend. On attendra sans doute en vain la réaction des théoriciens de la démarcation Science/Idéologie, comme celle des apôtres d'une Méthode de la Méthode aussi globale que molle. C'est que Feyerabend pousse le vice jusqu'à systématiser sa position de façon à la fois inacceptable et irréfutable. Au fond, dit-il, moderne Epiménide, « tout le monde ment, vous pouvez me croire » –,et les naïfs de lui répondre « mais non, mais non », les prudents de se taire. Bien gardé sur ses arrières, il n'est vulnérable que depuis une position surplombante qui questionne, non ses thèses, mais leur référent. S'agit-il de la science telle qu'elle est, ou telle qu'elle doit être ? Quand il écrit « tout est bon », est-ce de fait, ou de droit ? Nulle difficulté, mais peu d'intérêt à accepter l'idée que tout *puisse* être bon, en principe ; cette méthodologie suicidée est sans risque et sans effet. Mais dans les faits, « tout » n'est pas bon : presque tout, peut-être, mais pas n'importe quoi. Bien sûr Bohr s'est appuyé sur la philosophie religieuse de Kierkegaard pour fonder la mécanique quantique, bien sûr Kepler était astrologue autant qu'astronome, bien sûr la course aux armements permet les progrès de la physique, bien sûr les bénéfices qu'espèrent les firmes pharmaceutiques peuvent contribuer aux percées de la biologie moléculaire. Mais la riche « science » chinoise ancienne n'a pas conservé son avance et donné la science moderne, mais le matérialisme dialectique n'a pas suffi à faire du lyssenkisme une théorie valide, mais les fonds dépensés par l'armée américaine n'ont pu valider la parapsychologie, mais les mythes dogon n'ont pas conduit à la neurophysiologie.

Au cours d'un long chapitre, à la fin de son analyse, Feyerabend s'appuie à la fois sur la linguistique, en particulier les thèses de Whorf, sur l'esthétique et sur l'anthropologie pour mettre en lumière l'incommensurabilité des théories scientifiques entre elles, comme des sciences et des mythes. Le choix entre théories scientifiques rivales, ou entre science et mythe, ne peut se faire qu'à partir de critères ne relevant pas de la rationalité scientifique.

Feyerabend, dans ces développements, frôle dangereusement le relativisme intégral et, en tout cas, laisse ouverte la question fondamentale qu'il pose. Il convient, bien sûr, d'en finir avec l'illusion du progrès linéaire et cumulatif. Mais si Einstein n'est pas dans le prolongement de Newton, il ne lui est pas orthogonal non plus : la masse relativiste est conceptuellement différente de la masse classique, mais ne lui est pas hétérogène. Il conviendrait donc de caractériser de tels rapports en échappant à la dichotomie grossière continuité/discontinuité. La notion mathématique de limite singulière offre peut-être une métaphore féconde. Et, surtout, il faut se demander si l'incommensurabilité essentielle et la réfutation du progressisme ne sont pas à chercher dans les pratiques de la science plus que dans ses théories. Le déplacement des interrogations, la modification des techniques font de l'histoire de la science une suite d'oublis. Les scientifiques aujourd'hui n'en savent peut-être pas *plus* qu'autrefois : ils savent *autre*.

Après le grand nettoyage par le vide auquel nous convie Feyerabend, il nous reste donc à comprendre notre savoir avec de nouveaux instruments de pensée. Dans cette patiente tâche d'élaboration, nous aurons encore longtemps besoin des salubres ironies de Feyerabend. Il écrit pour conclure : « Comme c'est à chaque individu d'accepter ou de rejeter les idéologies, il s'ensuit que la séparation de l'État et de l'Église doit être complétée par la séparation de l'État et de la Science, la plus récente, la plus agressive et la plus dogmatique des institutions religieuses. »

On peut sourire avec condescendance devant la grossièreté du sarcasme et la naïveté de la proposition. Mieux vaut peut-être y lire une utopie dont l'irréalisme souligne tragiquement notre défaitisme.

Antimatière à réflexion

Le 19 octobre 1979, la science faisait les gros titres dans la presse ! *Le Monde* annonce sur deux colonnes à la une : « Une première scientifique : selon la NASA, des savants américains ont observé de l'antimatière hors laboratoire » ; et *Libération :* « On a trouvé 29 antiprotons dans l'atmosphère. Pour la première fois, l'existence de l'antimatière a été vérifiée hors laboratoire. » Ce soir-là, J., physicien, rencontre son ami B., sociologue.

B. Alors, tu es content ? Pour une fois, on parle de science dans les journaux !

J. Mais non, je suis furieux. Pour une fois qu'on en parle, on dit n'importe quoi...

B. Comment, ce n'est pas vrai cette histoire d'antiprotons ?

J. Si. Enfin, sans doute, car la presse professionnelle n'en a pas encore parlé. Ça devient une habitude publicitaire maintenant, pour les scientifiques, que de faire annoncer leurs découvertes au grand public par les agences de presse avant de passer par la publication contrôlée dans les revues spécialisées.

B. Où est le scandale ? Veux-tu réserver le droit à l'information aux experts ? Toi qui fulmines toujours contre l'idéologie de la compétence, et déplores le manque d'informations scientifiques accessibles aux profanes, tu devrais te réjouir de telles percées !

J. Je m'en réjouirais s'il s'agissait effectivement d'information. Mais là, c'est de la déformation pure et simple : le contenu réel de cette découverte est incompréhensible pour le public.

B. Enfin, quoi, c'est une découverte importante, ou pas ? Ces titres sont-ils exacts, ou non ?

J. Il y a une découverte, sans doute, mais son annonce publique est entachée de telles contre-vérités qu'elle ne peut apporter aucune connaissance effective.

B. Détaille tes critiques...

J. Eh bien, par exemple, il n'est tout simplement pas vrai qu' « on a observé pour la première fois de l'antimatière hors laboratoire », et pour de multiples raisons. D'abord parce qu'il n'y a pas d'observations « hors laboratoire » ! Que les instruments du physicien soient dans une confortable salle d'expériences ou dans la nacelle d'un ballon à 30 000 mètres d'altitude, où est la différence ? Un spectrographe magnétique, des détecteurs, des enregistreurs, où qu'ils soient, c'est toujours un laboratoire, non ?

B. Bon, d'accord, si tu crains que le public sous-estime le caractère médiat de toute expérimentation scientifique, sa coupure d'avec toute perception directe, le poids – intellectuel aussi bien que matériel – de la technologie nécessaire, je comprends ta réticence. Mais c'est un peu jouer sur les mots : tout le monde aura compris qu'il s'agissait de la première observation d'antimatière « naturelle », non *créée* au laboratoire pour les seuls besoins de l'expérience – la première observation si j'ose dire *in vivo* après tant de mises en évidence *in vitro*.

J. Tout le monde l'aura compris, sans doute, et tout le monde se sera trompé ! C'est la seconde raison qui fait de ces titres autant de contre-vérités. Il y a belle lurette que les physiciens observent dans le rayonnement cosmique de l'antimatière, ou plus précisément des antiparticules : les positrons, antiparticules des électrons habituels, et puis des particules instables, muons par exemple, dont les deux sortes, positifs et négatifs, antiparticules les uns des autres, apparaissent ensemble – sans parler des photons qui sont leurs propres antiparticules...

B. Leurs propres antiparticules ? Mais alors, la lumière et l'antilumière, c'est la même chose ?

J. Absolument, et cela montre bien que, après tout, l'humanité a observé de l'antimatière depuis qu'elle a ouvert les yeux : la lumière du Soleil, ou même celle des étoiles lointaines, c'est déjà de l'antimatière « hors laboratoire ».

B. Tu exagères ! La lumière, ce n'est pas de la matière !

J. Mais si, justement ! Pour le physicien, *c'est* de la matière, une forme de la matière. Et c'est à l'étude de ces diverses formes de la matière que se consacre la physique. Autrefois, le mot « matière » désignait pour l'essentiel les substances solides, celles qu'on peut toucher. Mais on a dû étendre le sens du mot pour englober les fluides, y compris les vapeurs et gaz impalpables, lorsque l'investigation physique a révélé leurs transformations mutuelles et montré que c'étaient bien des mêmes atomes et molécules, de la même *matière première*, que sont constitués tous ces corps. Aujourd'hui, nous avons une analyse plus fine encore et considérons tout objet physique comme constitué de diverses entités, souvent appelées « particules », telles que les électrons, les protons, etc. De ce point de vue, le photon, grain élémentaire de lumière, se range dans la même catégorie, et la lumière est une « matière » particulière. Les physiciens la considèrent d'ailleurs parfois comme un « gaz de photons ». Le mot « matière » tel que l'emploient les physiciens est bien loin de son sens quotidien habituel. C'est pour cela même que j'insistais tout à l'heure sur la nécessité de ne jamais perdre de vue le caractère médiat de toute observation scientifique : la distance est toujours plus grande entre la perception directe et l'expérimentation instrumentale, comme entre l'intuition commune et la conceptualisation théorique.

B. Alors, l'antimatière, c'est quoi, finalement ?

J. Mais, de la matière encore ! Inhabituelle simplement en ce qu'elle a certaines propriétés, comme la charge électrique, opposées à celles des formes ordinaires de la matière dans notre région de l'univers. Mais ce que l'on appelle pompeusement « annihilation » de la matière ordinaire lorsqu'elle rencontre de l'antimatière n'est en fait que transformation en une autre sorte de matière – par exemple de la lumière. Dit-on que le violet, qui, par superposition avec du jaune, donne du blanc, est une « anticouleur », et qu'il y a « annihilation » du jaune par le violet (ou « antijaune ») ?

B. Je sens que je vais à mon tour me fâcher. Car enfin, si tout ça est aussi élémentaire et peu mystérieux, pourquoi diable utilisez-vous des mots aussi trompeurs ? Ce ne sont quand même pas les journalistes qui ont inventé le terme d' « antimatière », mais bien les physiciens ! Comment vous indigner, après, qu'il soit aussi mal compris ? Et doit-on s'étonner que mon amie R., tout à l'heure, ayant vaguement entendu la nouvelle à la radio m'ait demandé « c'est quoi la *non*-matière ? » Ne serait-elle pas fondée, et nous tous profanes, à vous reprocher un terrible abus de confiance ? Vous prenez de bons vieux mots, familiers à la bouche et à l'oreille, leur faites subir on ne sait quelles horribles manipulations conceptuelles et quand, les repérant dans votre discours, nous croyons reconnaître de vieux amis, vous vous gaussez de nous ! Mais ayez au moins l'honnêteté de nous laisser la langue quotidienne, et inventez vos propres mots ! S'ils nous plaisent et si nous les comprenons, nous les utiliserons bien. Tu parlais des gaz, tout à l'heure : voilà qui fut un heureux néologisme de la part des physiciens !

J. Mais pourquoi n'aurions-nous pas les mêmes droits que les autres professions, et ne pourrions-nous pas puiser dans le fonds commun du langage pour y forger notre vocabulaire technique ? Quand un livre de cuisine recommande « passez votre crème au chinois », personne n'accuse la gastronomie d'alimenter le mythe du péril jaune, et quand un manuel d'entretien automobile mentionne une clé à bougies, personne n'imagine que c'est pour ouvrir la serrure d'une chandelle...

B. Tu ne peux t'en tirer aussi facilement ! Ni les cuisiniers ni les garagistes n'ont jamais prétendu détenir un savoir universel. Ils occupent modestement leur place dans les arts et métiers humains, font à manger et réparent les voitures, plus ou moins bien d'ailleurs, éventuellement transmettent leurs connaissances, mais n'occupent pas la une des journaux. Les frères Troisgros ou Lenôtre n'envoient pas un communiqué aux agences de presse quand ils mettent au point une nouvelle recette, contrairement à tes collègues quand ils ont trouvé leurs antiprotons ! Et les savoirs spécifiques des artisans, comme leur vocabulaire professionnel, restent cantonnés à leur place, ne débordent pas de leur sphère d'efficacité et ne sont pas imposés à toute la population ! On n'enseigne pas la mécanique moderne à la maternelle comme la mathématique du même nom, et il n'y a pas de vulgarisation gastronomique dans les journaux et à la télé.

J. Comment ? Mais les émissions de Raymond Olivier, et toutes les rubriques culinaires des hebdomadaires féminins ?

B. Précisément : ce n'est pas la « vulgarisation », puisqu'il y a accès à une pratique effective. N'importe qui peut réaliser concrètement une recette, juger dans sa mise en œuvre de la clarté des explications – et apprécier le résultat ! Au lieu que la vulgarisation scientifique ne nous présente qu'une mirifique collection de grands mots et de belles images devant lesquels nous restons passifs et ne pouvons que béer d'étonnement – ou d'ennui. Un peu comme si les émissions gastronomiques se bornaient à nous montrer les plats finis, admirablement présentés et munis de leurs pompeuses appellations – mais sans que nous les ayons vu faire, et sans que nous puissions les déguster.

J. Oui, c'est exactement ce que je reprochais à ces titres de journaux, leur côté « soufflé d'antiprotons à la sauce NASA », « suprême d'antimatière cuit hors laboratoire »...

B. ... une belle carte, mais des prix véritablement astronomiques, et hors de notre portée, voilà l'image qu'on nous donne de votre science. Pourquoi alors, avec tant d'insistance, nous éblouir avec ce miroir aux alouettes ?

J. Mais qu'y peuvent les scientifiques ? Qu'y puis-je si la science est présentée aujourd'hui comme le savoir... suprême, la connaissance première ? Qu'y puis-je si c'est la physique, et non la gastronomie, qui est surexploitée par les philosophes et les idéologues ? Qu'y puis-je si les journalistes trouvent surtout dans la science (anti)matière à sensation, comme dans la politique ou les faits divers ? Ne crois-tu pas que nous aimerions mieux travailler au calme, loin des feux de la rampe ? C'est précisément l'aspect boniment de charlatan de ces titres de journaux qui m'agace : si notre parole, dans sa modeste assurance, n'est pas entendue, plutôt rester sur la réserve que faire de la retape !

B. Décidément, les temps deviennent durs pour vous... Quand vous étiez encore des savants respectés et pas encore des simples chercheurs scientifiques, quand la science n'inspirait que la déférence et pas encore la peur, vous ne montriez pas tant d'humilité. En fait d'exploitation philosophique, dois-je te rappeler certaines élucubrations de grands physiciens à partir de la relativité ou de la théorie quantique, voici moins d'un demi-siècle ? Ils n'ont pas laissé aux seuls philosophes les gloses douteuses sur l'indéterminisme et le libre-arbitre des électrons... Et ces derniers temps, si vous autres physiciens êtes devenus plus discrets, vos confrères biologistes sont plutôt bruyants sur la scène idéologique et même politique ! Quant aux journalistes, ils ont bon dos : tu le disais toi-même tout à l'heure, ce sont bien tes collègues qui ont fait connaître leurs prouesses par l'intermédiaire des agences de presse !

J. Tu as raison... J'ai un peu honte d'ailleurs de m'apercevoir de la facilité avec laquelle je glisse d'une critique personnelle à une justification collective.

B. Finalement, j'aimerais quand même savoir ce qui se cache derrière ces titres que tu trouves mystificateurs ? Que dois-je en retenir – scientifiquement parlant ?

J. L'intérêt de cette expérience est non pas la découverte « d'antimatière hors du laboratoire », mais plus spécifiquement, même si c'est moins spectaculaire, « d'antiprotons hors de l'atmosphère », c'est-à-dire de constituants stables de l'antimatière, en provenance sans doute de régions lointaines de l'univers. Cette découverte, quand elle sera précisée et analysée, jettera un certain jour sur des problèmes cosmologiques comme, par exemple, la proportion relative de matière et d'antimatière dans l'univers.

B. Et ça n'est pas important, ça ?

J. Mais, grands mots comme « antimatière » et « univers » mis à part, ce sont des questions difficiles et particulières, qu'il faudrait expliquer longuement et en détail pour apprécier la valeur réelle de l'expérience rapportée. Hors contexte, il n'y a plus dans cette nouvelle que du sensationnel à bon marché.

B. Veux-tu dire que beaucoup d'autres découvertes analogues, c'est-à-dire importantes dans leur domaine, mais dont le poids effectif ne peut être saisi hors de ce domaine, n'ont pas droit à la une des journaux ? Par exemple, pour rester du côté des métaphores culinaires, j'ai lu l'autre jour que, pour la première fois, un restaurant new-yorkais offrait des cuisses de grenouille, ce qui est effectivement une nouvelle extraordinaire quand on connaît l'aversion anglo-saxonne pour cette spécialité bien de chez nous. Mais évidemment, si l'on ignore ce contexte culturel, un titre de journal tel que « Une première gastronomique : des Américains ont trouvé des cuisses de grenouille dans leur assiette », ou « Pour la première fois, des cuisses de grenouille ont été consommées hors de France », aurait peu de chances d'être compris...

J. D'ailleurs, point n'est besoin de quitter la science pour trouver des exemples. Ainsi, il y a peut-être deux ans, on a découvert une nouvelle espèce d'oiseau, très précisément une sittelle, en Kabylie. Les ornithologues, et les naturalistes en général, en ont été absolument stupéfaits. C'est une découverte très importante, et après tout, plus facile à apprécier et à comprendre que celle des antiprotons...

B. Surtout dans un monde où les espèces animales ont plutôt tendance à disparaître qu'à apparaître !

J. Mais cette nouvelle n'a pas eu le même retentissement. C'est pourquoi m'indigne ce privilège conféré à certaines disciplines considérées comme plus fondamentales et plus importantes et qui, comme par hasard, sont les plus ésotériques et les plus éloignées de la vie courante.

B. Je comprends mieux ton agacement, mais il m'amuse aussi... Si la science n'était pas si importante pour toi, crois-tu que tu t'indignerais autant ? La plupart des gens, implicitement, mettent sans doute ces gros titres à leur juste place. Le fait même qu'ils apparaissent parmi les dérisoires nouvelles politiques leur retire *ipso facto* une grande partie de leur crédibilité et de leur importance. Pourquoi veux-tu que le lecteur moyen soit beaucoup plus concerné par la découverte des antiprotons que, en première page des mêmes journaux, par la fausse mort de Brejnev ou l'hospitalisation de Raymond Barre ?

J. C'est quand même un peu moins morbide et un peu plus intéressant ! Mais tu as raison, c'est parce que je suis physicien, et au nom d'une sorte d'éthique professionnelle, que je m'irrite de cette confusion entre une découverte scientifique, limitée mais assurée en son domaine, et les nouvelles quotidiennes, dérisoires et sensationnelles. Ces gros titres sur l'antimatière vont encore alimenter je ne sais quelles rêveries vagues et quels fantasmes flous, au lieu de contribuer à une connaissance réelle.

B. Et voilà l'esprit de sérieux qui revient au galop ! Tu avais presque réussi à me faire croire que tu avais définitivement renoncé à l'impérialisme intellectuel de la science. Mais l'élitisme que tu avais chassé par la porte revient par la fenêtre : tu critiques la façon illusoire et aberrante dont la science est présentée, mais tu n'as d'autre réponse que le refus dogmatique : si l'image donnée de la science ne correspond pas à *votre* vérité de scientifiques, alors plutôt en refuser toute vision au public... Rêveries et fantasmes, dis-tu. Soit ! Mais de quel droit la science refuserait-elle de les nourrir, elle qui accepte bien de fabriquer bombes et fusées ? Et les rêveries et fantasmes des scientifiques eux-mêmes, qui fécondent et alimentent leurs recherches, quand nous en parlerez-vous, au lieu de nous livrer de vos cogitations le seul produit fini, poli par une soigneuse rationalisation *a posteriori ?* Peut-être y aura-t-il moins de malentendus sur votre savoir, et sera-t-il mieux compris, quand vous accepterez d'y voir et laisser voir les combats amoureux de la raison et de la déraison. En attendant, laisse-nous donc rêver sur l'antimatière, quitte à nous l'expliquer *aussi.*

(Le jour même où s'achevait l'écriture de ce texte, *le Monde* publiait dans sa page scientifique spécialisée, sous le titre : « Après l'observation d'antiprotons " naturels ", la preuve de l'existence de mondes d' " antimatière " reste à apporter », une discussion circonspecte de cette découverte et de ses implications limitées. On mesurera à l'aune de notre dialogue la largeur et la profondeur du hiatus entre la page 1 du 19 octobre et la page 16 du 31 octobre.)

Cellules chevelues

Au moment même où la Recherche *publiait l'article outrageant de M. E. Garfield sur le rôle scientifique de notre belle langue (nº 70, p. 757), l'un de nos plus grands savants démentait ce diagnostic pessimiste et intéressé. Dans* le Quotidien du médecin *(nº 1256, 3-4 sept. 1976), le professeur Jean Bernard, président de la Commission de terminologie médicale, donnait aux scientifiques français une magnifique leçon d'espoir :*

> « *...le français scientifique existe. On dit que l'anglais est particulièrement malléable et s'adapte mieux que toute autre langue au progrès des techniques et des sciences. Mais, en français, nous avons les racines grecques qui permettent une foule de subtilités de langage.* »

dit le Pr Bernard, qui donne un exemple : des savants d'outre-Atlantique ont décrit un type particulier de leucémie, remarquable par ses cellules « hirsutes », sous le nom de hairycell leukemia. *Cette variété rare d'hémopathie maligne, déjà connue en France sous le nom histiolymphocytose, aurait pu se trouver rebaptisée du nom désuet de « leucémie à cellules chevelues », mais le grec a permis au Pr Flandrin, du service Jean Bernard, d'imposer pour longtemps la « leucémie à tricholeucocytes » pour désigner désormais cette affection.*

Effectivement, nous l'avons échappé belle ! C'est déjà bien assez que « l'impérialisme américain » que dénonce avec courage le Pr J. Bernard nous ait imposé ses hippies chevelus ; mais des cellules, alors là, non ! Même le PCF, soucieux de ses responsabilités nationales et du progrès scientifique, ne l'admettrait jamais.

J'en appelle à tous mes collègues : que deviendrait donc le prestige de la Science et le respect qui nous, pardon, qui lui est dû, si, comme outre-Atlantique, elle se mettait à parler comme tout le monde ? Préservons soigneusement la possibilité privilégiée que nous offrent grec et latin de forger des mots à la fois parfaitement français et totalement incompréhensibles. Nous ne saurions nous couper de ces racines sans scier du même coup la branche sur laquelle nous sommes assis (confortablement).

L'aristotélicien malgré lui

En juin 1978, l'UNESCO organisait une imposante Table ronde internationale, réunissant scientifiques et philosophes, pour commémorer le 23e centenaire de la mort d'Aristote *(sic)*. Le présent texte fut celui d'une intervention à cette occasion.

Ma connaissance d'Aristote est celle aujourd'hui du physicien moyen. C'est dire qu'elle est nulle. Ou presque : quelques souvenirs scolaires, quelques références glanées au cours de diverses lectures d'histoire et de philosophie des sciences, quelques hâtives révisions à la veille de ce colloque. C'est vous dire si mon anxiété était grande à devoir intervenir devant une telle assemblée d'experts. J'ai commencé à me rassurer ce matin en entendant l'un de nos collègues nous assurer qu'Aristote, finalement, comme logicien était fort dépassé et n'avait plus guère d'intérêt pour les modernes, bien que, homme de savoir universel, son œuvre reste certainement de la plus haute importance dans tous les autres domaines. La même opinion a, plus tard, été émise par un mathématicien quant à sa discipline, et j'ai pu m'assurer, dans les couloirs, qu'un éminent biologiste partage ce point de vue – pour sa propre spécialité. Le remords que j'éprouvais à oser faire aujourd'hui de la physique sans me référer – fût-ce de façon critique – à Aristote est donc en train de se dissiper. Oserai-je vous avouer que je me demande si nous ne sommes pas nombreux à être venus ici assez peu motivés et relativement ignares quant au rapport d'Aristote avec notre discipline, chacun d'entre nous pourtant persuadé qu'Aristote est de la plus grande actualité – pour les autres ?

Qu'on me pardonne si, à nier la pertinence d'Aristote pour la physique actuelle, c'est moi qui commets une impertinence. On va voir qu'à tourner le dos à Aristote, nous prenons un chemin qui va nous y ramener – sous un angle peut-être inattendu.

Partons donc de cette idée que la physique aujourd'hui ne doit plus grand-chose à Aristote, depuis qu'au XVIIe siècle elle s'est constituée en rupture précisément avec l'héritage aristotélicien. Cette discontinuité fondatrice désormais est presque un lieu commun de l'histoire des sciences, qu'on la théorise comme « coupure épistémologique » bachelardo-althussérienne ou comme « changement de paradigme » kuhnien. Il vaut cependant la peine d'examiner de plus près la nature de cette discontinuité, et tout particulièrement la façon dont s'est opéré le rejet de la tradition aristotélicienne, par Galilée surtout, dans la mesure où il demeure le symbole majeur de la rupture qui inaugure la science moderne. On s'aperçoit alors, cessant de confondre histoire des sciences et vie des saints, que la réfutation par Galilée de la physique aristotélicienne est bien loin d'être fondée sur la seule alliance d'un strict raisonnement et d'une expérimentation contrôlée, en purs termes méthodologiques. Bien plutôt, il s'agit d'un discours polémique, voire de propagande. « Galilée l'emporte à cause de son style et de son adresse persuasive, parce qu'il écrit en italien plutôt qu'en latin, et parce qu'il en appelle à ceux qui sont opposés aux vieilles idées et aux normes de connaissance anciennes », écrit ainsi Feyerabend [1] qui le démontre par une minutieuse analyse de l'argumentation déployée dans les dialogues galiléens. Indépendamment, plusieurs physiciens qui sont, eux, retournés récemment au texte aristotélicien ont mis en relief l' « injustice » dont il a été victime [2]. Galilée, pour mieux réfuter Aristote, distord sa pensée, et – jouant, en particulier, sur les difficultés de traduction d'une langue et d'une époque à d'autres – l'interprète dans le sens le plus favorable à la critique. On peut se convaincre ainsi que la physique aristotélicienne, tout erronée qu'elle soit du point de vue moderne, n'est ni aussi naïve ni aussi absurde qu'un rationalisme étroit a voulu le faire croire. Elle donne du monde une image cohérente et fonctionnelle – sans quoi d'ailleurs on n'en comprendrait pas la longue vitalité.

Il n'en faut surtout pas conclure pour autant au relativisme intégral (que Kuhn, par exemple, frôle dangereusement). De la mauvaise foi dont fait (parfois) preuve Galilée, ne découle pas que le choix entre deux théories est simple affaire de foi – bonne ou mauvaise. La validité de la nouvelle physique n'est pas mise en cause ici. On doit seulement accepter l'idée que la Raison souvent triomphe pour de mauvaises raisons. Comme l'écrit encore Feyerabend, « de telles méthodes " irrationnelles " de soutien de la nouvelle physique sont exigées par le " développement inégal " des différentes parties de la science. Le copernicianisme et d'autres ingrédients essentiels de la science moderne n'ont pu survivre que grâce aux fréquentes violations, dans leur histoire passée, des règles de la raison ».

On en arrive donc à l'idée que la « coupure galiléenne », plus qu'épistémologique, fut idéologique. Il s'est agi moins du triomphe de la vérité sur l'erreur que de la redéfinition

1. P. Feyerabend, *Contre la Méthode,* Seuil, 1979.

2. C.G. Adler & B.L. Coulter, « Aristotle, Villain or Victim ? », *Phys. Teach. 13,* 35 (1975) ; B. M. Caspar, « Galileo and the Fall of Aristotle : A case of Historical Injustice ? » *Am. J. Phys. 45,* 325 (1977).

du type de vérité que l'on demandait à la science. C'est la nature de la science, et non seulement son contenu, qui fut bouleversée. Dès lors, Aristote et le savoir dont il exprime la synthèse peuvent reprendre une grande importance. De même que, pour la science chinoise dont il fut question ce matin, l'intérêt de la science aristotélicienne ne réside pas dans une douteuse continuité ou une mythique permanence, mais au contraire dans l'absolue différence, l'infranchissable distance qui nous en sépare aujourd'hui. Rapporter la fin de la science aristotélicienne au surgissement d'un nouveau type de savoir – le nôtre –, relativise immédiatement ce dernier. La science est mortelle, et ce n'est que par abus de langage que nous couvrons d'un même mot des pratiques de connaissance dont la nature et la fonction diffèrent très largement, puisqu'elles expriment des « projets » sociaux divers [3]. De quel droit penserions-nous encore notre science, dont nous sommes si fiers, comme universelle et définitive ? Si elle triomphe dans *l'espace*, refoulant progressivement d'autres formes culturelles de savoir (rationnel !) – et la Raison ici s'appuie souvent sur celle du plus fort : c'est bien ce qui en fait la meilleure –, prenons garde que ce triomphe n'a rien d'assuré dans le *temps*.

Par sa vertu symbolique de contre-exemple, Aristote peut donc nous parler aujourd'hui. C'est en ce sens que je trouve fort intéressants les appels de R. Thom pour un retour à Aristote (ou, dans notre colloque, l'intervention de M. P. Apostol). Mais, naturellement, il nous est tout aussi impossible de revenir à la science aristotélicienne qu'à la cité grecque qui lui donna le jour. De ce point de vue, les arguments pro-aristotéliciens ont une fonction beaucoup plus critique que créatrice (ce qui me paraît d'ailleurs l'essentiel aujourd'hui, le temps d'une « autre » science étant encore

3. G. Ciccotti, M. Cini, G. Jona-Lasinio et M.de Maria, *l'Araignée et le Tisserand*, Seuil, 1979.

loin) ; ils jouent le même rôle polémique que les arguments anti-aristotéliciens de Galilée. Ainsi, pour ne prendre qu'un exemple, la référence à Aristote permet-elle d'ouvrir un débat de fond sur le rôle des mathématiques dans la science moderne. Je doute fort, quant à moi, qu'elle suffise à éclairer la situation, et encore plus qu'elle permette de la changer [4].

Cependant – et tant mieux si je semble me contredire – la démarche aristotélicienne après tout est peut-être plus proche de la nôtre que nous le croyons, mais *ailleurs* : non dans la science comme théorie, mais dans la science comme pratique. Car c'est le défaut fondamental et rédhibitoire de l'épistémologie que de ne traiter la connaissance scientifique que d'un point de vue méthodologique, et normatif. A ce titre, le fonctionnement effectif de la science lui échappe en très grande partie, fondé qu'il est sur une multitude d'actes, intellectuels ou manuels, qui relèvent d'heuristiques implicites beaucoup plus que de méthodes explicites. Très souvent les canons ne sont respectés qu'*a posteriori*. L'on efface soigneusement les traces de l'errance (voire de l'erreur) qui a mené au but, pour tracer – à reculons – le droit chemin entre deux vérités (qui n'est le plus court qu'une fois connu [5] !). La pensée scientifique dans sa banalité quotidienne ne fait guère plus de cas de la logique formelle moderne que la pensée artistique, ou politique. Les catégories aristotéliciennes gardent probablement une forte pertinence, et continuent à rendre compte du monde immédiat. L'exemple le plus clair peut-être est celui de la médecine clinique où je prétends que l'on peut toujours voir fonctionner très systématiquement la quadruple causalité

4. J.-M. Lévy-Leblond, « Des mathématiques catastrophiques », *Critique*, 359 (avril 1977), p. 430-441.

5. Voir l'exceptionnelle conférence Nobel du physicien R. P. Feynman pour la description du cheminement effectif, titubant, d'une importante découverte : R. Feynman, *la Nature de la physique*, Le Seuil, 1981.

d'Aristote – ce qui n'a au fond rien de très surprenant, puisque cette conception de la causalité elle-même est très largement fondée sur la médecine hippocratique. La réflexion sur Aristote ici nous inviterait donc à nous faire de la science une conception moins abstraite, moins livresque, moins théorique.

Ces remarques – qui cherchent, trop brièvement, à traduire un questionnement contemporain fondamental –, Aristote n'en est ici que le prétexte. Mais que peut-il être d'autre, et sa commémoration ? La fascination des chiffres ronds suffit-elle à expliquer l'importance d'un si étrange anniversaire (a-t-on grandiosement célébré le 2 200e de sa mort, ou le 2 300e de sa naissance) ? L'occasion était unique, paraît-il, de célébrer en Aristote l'unité du savoir, l'universalité de la science, l'éthique de la connaissance : cérémonie de conjuration, à la limite du dérisoire, dans un monde où la science désormais est éclatée, divisée, hiérarchisée. On peut le regretter, certes ; non le nier. Et rien ne sert d'invoquer, ce colloque lui-même le montre, une pluridisciplinarité qui ne peut être que juxtaposition, et non recomposition, de savoirs parcellaires. Finalement, s'il s'agit vraiment ici de la statu(r)e d'Aristote, peut-être devons-nous considérer notre Table ronde comme une simple commission de cet autre colloque, qui se tient aujourd'hui à l'UNESCO, sur « L'altération et la restauration des monuments anciens » ?

Une histoire de frou

A propos d'un livre de Gisèle Prassinos, Brelin le Frou *(Belfond, 1975).*

A partir des extraordinaires tableaux de son frère Brelin (« le Frou »), voici reconstituée la vie du grand savant que fut Berge Bergsky (1861-1923). Placé à l'écart des courants de la physique conventionnelle à la fois par la modestie de son origine familiale et l'éloignement de la Frubie-Ost, sa patrie, Berge Bergsky put développer en toute indépendance des conceptions profondément originales. Dès ses premières études, « La ruse chez les métaux non ferreux » et « Théorie de la différenciation psychophysique comme source d'énergie », il s'engageait sur la voie qui allait le conduire à la découverte de ces « Particules d'un type nouveau dans les courants du boutan », qu'il baptisait bientôt du nom de « briches ». Les trois constituants de la briche ensuite individualisés (le bricheton, le luron et le caton) se révélaient alors riches d'applications, et Bergsky lui-même décrivait le premier « réacteur à briches pouvant alimenter un moulin à seigle ». Il est temps de redécouvrir l'œuvre (qui par bien des côtés préfigure la moderne théorie des quarks), mais aussi l'homme. Grâces soient rendues à sa dévouée biographe qui a su rendre à la fois son génie et son humanité. Elle ne manque pas de faire place aux émouvantes et sans doute déterminantes circonstances de sa vie familiale, comme aux intéressantes et parfois surprenantes coutumes de son pays natal. Avec ce portrait d'un grand savant nous tenons un véritable modèle du genre, riche d'enseignements pour quiconque s'intéresse à l'histoire de la science et à ses représentations.

Si je reproduis ici cette brève recension, c'est dans l'espoir qu'elle amènera de nouveaux lecteurs à ce livre superbe et méconnu. La naïveté de Gisèle Prassinos, feinte et réelle, tendre et cruelle, tend à la science un miroir qui ne la déforme que pour qu'elle puisse mieux s'y reconnaître. Nos écrivains fraient peu avec nos savants. Ce regard d'une femme de lettres sur un homme de science est une brillante exception. Il prouve que la culture n'est pas condamnée à choisir entre l'ignorance et la révérence devant la science, mais qu'elle a ses mots à dire.

L'arbre et la forêt : le mythe Einstein

Pour le centenaire de la naissance d'Einstein, célébré en 1979 avec grand faste dans le monde entier.

Ni le génie scientifique ni la stature morale d'Einstein ne suffisent à expliquer le mythe dont il a été et reste le héros – et sans doute aussi la victime. Il n'est pas sûr d'ailleurs que l'on puisse « expliquer » ce mythe, tant il semble riche d'aspects divers. Sans doute est-il justement constitué par cette surdétermination même, dont on ne peut que tenter *a posteriori* de décrire quelques lignes de force.

C'est vers 1919 apparemment qu'Einstein est assez brutalement promu au rang de star intellectuelle. Le contexte politique y est pour beaucoup. D'une part, au sortir de la Première Guerre mondiale, les relations internationales restaient des plus tendues entre les pays européens qui s'étaient affrontés. Toute occasion de renouer les liens, fût-ce d'abord au plan culturel, en particulier à l'aide du traditionnel « internationalisme scientifique », était la bienvenue, surtout pour les vaincus, isolés. Même dans les milieux universitaires, pourtant, les haines restaient vivaces : des physiciens « patriotes » anglais interviendront en 1919 pour que la Royal Astronomical Society renonce à accorder sa médaille d'or à Einstein, et Langevin se heurte à une forte opposition chauvine pour inviter Einstein au Collège de France en 1922 [1]. Il ne fallait pas moins que l'importance décisive des travaux récents d'Einstein sur la relativité générale et tout son prestige pour vaincre ces obstacles. Ainsi, le chargé d'affaires allemand à Londres écrit-il à son ministre, en 1920 : « Le Pr. Einstein, dont le nom jouit d'une réputation internationale, représente un atout culturel de premier plan pour l'Allemagne » ; et c'est le ministre des Affaires étrangères lui-même, Rathenau, qui conseille à Einstein le « geste très risqué » d'accepter une invitation à Paris. De même le voyage d'Einstein aux États-Unis servira-t-il au rapprochement avec l'Allemagne. Et, de leur côté, les milieux sionistes exploiteront également la gloire nouvelle du physicien : il accompagne Chaïm Weizmann dans sa collecte de fonds pour la future Université hébraïque de Jérusalem. En 1921, il accomplit un véritable tour du monde – USA, Japon, Espagne, Angleterre, etc. – et il est reçu par les plus hautes autorités. Einstein joue son rôle d'ambassadeur avec lucidité et sans illusion ; il avait écrit en 1919 : « ...encore une application différente du principe de relativité : je passe actuellement en Allemagne pour un " savant allemand " et en Angleterre pour un " juif suisse ". Supposons que le sort fasse de moi une " bête noire ", je deviendrai au contraire un " juif suisse " en Allemagne, et un " savant allemand " en Angleterre » (cette hypothèse allait être amplement vérifiée !).

Mais l'intérêt diplomatique ne suffit pas à justifier la faveur publique. Celle-ci semble découler largement de l'immense appétit pour les idées neuves, du goût forcené pour l'innovation, du sens de la rupture qui marquent la culture de l'après-guerre. Les conceptions les plus étranges,

1. Voir la très intéressante thèse de M. Biezunski, *la Réception des idées d'Einstein en France* (Université Paris VII, 1981).

voire les plus délibérément provocatrices, tel le dadaïsme, se propagent avec rapidité. La littérature en témoigne. Dans *Sylvia*, Emmanuel Berl écrit ainsi : « La guerre avait laissé un certain désespoir au cœur de chacun ; l'après-guerre fut, néanmoins, une époque d'espérance, de foi secrète [...] Les toniques, après tout, ne manquaient pas : les révolutionnaires avaient Lénine, les industriels avaient Ford, les savants Einstein, les psychologues Freud. » Le caractère choquant de certains aspects des théories relativistes, leurs paradoxes apparents, largement et exagérément mis au premier plan par une vulgarisation avide de sensationnel, comptent pour beaucoup dans la constitution du mythe einsteinien. D'autres résultats scientifiques, pourtant au fond beaucoup plus radicalement nouveaux, comme ceux de la théorie quantique, et les idées de Bohr et Heisenberg, connaîtront une égale exploitation philosophique et idéologique, mais ne dépasseront guère les cercles cultivés, contrairement à la relativité. C'est que sont ici mis en question non pas des propriétés ésotériques de la matière à l'échelle microscopique, mais l'espace et le temps eux-mêmes, familier tissu de la vie quotidienne. Le malentendu sera total : dans un monde où l'intuition courante est nécessairement extra-scientifique (et dont la théorisation aristotélicienne finalement reste fort pertinente), le caractère conflictuel de cette intuition avec les conceptions einsteiniennes sera attribué aux nouveautés de cette théorie, alors que le conflit pour l'essentiel a déjà éclaté avec les théories galiléennes et newtoniennes. C'est donc moins le contenu spécifique des découvertes d'Einstein que leur caractère proprement scientifique, abstrait, non-empirique, qui fait impression, concernant ces « évidences naturelles » que sont les propriétés de l'espace et du temps. Beaucoup de philosophes et non des moindres, Bergson en particulier, s'y laisseront tromper, faisant à Einstein des critiques qu'ils auraient pu adresser déjà à Galilée et Newton. Inversement, l'exploitation des théories d'Einstein au profit du relativisme philosophique, savant ou populaire (« tout est relatif, comme dit Einstein »), témoigne de la même confusion et n'est pas pour rien dans la persistance du mythe.

Une fois la légende einsteinienne lancée, elle trouvera à se conforter et s'alimenter dans le caractère et le comportement de l'homme : son non-conformisme, son pacifisme, son intégrité lui confèrent un prestige personnel, une aura indiscutable. Ici se marque à plein le rôle idéologique du mythe. Pendant la première moitié du siècle, au moment même où la science, la physique en tout premier lieu, passe du stade artisanal – celui du savant solitaire – au stade industriel – celui du chercheur en équipe –, au moment où la science s'institutionnalise, se hiérarchise, se lie toujours plus aux pouvoirs politique, économique et militaire, elle se voit symbolisée en un homme qui représente les caractères mêmes qu'elle est en train de perdre. Einstein, s'il est évidemment de son temps, et combien, par ses contributions, en est fort loin par sa conception de la recherche et par son rôle dans la cité scientifique. Sa figure alors devient représentative de celle, désormais illusoire, du « savant » disparu, et sa légende ne contribuera pas peu, pendant la première moitié du siècle, à obscurcir la nature sociale effective de la science contemporaine. Comme tous les mythes, celui-ci est susceptible d'une inversion brutale : après Hiroshima, la science, pour certains, de bien absolu deviendra mal total, et le pacifiste Einstein sera parfois considéré comme le « père de la bombe ». Là encore, le mythe ne sert qu'à conforter une vision simpliste, purement éthique, d'un processus sociopolitique autrement complexe.

Il est temps aujourd'hui que l'arbre cesse de cacher la forêt.

La théorie synergétique

Depuis quelques années, M. R.-L. Vallée, ancien ingénieur au Commissariat à l'énergie atomique, avance une « théorie synergétique » qui dépasserait, en les remettant en cause, toutes les idées fondamentales de la physique contemporaine (voir son ouvrage l'Énergie électromagnétique matérielle et gravitationnelle, *Masson, 1971, et diverses publications à circulation restreinte plus récentes). Les lignes qui suivent présentaient une réfutation expérimentale de la théorie synergétique par M. Kovacs (*la Recherche, *nº 69, juil.-août 1976).*

Les propositions de M. Vallée, semble-t-il, n'ont reçu aucun écho dans les laboratoires de physique. Serait-ce, comme il l'a déclaré devant le Grand Orient de France, que « toutes les voies du progrès scientifique sont aujourd'hui bloquées » par « des gardes fidèles à la solde de la haute finance », une « secte internationale philosophico-scientifique » ? Toujours d'après M. Vallée, ses découvertes font de l'espace « une source d'énergie inépuisable », « infinie et gratuite », que le « capitalisme mondial » se doit d'étouffer pour assurer sa « domination ». On pourrait sourire de cet extrémisme épistémologique si, indépendamment même de leur valeur éventuelle, les idées de M. Vallée ne trouvaient quelque crédit dans l'opinion. Quel soulagement en effet si « la pollution, la mort atomique, la famine, la détresse et le désespoir » des « millions d'hommes sacrifiés au Veau d'or » (pour continuer à citer M. Vallée) pouvaient être éliminés par une nouvelle science, au moment même où l'on doit bien constater la responsabilité de l'ancienne, au moins comme instrument consentant aux mains des oppresseurs. Mais cette mise en cause de la caste scientifique reste prise dans l'illusion d'un savoir tout-puissant. Elle confond la pratique scientifique, en effet socialisée par le choix de ses objectifs, le recrutement de ses agents, le mécanisme de ses applications, l'idéologisation de ses fonctions, avec ses seuls énoncés théoriques.

Or le sommet d'une pyramide n'est pas son point faible. Critiquer la science « officielle » au nom de ses propres critères, vouloir, mieux qu'elle, satisfaire à ses normes et donc accepter les uns et les autres, c'est vouloir être plus royaliste que la reine et se condamner au dérisoire.

Ainsi de M. Vallée, dont les écrits ressemblent à la physique comme à la calligraphie ces graphismes de Steinberg qui, mimant de loin une écriture parfaitement conventionnelle, se révèlent de près n'être que d'insignifiants tracés. Encore faut-il savoir lire pour faire la différence, et devant le même procédé appliqué à l'écriture chinoise, nous resterions cois. C'est ainsi que les énoncés publics de M. Vallée, pris ici comme simple exemple d'une démarche plus générale, ressemblent à s'y méprendre aux articles de vulgarisation habituels. Les idées qu'il utilise sont d'ailleurs toutes empruntées à l'arsenal courant de la physique : champ électrique limite, espace « vide » dynamique, équations de propagation, etc. Le résultat n'est apparemment guère moins convaincant que beaucoup d'exposés généraux des théories orthodoxes. Du point de vue des lecteurs de Science et Vie *par exemple qui eurent droit à un important article sur les idées de M. Vallée, ou de celui des auditeurs de ses multiples causeries devant tel ou tel cercle politico-culturel, rien ne peut en effet le différencier des « vrais » scientifiques. C'est ici que la science contemporaine paie le prix de son élitisme et de son ésotérisme. Pratique réservée à une minorité, son pouvoir de conviction ne peut aujourd'hui reposer que sur des arguments d'autorité ou d'efficacité : sa rationalité n'opère plus guère qu'à usage interne, au mieux* [1]*. C'est en reconnaissance de ces racines objectives qu'il a paru intéressant de consacrer ces lignes à la théorie synergétique. La science orthodoxe, en effet, redoublerait son isolement à garder systématiquement un silence condescendant sur les hérésies diverses qui l'entourent. Il n'est pas question pour autant de réfuter point par point les thèses de M. Vallée : dans la mesure où il n'y a là que discours pseudo-théorique et non théorie formalisée et prédictive, une telle entreprise serait vaine. Elle prendrait au surplus nécessairement la forme d'une défense de la science « officielle » alors que, cela est clair à la lecture des revues spécialisées, une bonne part des recherches conventionnelles ne sont pas beaucoup plus sérieuses que celles de M. Vallée.*

1. Quelques mois après la publication de ce petit texte, je fus invité par de hauts dirigeants d'EDF à détailler mon point de vue sur la théorie synergétique : leurs experts – les mêmes qui sont de la plus totale assurance quant à l'électronucléaire ! – étaient dans l'embarras devant cette hérésie et très mal armés pour répondre aux attaques des amis de M. Vallée. Dois-je préciser que j'ai refusé de leur fournir un argument d'autorité quelconque, et les ai invités à se faire leur religion tout seuls ?

Nouvelle alliance, anciennes puissances

A propos du livre d'Ilya Prigogine et Isabelle Stengers, *la Nouvelle Alliance* (Gallimard, 1979).

En un moment où se déroule un débat complexe sur la place de la recherche scientifique dans notre société et sur le rôle de la connaissance scientifique dans notre culture, cet ouvrage apporte avec pertinence, mais non sans ambiguïtés, certains éléments de réflexion nouveaux.

L'idée de base est simple. Acceptant la validité de critiques émises de longue date déjà contre la science classique, les auteurs veulent nous convaincre de l'avènement d'une ère nouvelle, où la science moderne pourrait échapper à ces jugements négatifs. La physique traditionnelle, celle de Newton et de Laplace, admettent les auteurs, a « désenchanté le monde », comme le lui ont reproché artistes romantiques au XIXe siècle et philosophes de l'intuition au XXe, pour ne pas mentionner certaines résurgences de ces critiques dans la prétendue « contre-culture » récente. Réduisant l'Univers à une machine, instaurant un déterminisme de principe absolu, la mécanique classique nie la temporalité, en ramenant toute évolution au simple mouvement sur des trajectoires sans bifurcations, où le futur est entièrement déterminé par le présent. Dans un tel monde, il n'y a pas de véritable devenir, « tout est donné » d'avance. La nature y est apparente et passive, connaissable et manipulable à merci. Mais, du coup, l'homme reste seul vivant dans un monde mort. Tel un chasseur de papillons, rien de ce qu'il saisit ne bouge plus pour lui. La conquête a rendu le dialogue impossible. Comme l'a décrit Jacques Monod, avec qui les auteurs dialoguent tout au long de leur livre, « l'ancienne alliance est rompue, l'homme sait enfin qu'il est seul dans l'immensité indifférente de l'Univers ».

Mais, au XIXe siècle, naît une autre science ; face à la mécanique apparaît la thermodynamique, science de la chaleur. Or, si le monde des solides et des machines est celui de l'identité et de la répétition, le monde des fluides et du feu est celui du changement et de la différenciation. Les corps fondent, brûlent, se combinent. La chaleur permet la naissance et la mort. Tout le XIXe siècle va tenter de combler l'écart apparemment infranchissable entre ces deux mondes. Les plus grands physiciens, Maxwell, Boltzmann, Poincaré, vont réduire la thermodynamique à n'être qu'une mécanique statistique. Les changements d'essence, les transformations d'état ne seraient qu'une apparence grossière, due à notre vision macroscopique. Au niveau microscopique, les constituants élémentaires de la matière poursuivraient mécaniquement leur ronde monotone et sans surprise. Mais si la thermodynamique des situations d'équilibre est ainsi ramenée dans le giron de la banalité déterministe, il n'en va pas de même dès que l'on s'intéresse aux situations de non-équilibre. Là, le jeu des flux de matière et de chaleur permet des comportements autrement complexes. C'est dans ce domaine, on le sait, qu'a été essentielle la contribution de l'École de Bruxelles, dirigée par Ilya Prigogine – ce qui lui a valu le prix Nobel (de chimie) en 1977. Loin de l'équilibre, les fluctuations ne s'éteignent pas nécessairement, certaines peuvent s'amplifier et conduire le système dans des états originaux où apparaissent des structures nouvelles. Les phénomènes de dissipation peuvent ainsi engendrer – et maintenir – l'ordre (ou plutôt, de l'ordre) dans la nature. Les perspectives de telles idées sont vastes pour la physique de la matière condensée, la chimie, la biologie peut-être, voire les sciences sociales.

De plus, montrent les auteurs, cette rupture avec la conception étroite de la temporalité classique dans le domaine de la thermodynamique s'accompagne d'ébranlements analogues dans la mécanique classique elle-même (problèmes ergodiques), en hydrodynamique (turbulences) et, de façon bien différente, en théorie quantique. Dans tous ces cas, la vieille notion de trajectoire déterministe s'avère désormais une idéalisation outrancière et simpliste, incapable de représenter la réalité physique. Dès lors, la science fait à nouveau place en son sein au devenir. Le tableau qu'elle nous donne du monde n'est plus une nature morte. Il n'y a plus de théorie omnisciente, même en principe, et loin d'exclure l'homme du monde qu'elle décrit, « la science retrouve comme un problème la présence au monde de l'homme qui la fait ». Ainsi s'ouvrirait, par le fait de cette science moderne, à la fois plus riche et plus modeste, les possibilités d'une « nouvelle alliance » entre l'homme et le monde, et d'une confrontation féconde et confiante entre la science et les autres savoirs, entre la culture scientifique et la culture humaniste.

En deçà de cette thèse générale, véritable programme philosophique, sinon manifeste idéologique, deux autres niveaux de lecture de ce livre sont possibles. C'est, tout d'abord, un ouvrage de divulgation scientifique d'une grande clarté, en particulier sur les aspects classiques aussi bien que modernes de la thermodynamique. L'exposé des travaux de l'auteur et de son groupe y occupe, bien entendu, une place de choix. La thermodynamique non linéaire, l'ordre par fluctuation, l'instabilité et la complexité en théorie cinétique et le statut épistémologique de ces concepts y sont discutés avec maestria. Le texte ici est tout à fait remarquable par l'ampleur des vues et la richesse des conceptions. Les passages consacrés à d'autres aspects de la physique moderne, relativité ou théories quantiques, paraissent en revanche bien rapides et trop légers : l'idée que la relativité « se fonde sur une contrainte qui ne vaut que pour des observateurs physiques » et que cela en fait une « discipline *humaine* », repose sur une conception de cette théorie très particulière et largement critiquée aujourd'hui. De même, le rôle des « constantes universelles » de la physique, prétendument apparues dans la physique moderne, est discuté de façon naïve : l'affirmation selon laquelle « il n'y a pas de constante universelle dans la physique newtonienne » est erronée – même s'il est vrai que ces constantes y sont bien dissimulées ! Mais il est normal que les auteurs déploient plus de maîtrise et d'assurance dans le domaine qui est le leur – parfois trop d'assurance, peut-être : s'il est important d'insister sur les structures dissipatives, on ne peut oublier qu'elles ne rendent pas compte de toutes les situations où l'ordre apparaît dans la nature. Les symétries en physique des particules, comme en physique de la matière condensée, semblent relever d'une autre analyse.

En second lieu, on trouvera tout au long de ce livre une référence à l'histoire des sciences et nombre de discussions qui, évoquant le cadre culturel et la naissance de diverses théories scientifiques, montrent la richesse de cette histoire. On est loin des images d'Épinal encore trop répandues sur le développement intrinsèque et spontané de la rationalité scientifique. La description, en particulier, du contexte idéologique, religieux et philosophique où est apparue et s'est développée la physique classique met en lumière la complexité de l'histoire des sciences et ses interactions avec l'histoire tout court. Il est rassurant de voir des scientifiques émérites ne plus considérer leur activité comme enfermée dans une tour d'ivoire, et s'honorer d'exposer tout ce qu'elle doit à son environnement. Sur ce thème, les auteurs rendent amplement justice aux travaux des historiens et sociologues des sciences dans la dernière décennie, tant en ce qui concerne l'ère classique et la mécanique des XVIIe et XVIIIe siècles, que l'ère industrielle et la thermodynamique au XIXe siècle.

Quant à la thèse de fond de l'ouvrage, affirmant la possibilité de cette « nouvelle alliance », d'une réconciliation imminente de la science et de la culture, comme de l'homme et de la nature, on pourra la trouver plus stimulante que convaincante. On doit en effet se demander si la démonstration ne pèche pas par schématisme. Après tout, la science classique ne se réduit pas à la mécanique, ni la moderne à la thermodynamique, qui n'épuisent déjà pas, loin s'en faut, la seule physique. Est-il si clair que la considération des sciences de la vie, par exemple, autrefois et maintenant, permettrait la même analyse ? Les « sciences naturelles » aux XVIIIe et XIXe siècles ont fait l'émerveillement de générations entières. La découverte scientifique du monde, géographique, zoologique, botanique, toute parallèle qu'elle ait été à la conquête coloniale, n'en a pas moins fait rêver. Devant les récits de Humboldt, les gravures d'Audubon (mais qui les connaît aujourd'hui ?), ce n'est pas le « désenchantement » qui s'impose ! Et les romans de Jules Verne, plus tard tout un courant de la science-fiction, le montreront : même à travers la science, le rêve continue. Inversement, n'est-ce pas la biologie qui aujourd'hui a la vedette scientifique, comme la physique jadis, et qui trouve son efficacité dans une démarche réductionniste susceptible d'attirer des critiques analogues à celles de la physique classique ? Et le tableau des péchés de cette physique n'est-il pas quelque peu noirci à l'extrême pour faire mieux ressortir les vertus de la nouvelle ? Si la science classique est tributaire de son contexte culturel, elle rejaillit sur lui et n'engendre pas que de plates apologies triomphalistes ; Voltaire, Fontenelle et les encyclopédistes ne sont pas des scientistes naïfs ! Quant à la convergence esquissée par les auteurs avec certains courants de la pensée philosophique récente ou actuelle (ils citent Merleau-Ponty, Lévi-Strauss, Deleuze et Guattari et, abondamment, Serres), va-t-elle au-delà d'une confluence tactique, tributaire des modes intellectuelles du moment ? Il serait triste que la « nouvelle alliance » ressemble à tant de vieilles coteries. Et comment expliquer, au contraire, le silence des auteurs sur des tentatives de réunifications culturelles globales, certainement plus superficielles et conceptuellement moins fondées, mais d'inspiration et d'objectif analogues, les réflexions de Morin par exemple, ou, dans un genre différent, de Thom ? C'est le prolongement de l'ouvrage, dans le débat d'idées des années à venir, qui permettra de répondre à ces questions et d'évaluer sa pertinence profonde.

Il faudra, pour que ce débat progresse, qu'il dépasse la limite intrinsèque du livre de Prigogine et Stengers : sa restriction aux seules *idées* de la science. Celle-ci est affaire d'hommes et de femmes réels, dans des institutions et des sociétés conflictuelles. Les idées scientifiques ne triomphent pas par leur seule vérité intrinsèque, ni même par leur simple adéquation aux normes culturelles, mais au travers de véritables rapports de force. A cet égard, l'organisation actuelle de la cité scientifique, la hiérarchie dans les laboratoires, le financement des recherches, la spécialisation des disciplines ne rendent pas particulièrement optimiste quant à la conclusion d'une « nouvelle alliance ». Le présent livre pourrait être, d'ailleurs, considéré comme un élément même de ces rapports de force qu'il néglige superbement. Et l'on ne peut qu'apprécier la finesse de la manœuvre qui consiste à céder à l'adversaire un terrain désormais sans valeur, pour mieux assurer des positions clés. Mais, après tout, c'est une stratégie propre à toute institution vieillissante : la science aujourd'hui critique Newton, comme l'Église réhabilite Galilée. Devant ces aggiornamentos, sans douter de leur sincérité, il est permis de rester vigilant.

Jeunes auteurs

Sortez des chemins battus de la pensée ! Lisez les jeunes auteurs :

En 1946, Aldous Huxley écrivait : « La science en progrès est l'un des facteurs intervenant dans le déclin progressif de la liberté et la centralisation progressive du pouvoir qui se sont produits au cours du XXe siècle. » Son livre la Science, la Liberté, la Paix *vient d'être traduit (Éditions du Rocher, 1979), on dirait qu'il vient d'être écrit : il y est question de crise du pétrole et d'énergie solaire... Encore un qui a eu le tort d'avoir raison trop tôt.*

En 1903, Georg Groddeck écrivait : « Depuis que le monde existe, il n'y a jamais eu tant de savants, tant de savoir. Mais si seulement les savants étaient aussi créateurs, si le savoir valait aussi la peine d'être su ! » — dans le chapitre « Science » de son essai prophétique Un Problème de femme, *qui vient seulement de paraître en français (Éditions Mazarine, 1979).*

En 1864, Victor Hugo écrivait : « Le relatif, qui gouverne la science, s'y imprime ; et cette série d'empreintes du relatif constitue la certitude mobile de l'homme [...] La science cherche le mouvement perpétuel. Elle l'a trouvé; c'est elle-même [...] Cette agitation est superbe. La science est inquiète autour de l'homme; elle a ses raisons [...] Pour cette science-là, son perfectionnement, c'est sa disparition. »

Il faut *lire cet admirable Livre III, « L'art et la science », du grandiose* William Shakespeare, *écrit dans les tempêtes de l'exil à Jersey. Hugo, maîtrisant les forces contraires du scientisme et du romantisme, chevauche l'Histoire – celle des sciences aussi.*

Boîte à outils ou banc d'essai ?

Le scientisme a la vie dure : la Science encore reste l'idéal de la connaissance. Il n'est guère de recherche, de méthode, de théorie, qui n'aspire à s'accoler l'épithète « scientifique » comme label de qualité. Critère de prestige aux yeux des producteurs, garantie de sérieux à ceux des consommateurs, la scientificité est toujours le meilleur argument publicitaire sur le marché des biens intellectuels — et donc souvent, comment s'en étonner, sur celui des biens matériels.

Certes, depuis un siècle, les slogans se sont un peu raffinés. Les triomphes de la physique, machine à vapeur et électricité, sont loin et le nucléaire n'a plus trop bonne presse. Mais la biologie est là pour fournir fantasmes de toute-puissance technique et de progrès économique en même temps que métaphores théoriques et paradigmes philosophiques, voire inspirations esthétiques. Et les sciences humaines ne demandent qu'à prendre la relève.

Quant aux rares discours actuels qui récusent cette domination du scientifique, c'est en général pour en refuser toute considération.

Mieux vaut utiliser la possibilité neuve d'un certain recul par rapport à l'impérialisme intellectuel de la science, non pour nier son importance et impossiblement tenter de l'occulter, mais au contraire pour essayer d'enfin la voir, de loin, et lui assigner une place propre dans le paysage culturel.

Il serait dérisoire de nier l'efficacité et la portée du savoir scientifique, il serait absurde de refuser l'utilisation de ses instruments de pensée. Encore faut-il savoir ce qu'on en peut faire.

La précision, la pénétration, l'acuité des méthodes scientifiques, a pour contrepartie inéluctable l'étroite limitation de leur portée. Les sciences analysent le réel en le soumettant à un découpage, une dissection, un tri toujours plus poussés. Devant la complexité du monde, les sciences ont pour stratégie d'isoler progressivement certains secteurs, d'y circonscrire des phénomènes particuliers et de les spécifier toujours plus finement jusqu'à idéalement en maîtriser toutes les conditions. Cette distillation fractionnée du chaos naturel, cette filtration incessante finissent par produire les pierres précieuses recherchées, scientifiques sinon philosophales. Mais pour quelques carats recueillis, combien de tonnes de déchets écartés car trop grossiers, confus, sans intérêt – ou considérés comme tels...

Les tamis ultimes, qui ne retiennent que le savoir proprement scientifique, sont d'une finesse qui leur interdit tout autre usage. Les cailloux de l'expérience quotidienne les défonceraient d'emblée. Ou encore, pour varier la métaphore, le scalpel acéré de la science, qui permet la dissection la plus minutieuse, n'est d'aucun usage à qui doit abattre un arbre ou tailler le cuir : il se briserait aussitôt, incapable de remplacer la hache ou le tranchet.

Il paraît aussi aberrant de vouloir établir une méthode de pensée globale ou fonder une philosophie générale sur les résultats, aussi spectaculaires paraissent-ils, de telle discipline scientifique – et encore plus sur une impossible synthèse pluridisciplinaire –, que de chercher à constituer une boîte à outils universelle avec ceux du joailler ou de la dentellière.

La conception et la mise au point d'instruments spécifiques, toujours plus diversifiés, est l'une des marques du progrès technique. Comment croire que le progrès intellectuel puisse suivre un chemin inverse ? S'il existe aujourd'hui des dizaines de types de tournevis, une foule de scies, des multitudes de pinces, peut-on sérieusement imaginer que la pensée, elle, puisse se contenter d'une aussi pauvre panoplie que celle empruntée aux seules sciences ?

Il n'est pas nécessaire pour autant de céder au découragement devant l'irrémédiable technicité de tout savoir scientifique spécialisé. Si la production de connaissances est désormais réservée à l'expert, l'accès ou tout au moins l'approche de ces connaissances n'a pas lieu d'être chasse gardée. Derrière les éclaireurs qui ont tracé les premiers sentiers à travers la jungle, viennent – après les marchands, en général – les promeneurs, sur le chemin maintenant élargi. Et si la première ascension du Mont-Blanc fut réalisée par le physicien de Saussure ès-qualités, il n'est plus besoin aujourd'hui d'emporter baromètres et thermomètres pour réussir ou justifier une course en montagne [1].

Il faut revendiquer, devant la science, le statut de l'*amateur*. A lui, ensuite, la responsabilité d'être *éclairé* : de ne pas se laisser impressionner par la poudre aux yeux que lance l'expertise spécialisée quand elle veut se gonfler aux dimensions de la compétence universelle. Et précisément, la pression est telle aujourd'hui des charlatanismes intellectuels, la foison si grande des systèmes de prêt-à-penser, que la plus grande méfiance, la plus extrême prudence sont requises. Peut-être sera-t-il possible demain, à nouveau, de laisser parler dès l'abord sa sensibilité, de réagir à la nouveauté scientifique par un mouvement spontané et confiant de l'esprit. Pour l'instant, c'est d'emblée une attitude critique qui est de mise.

Une telle attitude permet de prendre avantage des limita-

1. Cf. P. Veyne, « L'Alpinisme, une invention de la bourgeoisie », in *l'Histoire,* nº 11 (avril 1979), p. 41.

tions mêmes du savoir scientifique. Si les connaissances que nous donnent les sciences sont beaucoup trop spécifiques et particulières pour servir d'exemples ou de modèles à la pensée en général, elles sont assez précises et articulées pour donner des contre-exemples et des anti-modèles. Non point arsenal d'outils intellectuels, mais banc d'essai où tester leur validité. On s'aperçoit alors que bien peu des instruments de pensée généraux, avec lesquels paresseusement nous tentons de comprendre le monde, résistent à leur mise à l'épreuve là où deviennent contraignantes les exigences de la rigueur et de la fécondité[2].

2. Cf. « L'empire des lumières », p. 37 et « L'un des finis » (dont le présent texte est l'introduction) in *Arts-Sciences, Processus de création et de recherche,* ouvrage collectif (Inspection générale de l'enseignement artistique, ministère de la Culture et de la Communication, 1979).

Pour une science ouverte, personnalité d'une collection

Réponse à une enquête de l'Association des écrivains scientifiques de France sur les collections de vulgarisation scientifique.

Lorsque, dans le grand renouvellement d'idées du début des années 70, je pris la direction de la collection « Science ouverte » aux Éditions du Seuil, mon orientation était essentiellement critique. La nécessité première me semblait être de réagir contre le scientisme qui, sous diverses formes, dominait depuis plus d'un siècle les attitudes sociales à l'égard de la science. Il s'agissait avant tout de montrer que la science n'est pas connaissance pure, mais production collective, régie par de complexes déterminations et prise dans un tissu serré de relations avec les autres instances de la société. Il fallait, derrière la figure désormais mythique du savant omniscient, présenter les chercheurs scientifiques, leurs institutions hiérarchisées, leurs disciplines cloisonnées, leurs tâches parcellisées. En élucidant le mode de production du savoir, plus semblable à celui des biens matériels que ne le croient les profanes, on pouvait espérer saper certaines bases de l'exploitation idéologique de la science, trop souvent utilisée comme argument d'autorité pour cautionner des décisions dont la rationalité est étroitement économique et politique plutôt que scientifique et technique – du programme électronucléaire à l'industrie génétique. Plus profondément encore, on espérait permettre au « public » de comprendre que, derrière son aspiration au partage du savoir, se posent des questions bien plus profondes, débordant largement le cadre de la seule information scientifique, et touchant moins à la connaissance par elle-même qu'à ses motivations et à ses répercussions sur la vie quotidienne, le travail, la santé, la culture. Démythification de la science, démystification des scientifiques (et, pour commencer, à leurs propres yeux !), telle était la ligne initiale.

Ces nécessités demeurent, et continuent à régir le programme de la collection « Science ouverte » – mais avec plus de souplesse et de complexité. C'est d'abord que le contexte culturel et politique a évolué. La critique de la science, en se généralisant, s'est diversifiée et, sous certaines formes, en vient à ressusciter un obscurantisme tout aussi archaïque et dommageable que le scientisme étroit. La critique, sous peine de s'émousser et de perdre tout tranchant (quitte à devenir contondante), doit se retourner sur elle-même pour rester affûtée – ou même seulement futée. Il faut donc prendre position dans les grands débats d'idées actuels et ne pas laisser certaines de nos analyses sur les limites et les risques du savoir scientifique être détournées au profit de mises en cause générales de la raison même.

Mais surtout, que la demande de savoir ait des motivations parfois obscures et qu'elle exprime des aspirations souvent illusoires ne l'empêche pas d'être une exigence légitime. La rétention du savoir par ses détenteurs est inacceptable, quelle qu'en soit la raison. Et le paternalisme ne serait pas l'attitude la moins insupportable de ceux qui, maîtres de la science, mettraient ses exclus en garde contre ses délices empoisonnées. La bronchite chronique et le risque de cancer complaisamment étalés par des parents fumeurs n'ont jamais empêché les enfants de s'intoxiquer à leur tour, et les sages admonestations des puissances déjà nucléaires effrayées par leur propre force n'ont pas détourné les nations qui le peuvent de faire la bombe. Les profanes auraient toutes raisons de récuser un comportement élitiste qui réserverait les jouissances et les frissons du savoir à ses seuls initiés. Les appels à la vigilance et les mises en garde des spécialistes ne peuvent être entendus que s'ils s'accompagnent d'un effort sans réticence pour mettre à la disposition de tout un chacun la connaissance qui fait l'objet même de ces avertissements.

D'ailleurs les motivations plus ou moins troubles du recours à la science sont-elles si différentes de celles de sa production ? Que les trous noirs ou le clonage alimentent, par-delà le sensationnalisme de surface, rêves ou fantasmes chez le lecteur d'un ouvrage de vulgarisation, comment s'en étonner ? Aussi sérieuse soit-elle, l'information scientifique ne pourra masquer que ces mêmes rêves et fantasmes ont très vraisemblablement fécondé, voire engendré, la démarche créatrice des chercheurs (qu'on pense seulement au choix souvent assez délirant et révélateur de la terminologie scientifique). La recette d'un livre de vulgarisation scientifique au succès à peu près garanti est assez simple ; il suffit qu'il porte sur l'*origine* de... n'importe quoi : l'Univers, la Vie, l'Homme, etc. On peut ironiser à bon compte sur le refuge que trouve ainsi, dans le giron de la science aux rassurantes certitudes, la vieille inquiétude métaphysique (« d'où venons-nous ? »). Mais comment ne pas se demander si la démarche du chercheur se penchant sur la cosmologie, la biogenèse ou la préhistoire, n'est pas la même, finalement, que celle du lecteur qui acquerra le livre où ledit chercheur expose ensuite ses découvertes au grand public ? Et l'on pourrait évoquer de la même façon, après le fantasme des Origines, ceux de la Globalité (voir la pléthore actuelle de systèmes théoriques à tout faire), de la Finalité, de l'Unité... Ces obscures et profondes pulsions sont constitutives du désir de savoir, pour le savant comme pour le profane. La raison doit donc accepter, éveillée, de cohabiter avec les monstres de son sommeil, nécessaires à son renouvellement. Entre leur impossible élimination et leur dangereuse prolifération, la voie est étroite. C'est celle que nous tentons de suivre. La critique reste donc un axe privilégié, mais comme processus continu et toujours recommencé, non comme inatteignable objectif final.

Mais il ne suffit pas de savoir quels livres faire. Il faut encore qu'ils soient faits. Par qui ? C'est une autre série de questions qui se posent alors. La plus grande partie des livres scientifiques est aujourd'hui l'œuvre de scientifiques. Ces auteurs, spécialistes en leur domaine, sont à la fois trop et pas assez nombreux. Pas assez par rapport aux milieux scientifiques en général : la vulgarisation et l'information y sont encore considérées comme des activités secondaires, sans prestige professionnel, et parfois tenues dans le léger dédain d'une tâche de remplacement, tout juste bonne pour les pontes à la retraite... Un élitisme inavouable mais considérable, sentiment de supériorité et de crainte à la fois devant la foule qui bat les murs de la tour d'ivoire, règne encore dans les milieux scientifiques. Une politique démocratique, d'ouverture de la science à la société, devrait ici trouver un terrain de choix, en multipliant incitations et valorisations au sein des institutions scientifiques, pour que les chercheurs considèrent la diffusion du savoir comme une tâche professionnelle majeure. Si trop peu de scientifiques font cet effort de vulgarisation, ils sont trop nombreux néanmoins en valeur relative. Le partage de la science est leur devoir, mais ils n'en ont pas l'exclusivité. Il n'est pas souhaitable que les scientifiques, pour de multiples raisons, tenant à leur isolement, à leur spécialisation, à leur inexpérience, soient seuls à assurer cette tâche. Il ne suffit pas que quelques hérauts de bonne volonté sortent de la tour d'ivoire proclamer la bonne parole. Il faut aussi que des éclaireurs et des sapeurs issus du bon peuple y pénètrent pour mettre à jour ce que les maîtres des lieux ne peuvent ou ne veulent montrer. Un rôle indispensable revient donc à des auteurs profanes, journalistes par exemple, et pas nécessairement spécialisés dans l'information scientifique, bien au contraire. Seuls, ils peuvent avoir l'audace de l'ignorance, et la vigueur nécessaire pour exiger des scientifiques que soit mené au plus loin l'impossible et indispensable travail d'élucidation et de vulgarisation, au meilleur sens du mot. La science doit être, comme la politique ou la justice, objet d'*enquêtes publiques*, serrées et sans compromis avec la déférence qu'elle inspire. Si des expériences encourageantes se multiplient dans cette direction, on est encore loin du compte.

Je me permettrai de conclure en reprenant la présentation que je faisais de mon travail d'édition à ses débuts, avec l'espoir qu'il ait, depuis, répondu à ses ambitions :

« Le mythe a désormais vécu d'une science qui serait pure accumulation de connaissances, progrès continu du savoir. La science, ce n'est pas seulement des formules vraies, des démonstrations rigoureuses, des expériences reproductibles. C'est aussi, et d'abord, la pratique, matérielle autant qu'intellectuelle, d'hommes appartenant à une société aux prises avec des problèmes où la science, de fait, est de plus en plus directement engagée. Mais est-il possible aujourd'hui de parler de science sans céder à l'ésotérisme, ni au sensationnalisme ? De discuter son rôle sans verser dans le scientisme, ni dans l'irrationalisme ? De s'intéresser aux scientifiques sans en faire les héros du progrès, ni les responsables de la crise ? C'est l'ambition des collections « Science ouverte » et « Points-Sciences » que d'y parvenir : science *ouverte*, en effet, à l'interrogation critique comme à la recherche fondamentale, au besoin de rêver comme au désir de savoir... »

La science jardinière (quatre lettres)

Lettre à Mlle A., assistante à l'Université de X.

Chère A.,

Ta lettre m'a rappelé, non sans nostalgie, les belles années 1970 où nous nous livrions, avec un plaisir ambigu, à l'autocritique de la science, et où nous essayions de transformer notre impatience en arguments théoriques, et pratiques.

Je ne crois pas, quant à moi, que notre réflexion, voire notre agitation, ait été vaine. Plutôt que de reflux de la critique, je parlerais de latence. Nous végétons, affirmes-tu. Mais c'est bien dire que se prépare une germination, une éclosion. Bien sûr, nul ne sait jusqu'à quand durera l'hiver, et encore moins quels fruits porteront les surgeons de nos idées. La critique de la science n'a rien de révolutionnaire ou de subversif par essence. Hors de leur contexte politique, nombre de nos textes de l'époque pourraient être utilisés à des fins bien étrangères aux nôtres. Déjà, te rappelles-tu, Madame Saunier-Seïté, en août 1976, n'hésitait pas dans un discours, à critiquer « le mythe de la science neutre », « l'intolérance de la rationalité scientifique », et à pointer le conflit entre projet démocratique et compétence scientifique, tout cela pour mieux justifier ses attaques contre les milieux universitaires. Il nous faut donc être vigilants, et ne pas hésiter à manier le sécateur pour rabattre, sévèrement, certaines pousses de nos propres pensées.

Tu t'étonnes que je puisse « encore » faire de la physique, et m'annonce l'avoir quittée pour te reconvertir à la cosmolinguistique. Cette discipline est, me dis-tu, moins éloignée de la « vie quotidienne des gens » ; elle permet de poser des problèmes « autrement importants pour la compréhension de notre société » ; elle est, de plus, en pleine évolution et s'y posent des « questions méthodologiques radicalement nouvelles ».

Peut-être as-tu raison, et suis-je simplement trop casanier pour oser changer de terrain. Certes, celui que je cultive peut sembler ingrat et souvent aride, d'autant qu'il est éloigné de ma demeure. Les plantes que je fais pousser, mes semblables ne les voient guère de leurs fenêtres. Cela suffit-il à leur ôter tout intérêt ? Tu sais bien, au contraire, que cet éloignement alimente d'autant les rêves et les dérives, du trou noir, comme la tulipe de la même couleur, aux quarks multicolores, comme les orchidées les plus rares. Je ne partage pas le goût égoïste de beaucoup de mes collègues pour ces cultures lointaines. Mais je reste persuadé qu'il y a beaucoup à admirer et à utiliser sur nos plates-bandes, même et surtout celles que nous cultivons depuis longtemps. Les arcs-en-ciel et les marées fascinent toujours les enfants, et les comprendre n'ôte rien à leur splendeur. Je reste donc dans mon jardin, non pour m'y enfermer, mais pour le faire visiter aux passants qui lorgnent par-dessus ses trop hautes clôtures – celles-là même que nous n'avons pas réussi à abattre –, et leur proposer (sans leur imposer) quelques graines, boutures et marcottes à cultiver eux-mêmes.

Je reste sceptique, par ailleurs, quant aux possibilités de reconversion. Pour tentantes qu'elle paraissent, les plantes exotiques qui t'attirent ne sont sans doute pas plus faciles à cultiver. Sans doute la difficulté est-elle inverse : la stérilité et l'aridité qui nous menacent sans répit dans nos domaines familiers cèdent la place au risque opposé d'exubérance et de prolifération. Comment distingueras-tu dans cette végétation qui t'est largement inconnue entre le bon grain et l'ivraie ? Et ne crains-tu pas, par ailleurs, de conserver des outils et des techniques conventionnels, et, sans même t'en rendre compte, d'imposer ainsi un style étranger à ton nouveau domaine, d'y propager les méthodes même que tu critiques ici ? Enfin, as-tu seulement pensé aux maladies et parasites dont nous sommes porteurs et auxquels tu risques d'exposer des espèces non immunisées : ne crains-tu pas que la calculite, le jargonage, l'extrapolade, auxquels résistent bien mal déjà nos semis, malgré tant de vaccins méthodologiques, ne fassent des ravages proprement doryphoresques dans tes nouvelles terres ?

Mais tu sens bien ce qu'il peut y avoir aussi de nostalgie dans mes réticences. Qu'elles ne te découragent donc pas. Je te souhaite fruits et fleurs nouvelles en abondance.

Lettre à M. B., ingénieur en retraite.

Monsieur,

J'ai bien reçu votre manuscrit proposant une nouvelle théorie de la gravitation, et les réflexions qui l'accompagnaient, où vous mettez en cause la physique contemporaine.

Vous protestez contre l'abstraction et l'ésotérisme de nos théories actuelles, telle la mécanique quantique. Vous vous indignez qu'elles restent incompréhensibles à la plupart des esprits cultivés, et en concluez que la science moderne se fourvoie : « une théorie inaccessible ne saurait être vraie », semblez-vous penser. J'aimerais que vous ayiez raison et que l'aliénation du public résulte seulement d'un égarement de la science. Je tiens malheureusement la situation pour plus grave.

Puis-je d'abord vous faire remarquer que le retour à la clarté classique de Newton, tel que vous le prônez, me paraît bien illusoire ? A son époque, en effet, des critiques, tout à fait semblables à celles que vous adressez à ses successeurs présents, furent émises à l'encontre de Newton. Beaucoup d'esprits, parmi les meilleurs du temps, récusèrent par principe le formalisme et la mathématisation des nouvelles théories physiques, au nom de la compréhensibilité immédiate, de l'évidence perceptuelle. Mais l'abstraction d'alors est devenue l'intuition d'aujourd'hui (en partie seulement, bien sûr) : nous voyons la Terre attirer les pommes, comme elle attire la Lune. Et puisqu'il en est question, tenez : la théorie newtonnienne rencontra les mêmes résistances qu'à la même époque la pomme de terre, ce légume étrange qui usurpait un nom de fruit... et ne tombait même pas. Aujourd'hui encore, certains s'insurgent contre les avocats douteux, le soja mystérieux, et les chayotes lointaines qui conquièrent nos marchés ; ils vont réclamant un retour exclusif à la pomme de terre classique. Nous devons pourtant, je crois, faire pleinement confiance aux capacités d'adaptation de notre esprit, au moins égales à celles de notre palais...

Reste que les nouvelles nourritures intellectuelles, fruits quantiques, légumes relativistes, sont réservées à une minorité privilégiée. Symboles d'une consommation d'élite, ces raisins « trop verts et bons pour des goujats » se voient rejetés plutôt qu'exigés par ceux qui en sont privés. Il faut refuser cet insidieux puritanisme intellectuel. Ainsi faisait Brecht lorsqu'il considérait comme une tâche révolutionnaire l'apologie des repas fins et des vins vieux auprès des exclus de ces plaisirs... Ceux de la pensée aussi sont un droit pour chacun. Vous aurez compris que, pour moi, l'ésotérisme et l'inaccessibilité de la science moderne ont des racines autrement profondes que ses idées : plutôt que la nature abstraite de ses théories, c'est le caractère concret de ses pratiques (sociales) que je mettrais en cause.

J'en viens à votre théorie thermoacoustique de la gravitation. Vous vous plaignez qu'elle soit dédaigneusement rejetée par la physique orthodoxe, dont vous dénoncez la censure. Vous reconnaissez les lacunes et les insuffisances de votre théorie. Mais, convaincu *a priori* de sa validité, vous affirmez qu'elle serait vite mise au point si seulement les professionnels s'y intéressaient. Vous êtes, Monsieur, comme un promeneur, qui ayant trouvé une plantule au bord du chemin, voudrait persuader les jardiniers de la mettre en terre dans leurs plates-bandes et de lui consacrer leurs meilleurs soins, sans preuve aucune qu'elle soit intéressante, ni même viable. Vous ignorez peut-être que, des graines errantes, des plants inconnus, nous en recevons tant que, le voudrions-nous, nous ne pourrions même pas les repiquer tous. Les fleurs de la pensée les plus étranges nous sont presque quotidiennement proposées : théories de la Terre creuse, de l'atome pneumatique, de l'éther nucléarisé, de l'espace plissé, etc. Vous m'accorderez au moins que toutes ne pourraient être transplantées avec succès dans notre terreau ! Sans doute votre enthousiasme, digne d'éloge, pour la science, vous cache-t-il le caractère ardu de notre tâche : semer n'est rien, ni cueillir ; c'est bêcher, éclaircir, repiquer, trier, traiter, tailler, élaguer, fumer, biner, greffer, tuteurer, arroser qui occupe notre temps. A peine avons-nous assez de temps pour cultiver nos plantes soigneusement sélectionnées. Comment nous demander de prendre en charge votre cueillette ?

Nous trions, certes, et rejetons : serait-il jardinier, celui qui laisserait croître les mauvaises herbes ? J'entends votre objection : qui décide que telle herbe est « mauvaise », précisément, ou bonne ? Il me faut ici vous donner raison. Si dans l'ensemble je fais confiance au jugement de mes collègues, fruit d'une longue pratique, je suis certain que parfois nous laissons passer l'occasion d'acclimater une espèce nouvelle, ignorons une mutation favorable ou arrachons une rose à cause de ses épines. Je suis pour ma part favorable à un style moins sévère et préfère les parcs à l'anglaise aux jardins à la française. Mais ne vous y méprenez pas : si l'ordre y est différent, il n'est pas moindre. Il est trop tard, voyez-vous, pour revenir à la pensée sauvage. La végétation primitive partout a disparu devant les brûlis incontrôlés. S'ils ne sont cultivés avec vigilance, ces terrains défrichés ne retrouveront pas la virginité des forêts ou l'âpreté des maquis, mais deviendront la proie des ronces et des orties. Le danger pour ce qui peut subsister de spontanéité ne vient guère des jardiniers de la science : ils sont bien trop occupés dans leurs terres fertiles. Craignez plutôt la culture industrielle et la pensée des grandes surfaces. C'est dans l'uniformité des champs de blé modernes qu'ont disparu les bleuets, et dans nos modestes jardins qu'on les trouve encore.

Ne croyez pas pour autant que j'aie pour vos idées mépris ou indifférence. Elles m'intéressent et me stimulent, et je tâcherai de relever votre défi, de vous expliquer pourquoi je les crois destinées à rester sauvages et éparses. Pourquoi d'ailleurs faudrait-il absolument qu'elles soient admises dans les serres de l'orthodoxie scientifique ? Le plaisir manifeste que vous avez éprouvé à découvrir ces étranges pousses doit-il à tout prix recevoir la caution des horticulteurs patentés ?

Veuillez accepter, Monsieur, mes salutations les meilleures.

Lettre à M. C., directeur de recherches au CNRS.

Mon cher C.,

J'ai bien reçu votre récent livre, *le Triomphe de l'Ailleurs*, et vous en remercie. L'accueil dithyrambique que lui fait la presse me réjouit pour vous, même si, vous vous en doutez, je ne partage pas cet enthousiasme.

Lorsque vous n'étiez que physicien spécialisé et pas

encore théoricien universel, nous eûmes plusieurs fois l'occasion de discuter du rôle que les idées scientifiques pouvaient jouer dans le mouvement de la pensée. Je vous ai toujours dit ma méfiance à l'égard des extrapolations et des généralisations, surtout conduites à partir de l'intérieur de la science.

Certes, le « Principe de délocalisation », qu'expose et illustre votre ouvrage, permet une vision synthétique grandiose. L'idée selon laquelle « la concentration baisse quand le domaine s'étend » n'est guère contestable. Elle unifie des phénomènes aussi différents que, du particulier au général, l'étalement du paquet d'ondes quantique, la diffusion dans les liquides, la dispersion des espèces vivantes, la propagation des idées, l'extension des systèmes sociaux... Décidément, nous vivons une époque extraordinaire : tout s'explique, et plutôt deux fois qu'une, dans les termes les plus universels. De toutes parts, nous sont proposées des synthèses totalisantes. On ne compte plus les panacées intellectuelles sur le marché des idées : l'élixir catastrophique de Maître Thom, les granulés aux structures dissipatives des laboratoires Prigogine (marque déposée « A la Nouvelle Alliance »), le Sirop de Sirop méthodologico-biologico-écologico-etc de l'abbé Morin, la liqueur aux extraits du Réel Voilé du professeur d'Espagnat, le Système macroscopique du baron de Rosnay – sans parler de quelques remèdes exotiques comme la pommade taoïste aux quanta du guru Capra ou le pot-pourri conscientifique des médecins de Cordoue...

Beau rétablissement : la Science, un moment mise en cause dans sa fonction idéologique, se refait une virginité dans un rôle proprement théologique. La renaissance du phénomène religieux, ce n'est pas seulement la résurgence d'un néo-islamisme, d'un néo-christianisme, d'un néo-bouddhisme, mais aussi celle de ce néo-scientisme. Devant la majesté des perspectives métaphysiques soudainement révélées, que valent nos mesquines critiques des années passées, sur la militarisation, la hiérarchisation, la parcellisation de la science contemporaine, ses soumissions, démissions et compromissions ?

Je reste incurablement sceptique. Ces idées, la vôtre incluse, s'appliquent à tout et n'expliquent rien. Car enfin, il n'est pas de plante utile qui puisse croître et prospérer en toutes régions, sous tous les climats. On peut opérer des transplantations fécondes mais spécifiques : la pomme de terre d'Amérique du Nord pousse en Europe, non en Afrique ; le café d'Arabie a conquis le Brésil, pas le Canada...

Certaines espèces, bien sûr, peuvent être acclimatées très loin de leur domaine d'origine et de prédilection. Elles y perdent leur vigueur naturelle et ne jouent plus aucun rôle actif dans leur nouvel écosystème. Combien de nos plantes vertes d'appartement, les fatsias, les avocatiers (Persea arymifolia), les ficus, sont dans leurs contrées de superbes arbres, réduits ici à une figuration purement décorative et n'y fructifiant jamais ? Ces vestiges empotés symbolisent assez bien la place réelle que tiennent aujourd'hui dans les discours philosophiques, les analyses économiques, les études sociologiques, diverses notions importées depuis les mystérieuses forêts vierges des sciences dures : une catastrophe en ombilic, un paradoxe d'Einstein-Podolski-Rosen, une structure de Bénard, ça fait toujours joli dans un salon, et ça permet aux bêcheurs du dimanche de se prendre pour des professionnels de la culture. Au moins un petit nombre d'esprits sauve-t-il l'honneur par la pratique modeste et persévérante du Bonsaï conceptuel, choisissant dans une discipline lointaine une idée particulière et la miniaturisant avec soin, cultivant une métaphore précieuse, une analogie ponctuelle, aux antipodes de l'esprit de système.

Sans doute, quelques espèces finissent par proliférer spontanément, même après une lointaine migration – au détriment des autochtones. Ces orties de la pensée, plus moyen ensuite de s'en débarrasser. Et combien d'idées en herbe, de fragiles pousses conceptuelles ont-elles déjà été étouffées par les ronces théoriques universelles, que les naïfs éblouis ont laissé croître, les prenant pour des roses en raison des dures épines de leur formalisme ?

Décidément, une idée, comme une plante ne trouve son charme et ne prend sa force que de son enracinement et de son environnement. Si j'aime les cistes, c'est dans le maquis méditerranéen, et le câprier m'enchante sur les murailles de Jérusalem. Je ne souhaite pas les voir dans les prairies alpines, ou les forêts nordiques, que j'aime pour elles-mêmes. C'est la diversité du monde, intellectuel et naturel, qui me le rend précieux.

Ne me tenez pas rigueur, mon cher C., de ma réaction qui, certes, dépasse son objet, et le méconnaît sans doute. Comme les autres tentatives de culture globale, la vôtre produit quelques fleurs admirables, que je sais apprécier. Mais c'est le risque de monoculture qui m'effraie.

Recevez, mon cher C., mes salutations les meilleures.

Lettre à M. le Professeur D., président de la Société des physiciens français.

Monsieur et Cher Collègue,

J'ai bien reçu votre lettre me suggérant de poser ma candidature au Conseil supérieur de la culture scientifique dont le gouvernement, sur l'initiative du président de la République, vient de décider la création[1]. Je suis extrêmement honoré par votre proposition et tout particulièrement que vous me la fassiez au nom de notre Société des physiciens français.

La double tâche attribuée à ce Conseil me paraît d'une extrême importance, qu'il s'agisse d'une part de contrôler

1. Cette lettre – fictive – fut écrite en décembre 1980. Depuis, le président de la République – réel – a changé. Non ma position, telle que cette lettre l'expose.

et d'impulser le développement de la recherche scientifique selon des critères méthodologiques et culturels et non plus seulement techniques, et d'autre part de coordonner et d'animer la diffusion des connaissances et des idées scientifiques dans toute la sphère culturelle, de l'école aux media.

C'est l'importance même de cette mission qui m'empêche de pouvoir accepter d'emblée et sans réticences votre élogieuse suggestion. Je crois en effet que l'ampleur des problèmes posés par les rapports de la culture et de la science rend dérisoire ou dangereuse toute tentative de solution institutionnelle. Dans le meilleur des cas, en effet, ce Conseil comme tant de ses prédécesseurs n'aura aucune action réelle et sera sans plus de rapports avec la culture scientifique que les sous-préfets inaugurateurs de comices avec la culture céréalière.

Mais je redoute plus encore la situation – improbable, je vous l'accorde – où ce Comité prendrait son rôle au sérieux et disposerait des instruments d'action nécessaires.

Dans la recherche scientifique, tout d'abord, je ne crois pas que l'indispensable valorisation des motivations, des contenus et des impacts culturels puisse se planifier à coup d'« actions thématiques programmées », de rapports d'activité et autres techniques administratives. On aboutirait rapidement à une normalisation insupportable et périlleuse. Dans l'agriculture aussi, les méthodes industrielles et les techniques de masse ont, après des succès initiaux, révélé leurs limites. Les céréales soigneusement sélectionnées n'atteignent leur pleine productivité potentielle qu'au prix d'apports d'engrais et de réseaux d'irrigation dont le coût annule le gain espéré. De plus, ces nouvelles variétés sont souvent d'une extrême sensibilité aux maladies, et l'appauvrissement du stock génétique peut à terme conduire à une grave impasse quant à leur nécessaire évolution. Il en irait de même dans le domaine des idées, si leur sélection et leur croissance étaient conduites selon des normes systématiques. L'agronomie commence à reconnaître l'utilité de cultures mixtes comme on en mène traditionnellement dans certaines contrées, où les paysans laissent croître dans leurs champs des herbes apparemment inutiles, mais en fait précieuses pour la fécondation ou la protection des cultures, soit qu'elles attirent les insectes pollinisateurs, soit qu'elles repoussent les parasites. Dans les jardins de la science, n'arrachons donc pas non plus tout ce qui pousse en liberté. Qui sait si telle mauvaise herbe ne se révèlera pas plus utile que le légume voisin ?

Du point de vue de la diffusion culturelle maintenant, je ne crains pas moins l'intervention d'une institution centrale. Elle aurait tôt fait de proposer et d'imposer des produits culturels soigneusement sélectionnés, en provenance bien sûr des plus grands laboratoires, au détriment des espèces sauvages ou spontanées dont la découverte, l'identification, la culture enfin, sont un plaisir et font une étude bien autrement riche que le jardinage *ready-made*. La roquette (Eruca sativa) que je cueille sur la colline m'apporte plus, botaniquement et gastroniquement, qu'une banale laitue – même si je l'avais plantée. Et la commercialisation forcée de gadgets culturels se grefferait vite sur cette science de consommation. Comme la tondeuse à gazon motorisée, l'arrosage automatique ou le sécateur électrique, il faudrait avoir, après sa calculette transistorisée, sa minifusée spatiale de jardin, son cyclotron de poche...

Ne pensez pas pour autant que je croie tout travail impossible sur ces questions. Mais il ne me paraît utile et fécond que mené aussi sur une échelle plus réduite et avec une modestie seule garante d'une relative efficacité.

Veuillez croire, mon cher Collègue, en mes sentiments les meilleurs.

La science, la politique

Idées reçues

La forme volontairement schématique de ce texte répond à sa fonction première, explicitement didactique, à destination des lycéens et bacheliers. Si cette présentation exige que les arguments en soient prolongés et affinés (ce à quoi s'essaient ici d'autres textes), elle permet peut-être de clarifier les enjeux de la discussion.

Nous vivons, dit-on, une ère scientifique. Ce cliché déjà exprime et explique tous ceux, innombrables, qui courent sur la science. Avant que de pouvoir la penser et comprendre sa place dans notre société, il faut d'abord déblayer le terrain et le débarrasser des plus pernicieuses et des plus répandues parmi ces idées reçues. Après souvent plus d'un siècle d'existence, beaucoup font encore preuve d'une belle vitalité.

« *La science est neutre* »

Si je fabriquais des couteaux de boucher, je me sentirais parfaitement à l'aise, même si ces couteaux servent parfois à assassiner des gens, parce que, après tout, on a besoin de couteaux de boucher, personne ne le nie, et ce n'est pas au coutelier de s'occuper de l'emploi criminel que certains peuvent en faire.

Louis Néel,
prix Nobel de physique (1971).

Le physicien dont les travaux fondamentaux ont permis la naissance d'une technologie dont la société fait un mauvais usage a-t-il une responsabilité particulière ?

A. Abragam, professeur
au Collège de France (1973).

La science est souvent considérée comme neutre à l'égard de ses conséquences. Ses découvertes pourraient être utilisées indifféremment à des fins bonnes ou mauvaises : l'énergie nucléaire, dit-on, peut servir à produire de l'énergie dans des centrales, comme à détruire gens et biens avec les bombes. Le contenu de la connaissance scientifique serait étranger à toute considération morale ou sociale, et les scientifiques innocents des applications faites de leurs travaux. La responsabilité en incomberait uniquement au pouvoir politique qui déciderait seul de ces applications, ou à la société dans son ensemble, qui les laisserait mettre en œuvre.

Mais...

a) Les scientifiques, si prompts à refuser la responsabilité des conséquences néfastes de leurs travaux – ils parlent alors de « détournement », à des fins militaires par exemple –, ne refusent pas les éloges et la reconnaissance dont on les gratifie pour les applications bénéfiques. C'est pourtant la même science, et les mêmes scientifiques qui sont impliqués dans la construction des bombes comme des centrales, dans la création des armes bactériologiques comme des vaccins, dans la diffusion de la pollution chimique comme des engrais.

b) Pour que la science puisse être neutre, il faudrait qu'elle soit source de connaissances pures, origine absolue, vierge de toute influence extérieure. Tel n'est pas le cas : le contexte social détermine la production scientifique de façon essentielle, surtout à notre époque où l'ampleur des travaux de recherches nécessite des investissements financiers et humains considérables. Le choix, au niveau de la politique scientifique, des priorités de la recherche, conditionne, par l'attribution de crédits et de personnel, la possibilité ou non de développements dans les différents secteurs. Ainsi, la physique nucléaire et subnucléaire n'aurait-elle jamais été développée comme elle l'a été depuis trente ans si elle n'avait prouvé aux pouvoirs politiques son efficacité militaire en leur livrant la bombe d'Hiroshima et ses sinistres perfectionnements ultérieurs. De même, les bénéfices purement économiques escomptés des progrès de la biologie moderne, en particulier par les grandes firmes pharmaceutiques et les industries chimiques, expliquent-ils très largement la vogue et le soutien dont jouit cette discipline. Inversement, si les « énergies nouvelles », celles du soleil, du vent, de la mer, sont encore si peu exploitées malgré la crise, c'est que les intérêts des grandes compagnies pétrolières ont freiné l'étude concurrente de technologies énergétiques alternatives, efficaces et rentables. C'est un expert, J. B. Wiesner, qui déclarait en 1963, alors qu'il était conseiller scientifique du président des États-Unis J. Kennedy : « Beaucoup de mes collègues de la communauté scientifique jugent les projets spatiaux de la NASA uniquement sur leurs mérites scientifiques. Je pense que, si l'on me demandait si une telle quantité d'argent doit être dépensée dans des buts purement scientifiques, je répondrais très nettement : « NON. » Je pense qu'ils n'ont pas aperçu les profondes implications militaires, ni la très importante signification politique de ce que nous faisons, ni les autres importants facteurs qui ont influencé le président lorsqu'il a pris sa décision. »

c) De même que la science n'échappe pas à l'influence directe des conditions sociales, les scientifiques ne sont pas isolés du reste de la société, et ne constituent pas une collectivité idéale mue par le seul souci du progrès de la connaissance. Certes, l'ampleur quasi industrielle de nombreux domaines actuels de la recherche scientifique réduit la plupart de ceux qui y participent à un rang subordonné, où leur liberté de choix et leur responsabilité personnelle sont des plus réduites. Lorsqu'une équipe de recherche en physique des particules compte une centaine de physiciens, sans parler des techniciens et des secrétaires, le chercheur individuel n'a guère plus de poids que l'ingénieur ou l'ouvrier d'une usine d'automobiles ou d'armements. Mais, justement, cette perte d'autonomie laisse le champ libre aux décisions prises par les « patrons » de l'institution scientifique, membres des divers comités de décisions officiels, où leur rôle politique ne peut plus être dissocié de leur travail scientifique. Leur responsabilité particulière dans l'orientation des recherches scientifiques engage en fait la responsabilité collective de l'ensemble des chercheurs qui, en général, ratifient de façon passive les choix faits en leur nom.

d) Enfin, l'idée même d'une « neutralité » de la science n'aurait de sens que si la balance était égale entre les risques d'applications néfastes et les espoirs de conséquences bénéfiques. Or, étant donné les structures sociales actuelles, l'on peut être sûr à tout coup qu'une découverte susceptible d'une utilisation militaire ou d'une exploitation financière sera mise en œuvre, alors qu'une application bénéfique n'apportant ni puissance ni profit pourra rester ignorée. De plus, ces structures sociales conditionnent non seulement les applications de la science, mais la forme qu'elles prennent : l'énergie nucléaire ne peut à l'heure actuelle être exploitée que de façon massive et centralisée, rendant encore plus difficile une solution démocratique, contrôlée à l'échelle locale, des problèmes énergétiques.

« La science est objective »

> Le véritable savant n'a pas à rechercher ce qui peut être dans telle ou telle hypothèse, son devoir et son but sont de rechercher ce qui est...
>
> Louis Pasteur (1871).

> Ce que les savants apportent au monde, c'est leur objectivité.
>
> Alfred Kastler,
> prix Nobel de physique (1970).

On célèbre couramment l'objectivité de la science, qui fournirait des vérités absolues, indépendantes des contingences de leur découverte, dont la validité échapperait à tout critère historique, à tout jugement de valeur. Du même coup, le savant est considéré comme le modèle de l'individu objectif, qui, pour découvrir la vérité, ferait abstraction de sa subjectivité et mènerait son travail débarrassé de tout préjugé politique, de toute préférence philosophique, de toute inclination passionnelle.

Mais...

a) Dans la mesure même où la science est recherche, quête de l'inconnu, elle fait une large place, dans ce qu'elle a de meilleur et de plus noble, à l'invention, à l'imagination, à la liberté d'esprit. Les grandes découvertes ne sont pas décryptage d'un texte déjà écrit en une langue jusque-là inconnue, mais création d'idées et de concepts. Y participent toutes les ressources intellectuelles de l'individu ou du groupe, éminemment liées au contexte culturel, philosophique, esthétique dans lequel il vit. Le savant ne peut laisser l'idéologie à la porte de son laboratoire. Il n'est d'ailleurs pas souhaitable qu'il le fasse : les préjugés métaphysiques ou religieux peuvent féconder, aussi bien que stériliser, le travail de recherche. Ainsi, c'est avec des arguments théologiques sur le sens de l'économie attribué à Dieu que Maupertuis, au XVIIIe siècle, découvrit le « principe de moindre action » de la mécanique. Et le physicien Dirac a souvent dit avoir été guidé dans ses travaux par un sens très particulier de l'esthétique, proposant telle théorie ou telle équation avant tout pour sa « beauté ».

b) L'intérêt même pour la science ne se réduit certainement pas à l'aspiration mesquine vers l'objectivité du savoir et sa sécurité. Il y a dans le désir de savoir, tant chez le scientifique professionnel dans son laboratoire que chez le profane friand de vulgarisation scientifique, l'expression de véritables passions et de fantasmes profonds. Quand la cosmologie se penche sur l'origine de l'univers, la biologie sur l'origine de la vie, l'anthropologie sur l'origine de l'homme, les sciences ne font que reprendre à leur manière une interrogation fondamentale de l'humanité, la quête de son identité, menée avec tous les moyens intellectuels disponibles : la science y rejoint la métaphysique et la mystique. Comment nier le rôle de la subjectivité dans l'activité scientifique quand Einstein déclare : « Il existe une passion de comprendre, comme il existe une passion pour la musique... Sans cette passion, il n'y aurait ni mathématiques ni sciences naturelles. » Si l'on considère que Newton a consacré plus de la moitié de ses travaux à la théologie et à l'alchimie, que Kepler était astrologue autant qu'astronome, on voit à quel point il est difficile de démêler la science, avec sa prétendue objectivité, d'activités moins réputées à cet égard – d'autant plus que ce n'est qu'à titre rétroactif que l'on peut tenter de distinguer entre des recherches qui pour leurs auteurs étaient intimement mêlées.

c) On objectera cependant que, si l'on peut contester l'objectivité de la démarche individuelle du savant, sa découverte, elle, une fois reconnue par le monde scientifique, assimilée et transformée au cours de l'histoire, accède, semble-t-il, à un statut objectif. Ce serait compter sans les grandes ruptures qui jalonnent l'histoire des sciences et mettent en lumière les importants préjugés implicites qui sous-tendaient une vérité admise jusque-là comme objective. Ces épisodes montrent comment une telle « vérité » ne faisait qu'exprimer un point de vue particulier, subjectif – même si c'est à titre collectif. Ainsi, la révolution copernicienne, du géocentrisme à l'héliocentrisme, est-elle moins le remplacement d'une erreur par une vérité que le passage d'une vision limitée, liée à notre situation terrestre (et donc ayant un vaste domaine de validité, encore aujourd'hui), à une vision plus large englobant la précédente comme un cas très particulier. De même, le théorème de Pythagore, apparemment épuré par deux mille ans de géométrie jusqu'à présenter l'apparence de la plus banale objectivité, se révèle-t-il, au cours du XIXe siècle, n'être valide que dans un cadre restreint, celui de la géométrie euclidienne. Ces dévoilements successifs des traces de la subjectivité (sociale, en tout cas) dans la science ne suffisent d'ailleurs pas à justifier une reprise affaiblie de sa prétention à l'objectivité, puisque rien ne laisse suggérer que ce mouvement tend vers un point de vue général et englobant.

d) Dans la mesure où elle est quête active, et non contemplation passive, la science ne peut prétendre être objective. Elle est, avant tout, l'expression d'un projet social. Seules

les sociétés occidentales modernes ont connu une telle activité systématique d'investigation du réel, dont la nature est fort différente des formes de la connaissance en vigueur dans d'autres civilisations : l'admirable « science » chinoise, d'une extrême richesse, ne peut être ainsi nommée que par abus de langage. C'est parce que nos sociétés ont adopté face au monde une attitude bien particulière, se posant, précisément, en « sujet » devant une nature considérée comme « objet », qu'est née la science. Son but, Descartes le dit clairement, est de « nous rendre comme maîtres et possesseurs de la nature ». Le développement de la science répond donc à un projet bien défini : la quête est en réalité conquête, et la recherche scientifique, comme les grandes explorations, vise, après la connaissance du monde, son appropriation.

« La science est méthodique »

> La science positive [est née lorsque] l'esprit humain a suivi une méthode simple et invariable. Il a constaté les faits par l'observation et par l'expérience ; il les a comparés et il en a tiré des relations qui ont été à leur tour, et c'est là leur seule garantie de réalité, vérifiées par l'observation et par l'expérience.
>
> Marcelin Berthelot,
> chimiste et homme d'État (1863).

> [...] la méthode expérimentale, si sûre quand elle est sévèrement appliquée. Le danger est toujours dans l'interprétation des faits [...] Le grand art consiste à instituer des expériences décisives, ne laissant aucune place à l'imagination de l'observateur.
>
> Louis Pasteur (1871).

Le prestige de la science est dû pour partie à l'idée qu'il existe une méthode scientifique, ensemble de règles et de critères permettant à coup sûr le progrès du savoir et l'établissement de la vérité. C'est cette méthode qui garantirait à la science une rigueur et une certitude inaccessibles, et en tout cas incontrôlables, dans les autres domaines de l'activité intellectuelle. La mise en évidence attentive et systématique des faits, la formulation d'hypothèses théoriques, la déduction des conséquences observables, la vérification expérimentale de ces conséquences enfin, conduisant à la validation ou au rejet de la théorie proposée, tels seraient les traits essentiels de la méthode.

Mais...

a) La notion de fait empirique est fortement sujette à caution. Il est très largement admis maintenant par les différents courants de l'épistémologie qu'il n'existe pas de « faits » bruts. L'observation expérimentale n'est jamais innocente : les théories admises ou les conjectures pèsent lourdement sur l'expérimentateur en conditionnant le montage de son expérience, aussi bien que son attente des résultats ; l'observation ne consiste pas en l'enregistrement exhaustif des événements, qui est impossible et serait inutile. Elle comporte donc un choix, conscient ou non, qui ne retient dans la complexité indéfinie de tout phénomène réel que certains traits saillants ou considérés comme tels. Ce tri est très étroitement déterminé par la finalité de l'expérience, elle-même liée aux conceptions théoriques admises par le chercheur. On ne voit tout simplement pas le monde de la même façon, suivant l'idée qu'on s'en fait. Ainsi les « novae », puissantes explosions stellaires augmentant brutalement la visibilité d'étoiles banales, sont-elles des phénomènes célestes assez courants. Pourtant, alors que les chroniques chinoises du Moyen Age les indiquent avec beaucoup de précision, des observations analogues n'ont jamais été retrouvées dans les archives européennes de l'époque : la croyance en un monde céleste parfait, incapable de corruption et non soumis au changement, interdisait que fussent considérés comme pertinents de tels faits, sans doute assimilés à de fugitifs météores locaux. Dans le même ordre d'idées, il convient de ne pas sous-estimer, en s'en gaussant, les résistances rencontrées par les observations célestes faites par Galilée à l'aide de sa lunette. Son instrument était bien imparfait, et nul (Galilée pas plus que les autres) n'en comprenait le fonctionnement. Distinguer dans ces conditions entre phénomènes réels (satellites de Jupiter, par exemple) et illusions d'optique ou artefacts, relevait... de la foi (Galilée, d'ailleurs, interpréta l'anneau de Saturne comme un astre triple).

b) Le moment de l'hypothèse précède donc plus souvent qu'il ne suit celui de l'observation. De plus, il n'existe aucune méthode pour formuler une hypothèse ! C'est là que le rôle de l'invention, de la liberté de création, est essentiel. Non seulement l'imagination est nécessaire, mais il convient de favoriser tout ce qui la stimule : rapprochements d'idées incongrus, références culturelles lointaines, analogies infondées. « Tout est bon », comme le dit Feyerabend, plaidant pour l'anarchisme épistémologique. Einstein, déjà, avait indiqué qu'aux yeux des philosophes des sciences soucieux de méthodologie, le scientifique en action passerait certainement pour un « opportuniste épistémologique », faisant flèche de tout bois.

c) La vérification non plus ne saurait constituer un critère méthodologique absolu, ne serait-ce que parce qu'elle ne peut-être que partielle. Sur le plan logique, l'observation systématique que le soleil s'est levé tous les jours jusqu'à aujourd'hui ne peut garantir la certitude que, demain, il en ira de même. C'est le vieux problème de l'induction ; il a conduit Popper à proposer l'idée que, si l'on ne peut *vérifier* une théorie juste, au moins peut-on *réfuter* une théorie fausse, et adopter la réfutation comme critère de validité en lieu et place de la vérification. Cette méthodologie affaiblie, malgré sa modestie, ne rend pas mieux compte de la science telle qu'elle se fait. Car il y a toujours des exceptions, dans toute série d'expériences, et, au sens strict, toute théorie est réfutée par certains résultats. C'est précisément *l'art* de l'expérimentateur que de juger s'il faut les écarter comme aberrants ou les retenir comme pertinents. En ce sens, toutes les grandes découvertes sont « truquées » par l'intuition de leur auteur. Par exemple, les généticiens savent bien que les observations de Mendel, base de leurs théories modernes, sont beaucoup trop précises, étant donné les conditions de ses expériences. Enfin, la crédibilité d'une vérification comme d'une réfutation dépend de l'acceptation tacite de nombreuses hypothèses théoriques : la découverte de coquilles fossiles sur une montagne ne prouve la variation du niveau des mers que si l'on accepte la théorie de l'évolution ; pour un adepte du créationnisme, la Terre peut très bien avoir été créée d'un coup, avec ses fossiles tout prêts !

« *La science, c'est le progrès technique et industriel* »

> Les grandes innovations pratiques, les grands perfectionnements de l'industrie et des arts sont tous sortis de méditations profondes des mathématiciens illustres, des laboratoires de savants physiciens, de chimistes consommés, d'observations de naturalistes de génie.
>
> Louis Pasteur (1871).

> Le progrès de la science, qui engendre le progrès technique...
>
> Georges Pompidou,
> président de la République
> française (1971).

> Les acquis des sciences ont toujours contribué à l'amélioration des techniques.
>
> Joe Metzger,
> de la direction du
> parti communiste français (1974).

C'est une idée très répandue que toutes les découvertes scientifiques fondamentales finissent par déboucher sur des applications techniques et, réciproquement, que toutes les innovations techniques trouvent leur source dans des recherches scientifiques apparemment gratuites. On en donne pour exemple les transistors, retombées des progrès en physique quantique de la matière solide, ou, à l'heure actuelle, le développement de nouveaux médicaments et de nouveaux aliments découlant des avancées de la biologie moléculaire fondamentale. Cet argument justifierait, malgré leur coût de plus en plus élevé, la poursuite des recherches scientifiques apparemment les plus éloignées d'applications éventuelles : il suffirait d'attendre pour voir apparaître tôt ou tard de telles applications.

Mais...

a) Il n'est certainement pas vrai que le progrès technique a *toujours* suivi le progrès scientifique. Bien au contraire : le développement de ses techniques caractérise l'humanité depuis plusieurs millénaires, et, pendant la plus grande partie de son histoire, il a eu une existence indépendante de la pensée scientifique. Dans l'Antiquité et pendant le Moyen Age, les techniciens et les ingénieurs accomplissent un travail remarquable, très peu lié aux préoccupations des savants de l'époque : les mécaniciens et hydrauliciens grecs ne doivent rien aux mathématiciens du moment. A la Renaissance, c'est l'expérience et le savoir techniques accumulés qui impulseront le développement scientifique, et non l'inverse : Léonard de Vinci est un ingénieur plus qu'un savant, et le physicien Galilée ira chercher les « effets merveilleux » qui alimentent sa pensée dans l'observation des ouvriers de l'Arsenal de Venise, et de leurs machines. Au début du XIXe siècle encore, la machine à vapeur fait plus pour la théorie de la chaleur et la thermodynamique, que l'inverse ; ses inventeurs, Newcomen, Watt, etc., précèdent de plusieurs décennies les savants comme Sadi Carnot et Fourier. Il y a dans la vision conventionnelle une subordination de la technique à la science, une sous-estimation de la valeur d'une pensée technique autonome qui renvoient directement à la surévaluation dans notre société de la théorie par rapport à la pratique, des activités intellectuelles et abstraites par rapport aux tâches manuelles et concrètes. Il nous manque une philosophie et une histoire des techniques aussi développées que la philosophie et l'histoire des sciences. Diderot écrivait déjà en 1750, dans le prospectus de l'*Encyclopédie* : « On a trop écrit sur les sciences [...] on n'a presque rien écrit sur les arts mécaniques. »

b) Il est vrai pourtant que, pendant la seconde moitié du XIXe siècle, et au début du XXe, les liens entre science et technique se resserrent. Deux des développements majeurs de la technologie moderne à la fin du siècle dernier sont rendus possible par des progrès considérables de la recherche fondamentale : les théories de l'électricité, puis de l'électromagnétisme, permettent l'utilisation de l'énergie électrique, puis l'invention des télécommunications (téléphone, radio) ; les progrès de la science chimique engendrent la croissance d'une puissante industrie chimique, fabriquant des colorants, traitant les minerais, synthétisant des matériaux nouveaux à partir de travaux scientifiques. Mais, même à cette époque, la relation reste complexe entre science et techniques. Les méthodes de laboratoire doivent être considérablement modifiées par les hommes de la production pour être utilisées à l'usine. Et, surtout, de très nombreuses innovations restent le fait d'artisans ou d'inventeurs très ignorants des théories scientifiques fondamentales : la dynamo du charpentier Gramme, l'ampoule électrique, le phonographe, etc., d'Edison, le téléphone de Bell, et même la lampe radio (triode électronique) de Lee de Forest.

c) Aujourd'hui, bien évidemment, il est difficile d'imaginer une technique nouvelle qui ne résulte de l'application de certaines découvertes scientifiques. Mais le problème est inversé : le développement de la connaissance scientifique est d'une telle ampleur, la masse des travaux de recherche si considérable, que seule une très faible partie trouve à s'appliquer dans la production industrielle et l'innovation technologiques. La plupart des disciplines « de pointe », physique des particules, recherche spatiale, génétique et biologie moléculaires, sont en fait beaucoup plus consommatrices que productrices de techniques. Elles ont parfois un rôle indirect d'incitation permettant, pour les nécessités de l'expérimentation scientifique, la mise au point de techniques nouvelles – mais rien ne prouve que ces techniques n'auraient pu émerger de façon autonome. Contrairement à une idée répandue, beaucoup de problèmes techniques à résoudre aujourd'hui ne dépendent pas de la recherche fondamentale, que ses intérêts ésotériques éloignent souvent des besoins immédiats. Nos connaissances scientifiques sont largement suffisantes pour développer de nouvelles technologies énergétiques (solaire, éolienne, etc.), de nouvelles méthodes agricoles, de nouveaux moyens de transport, etc. Ces progrès techniques potentiels sont inhibés non par notre ignorance, mais par les intérêts égoïstes des pouvoirs en place, ennemis de tout changement qu'ils ne contrôleraient pas à leur profit – politique ou économique. Combien d'inventions utiles ont-elles été délibérément enterrées parce que non rentables pour les grandes firmes (certaines sont même allées jusqu'à faire des recherches scientifiques pour *diminuer* la durée de vie des produits, par exemple les ampoules électriques).

« *La science, c'est le progrès social et humain* »

> C'est la science qui assura aux sociétés humaines des lois et une organisation juste et rationnelle. Elle résoudra les problèmes sociaux de l'homme, en créant de nouvelles richesses qui n'auront été ravies à personne...
>
> Paul Painlevé,
> scientifique et politicien (1936).

> Le progrès des sciences et techniques, tel est le principal levier de la création de la base matérielle et technique du communisme.
>
> Leonid Brejnev (1975).

Beaucoup considèrent la science comme un facteur de progrès social et de libération humaine. C'est elle qui, grâce à ses applications, soulagerait la misère et la fatigue humaine : les machines depuis un siècle, l'automatisation maintenant éviteraient à l'homme les labeurs pénibles et ennuyeux, la médecine allongerait la durée de la vie humaine et supprimerait la souffrance et la maladie, la biologie permettrait de lutter contre la faim dans le monde. Ce serait d'ailleurs justement le souci du bien-être de l'humanité et des progrès de la société qui impulserait les développements scientifiques et ferait la motivation essentielle des chercheurs.

Mais...

a) Jusqu'à présent, l'un des facteurs essentiels du développement scientifique, comme de nombreuses activités humaines, a été fourni par la guerre. Les exigences militaires, très souvent, ont entraîné non seulement des innovations techniques, mais des avancées scientifiques importantes. Galilée perfectionna la lunette pour la vendre aux doges de Venise en vantant son importance militaire et l'avantage qu'elle donnerait à la flotte vénitienne. Au siècle dernier, ce sont pour beaucoup les besoins de communications rapides au travers des grands empires coloniaux qui expliquèrent, en Angleterre en particulier, l'intérêt porté aux recherches, apparemment purement théoriques, sur l'électricité et le magnétisme. Plus près de nous, la Seconde Guerre mondiale a joué un rôle essentiel en permettant un effort démesuré pour l'exploitation de l'énergie nucléaire, effort que des buts purement civils n'auraient sans doute pas suffi à justifier. Plus profondément, la mise au point de la bombe A à Los Alamos démontra la possibilité d'organiser l'activité de recherche scientifique sur un modèle rigoureusement hiérarchisé et compartimenté, à l'image de l'organisation militaire et industrielle, et à l'opposé du caractère libre et désintéressé habituellement attribué à la science. Beaucoup de retombées de la science, même parmi les plus bénéfiques, sont souvent le fruit, tardivement heureux, de développements fort peu humanitaires : ce sont les nécessités de la guerre qui nous ont valu l'aviation, le radar, le nylon, la pénicilline, etc.

b) Il y a quelque ironie à voir la science invoquée pour régler des problèmes qu'elle a contribué à créer ou à aggraver. Sans doute, la biologie va-t-elle orienter et appuyer la lutte contre le cancer. Mais on sait maintenant que ce fléau n'a rien d'une malédiction inéluctable ; l'énorme majorité des cancers est directement provoquée ou facilitée par les substances cancérigènes d'origine artificielle répandues dans notre environnement : colorants chimiques, amiante, etc. De même, l'abus de médicaments a-t-il pour effet, dans certains cas, de provoquer des maladies plus que de les soigner. C'est tout le problème de la pollution, autre exemple, qui se pose ainsi : devant l'accumulation des déchets, chimiques ou radioactifs, faut-il à tout prix inventer de nouveaux moyens scientifiques de les traiter ou de nous en débarrasser, ou s'attaquer à leurs sources mêmes en modifiant nos procédés techniques et surtout nos objectifs de production ? D'ailleurs, il est fort possible que les difficultés actuelles et futures échappent, par leur ampleur, à toute solution scientifique ou technique. Aucun moyen chimique n'a permis de venir à bout de la dangereuse dioxine répandue par l'usine de Seveso, ni de traiter les « marées noires » déversées par les pétroliers géants. Et les progrès de la médecine ne semblent plus capables d'accroître la durée de la vie humaine, battus en brèche par d'autres facteurs sociaux négatifs ; de plus, les progrès médicaux, souvent, consistent à traiter des affections graves, mais rares, avec des techniques si lourdes que leur coût social pose un problème majeur (greffes d'organes, rein artificiel, etc.).

c) Encore une fois, la possibilité pour les progrès de la science de contribuer à ceux de la société dépend largement de facteurs non scientifiques. Ainsi, le machinisme, à ses débuts au XIXe siècle, a accru plutôt que soulagé la misère sociale, en mettant nombre d'ouvriers au chômage. Ce n'est qu'à travers de longues luttes que les classes exploitées ont pu s'opposer à ces effets négatifs et récupérer à leur avantage une partie des progrès de la technique. Aujourd'hui, les merveilles de l'électronique miniaturisée et des matériaux nouveaux servent essentiellement aux maîtres de l'heure à nous vendre de bien inutiles montres à quartz, thermomètres à cristaux liquides et calculateurs de poche dont la plupart ne serviront... qu'à être achetés, sacrifice au dieu du gagdet dont le culte publicitaire joue à tour d'antenne l'air de la science, tandis qu'à Hong Kong ou à Singapour, des jeunes filles réputées pour leur minutie et leur docilité (jusqu'à quand ?) soudent de leurs doigts fins les transistors et les diodes pour IBM ou Texas Instruments, avec des salaires dérisoires. Bertolt Brecht l'avait bien vu : « Plus nous arrachons de choses à la nature grâce à l'organisation du travail, aux grandes découvertes, aux inventions, plus nous tombons, semble-t-il, dans l'insécurité de l'existence. Ce n'est pas nous qui dominons les choses, semble-t-il, mais les choses qui nous dominent. Or, cette apparence subsiste parce que certains hommes, par l'intermédiaire des choses, dominent d'autres hommes. Nous ne serons libérés des puissances naturelles que lorsque nous serons libérés de la violence des hommes. Si nous voulons profiter en tant qu'hommes de notre connaissance de la nature, il nous faut ajouter, à notre connaissance de la nature, la connaissance de la société humaine. » (*L'Achat du cuivre*, 1939-1940.)

« *La science, c'est le progrès intellectuel et moral* »

> C'est la science qui établit les seules bases inébranlables de la morale [...]. La science joue un rôle capital dans l'éducation intellectuelle et morale de l'humanité.
>
> Marcelin Berthelot (1897).

> Où donc alors retrouver la source de vérité et l'inspiration morale d'un humanisme socialiste réellement scientifique, sinon aux sources de la science elle-même, dans l'éthique qui fonde la connaissance en faisant d'elle, par libre choix, la valeur

suprême, mesure et garant de toutes
les autres valeurs.

Jacques Monod,
biologiste, prix Nobel (1970).

La science, dit-on, permettrait le progrès intellectuel de toute l'humanité, en lui offrant un modèle de savoir : toute connaissance, pour être certaine et fiable, devrait se calquer sur la connaissance scientifique ; toute recherche, pour aboutir à une vérité assurée aussi bien qu'utile, devrait suivre ses méthodes. De plus, l'amour désintéressé de la seule vérité, le dévouement au bien-être du grand nombre, le détachement des contingences matérielles et des intérêts personnels feraient du savant l'un des plus nobles exemples moraux que l'on puisse suivre. Pasteur, Mme Curie, Einstein, seraient les véritables héros de notre époque.

Mais...

a) La science offre une forme de savoir parmi d'autres. Sa puissance et son efficacité viennent de sa spécificité. C'est parce que chaque science se donne les moyens de définir toujours plus un domaine du réel, de l'isoler de toute influence extérieure, qu'elle peut l'analyser avec une extrême précision et une certitude toujours mieux assurée. Mais le savoir ainsi acquis n'est, à proprement parler, pertinent que dans les conditions particulières et limitées où il a été produit. Dès qu'il sort du laboratoire, le scientifique rencontre de grandes difficultés à utiliser ses connaissances. La mécanique et l'électricité du physicien ne lui permettent guère de réparer son automobile ou son poste de télévision. A la science du savant, doivent s'ajouter l'art de l'ingénieur et la pratique du technicien, pour que le savoir devienne action. La majorité des problèmes de la vie courante sont trop complexes et trop généraux pour se plier à l'analyse scientifique. La finesse et la précision même des concepts de la science l'empêchent de s'attaquer à la compréhension du réel autrement qu'après un filtrage conséquent. Il en va de ses instruments théoriques comme de ses outils expérimentaux : le scalpel du biologiste ne peut remplacer la hache du bûcheron, ni le microscope du physicien le regard du marin.

b) L'assurance que le scientifique acquiert à juste titre dans son domaine, où il dispose de moyens efficaces de contrôle du savoir, le porte aisément à négliger la difficulté et la complexité de problèmes plus généraux. Il manifestera avec la plus grande facilité une grande outrecuidance et, à partir de sa compétence étroitement limitée, se croira autorisé à juger de questions qui lui échappent. Ainsi le physicien nucléaire, sûr de ses connaissances fondamentales, se croira-t-il en mesure de trancher les problèmes de sécurité et de rentabilité de l'énergie nucléaire, bien que nombres d'éléments économiques (calcul des coûts) et techniques (hydraulique, résistance des matériaux) lui soient largement étrangers. Trop souvent, les scientifiques, en tout cas ceux qui dirigent l'institution, se voient transformés en « experts » et, dans les comités de sages ou les débats télévisés, viennent cautionner, de leur autorité usurpée, des décisions gouvernementales ou patronales. L'expertise scientifique utilisée pour camoufler les responsabilités politiques ou économiques est l'une des conséquences les plus néfastes de la mythification de la science.

c) Le rôle éducatif attribué à la science explique la part importante qui lui est faite dans l'enseignement, secondaire en particulier. Les mathématiques et la physique y sont supposées fournir un entraînement au raisonnement et à la rigueur, en même temps qu'un savoir effectif sur le monde. Mais, trop souvent, ne sont enseignés de la science que les aspects les plus dogmatiques : énoncé de résultats privés de leur contexte intellectuel, coupés des conditions historiques complexes de leurs origines, abstraits de leur relation avec les problèmes du présent. Alors que la science est censée offrir le modèle idéal de la rationalité et de la compréhensibilité, son enseignement en général la transforme en un dogme autoritaire, ensemble de formules ou de lois à prendre ou – plus souvent – à laisser. Cette fausse transparence en fait bien évidemment un redoutable instrument d'intimidation intellectuelle et de sélection sociale : les mathématiques ont très avantageusement remplacé le latin dans cette fonction essentielle de « l'instruction publique ».

d) La science a suscité – comme toute activité humaine – d'admirables dévouements et d'authentiques grandeurs morales, surtout à l'époque où elle servait d'appui à la lutte des esprits libres contre les tyrannies intellectuelles et les dogmes religieux. Mais déjà autrefois, et souvent aujourd'hui, par son esprit de conquête et par le prestige accordé à la découverte, la science a vu se développer l'autoritarisme, l'élitisme, la compétition, voire la tricherie. L'image courante des grands hommes de la science est curieusement retouchée : dans la réalité, Newton, expert à la Monnaie de Londres, assistait aux brutaux interrogatoires des faux-monnayeurs ; Pasteur cumulait les distinctions honorifiques et dirigeait ses collaborateurs avec une raideur dictatoriale ; les grands physiciens américains modernes, comme Gell-Mann, ont conseillé le Pentagone pendant la guerre du Viêt-Nam, et d'autres s'intentent des procès de priorité pour la redistribution du prix Nobel. Déjà, Fermi, après l'explosion de la premier bombe atomique à laquelle il avait largement contribué, devant les inquiétudes morales et politiques exprimées par certains de ses collègues, s'écriait : « Oui, mais quelle belle expérience ! »

La science..., malgré tout ?

On n'aurait aucune peine et on aurait grand avantage à représenter

> la science comme un effort pour découvrir et démontrer le caractère non scientifique des affirmations et des méthodes scientifiques.
>
> Bertolt Brecht, *Me-Ti.*

L'affirmation contraire à « Tout est blanc » n'est pas « Tout est noir », mais « Tout n'est pas blanc ». C'est dire que la critique de quelques idées trop bien reçues ne vise pas à les remplacer par leurs symétriques.

La science n'est pas neutre, mais elle n'est pas coupable. La science n'est pas objective, mais elle n'est pas tricheuse. La science n'est pas méthodique, mais elle n'est pas irrationnelle. La science n'est pas le moteur des progrès techniques, sociaux et intellectuels, mais elle n'en est pas le frein.

En vérité, « la science » n'existe pas en tant qu'entité indépendante que l'on pourrait traiter comme cause ou effet individualisé d'autres phénomènes. C'est un ensemble d'activités humaines qu'il est extrêmement dangereux de couper des autres, et qui participe au même titre que l'art, ou la politique, à l'histoire de nos sociétés. Elle en porte donc tous les traits, les plus hideux comme les plus nobles.

En réaction contre les vertus inouïes et les bienfaits exagérés attribués à la science encore trop généralement, se manifeste parfois un rejet tout aussi catégorique, conduisant jusqu'aux pires formes d'obscurantisme et d'irrationalisme. C'est là une attitude de démission et de facilité. En revenir à l'astrologie contre l'astronomie, croire à la parapsychologie plutôt qu'étudier la neurophysiologie, remplacer par un mysticisme vague l'étroite pensée scientifique, ne contribuera à résoudre aucune de nos difficultés.

C'est donc à chaque instant que doit s'exercer la vigilance et la critique *dans* la science, et non contre elle, puisque aussi bien nous ne pouvons lui échapper. A cette condition, nous pourrons trouver avec la science (mais, certes, pas avec elle seule !) la jouissance de connaître le monde et la puissance de le transformer.

Quête et conquête
(un jour de colère)

La quête du savoir est devenue conquête. Il ne s'agit plus, patiemment, de découvrir le Graal, mais, brutalement, d'occuper la Terre Sainte. Nouvelle croisade, la recherche scientifique désormais mobilise de véritables troupes, recrutées, équipées, financées et dirigées systématiquement par l'État, souvent transparente caution de l'Industrie ou de l'Armée. Les Américains, cyniques ou naïfs, parlent crûment du complexe militaro-industrialo-scientifique, et la Science chez eux s'est promue Quatrième Armée, après celles de Terre, de Mer et de l'Air. Elle est d'ailleurs bien dans son élément avec le quatrième : le Feu. Les objectifs tactiques peuvent varier d'une campagne à l'autre – la Lune il y a peu, le Soleil maintenant et son énergie, la guérison du cancer ou la fusion du noyau –, la stratégie est toujours celle de la rentabilité économique ou politique. Mais comme les Croisés en Orient, et les armées napoléoniennes plus tard, les détachements scientifiques ramènent aussi dans leur bagage, avec l'avoir et le pouvoir, du savoir. La soumission de la science, dans son organisation comme dans sa méthodologie, aux exigences et aux contingences sociales, ne disqualifie pas pour autant la validité de ses résultats. La vérité du monde est assez complexe et multiple pour que chacun puisse y choisir de quoi faire profit, matériel ou intellectuel. L'Église contre Galilée, comme les Soviets avec Lyssenko, ne fit subir à la science les pires outrages que pour avoir surestimé sa vertu. Le Capital, lui, n'a pas la naïveté ni la faiblesse de recourir au viol, quand la prostitution, convenablement institutionnalisée, offre des garanties assurées de rentabilité et de stabilité.

Les chemins de la critique

Cette interview, à l'occasion d'une publication allemande, date de 1975, comme le montrent bien certaines formulations. J'en changerais aujourd'hui les mots – mais j'en maintiens les idées.

Quel est le processus qui vous a politisé? S'agit-il plus de considérations théoriques sur le développement de la science, ou d'expériences politiques en général? Ce processus peut-il être exemplaire pour des scientifiques qui travaillent loin des applications, par exemple en physique des hautes énergies?

Du point de vue de mes positions politiques actuelles, Mai 68 marque le moment de rupture décisif. C'est à cette période que, comme beaucoup d'intellectuels de ma génération, je me trouve sommé de porter la critique radicale au cœur même de ma propre pratique sociale. Et, il faut le dire, cette exigence ne fut pas seulement abstraite, idéologique, mais très concrète, portée par la voix sans indulgence des étudiants en révolte. Il me devint, ces jours-là, impossible de poser à l'intellectuel révolutionnaire (j'étais depuis dix ans membre du PCF), tout en restant un rouage bien huilé de l'institution scientifique, en acceptant les rapports hiérarchiques, la compromission politique, la servilité idéologique, la frustration affective qui dominent les milieux scientifiques. C'est donc à partir d'une expérience politique générale, mais dont un aspect spécifique fut précisément le rôle qu'y jouèrent les milieux intellectuels (à la fois porteurs du mouvement et cible de sa critique), que j'en suis venu à réorienter ma façon de penser – et d'agir. Ce n'est que sur la base d'une telle expérience autocritique, qui fut largement collective, qu'ont pu se développer ensuite en France de nouvelles analyses et de nouveaux types d'intervention au sein de l'institution scientifique. Ce processus a été largement indépendant de particularités professionnelles, telles que le caractère plus ou moins appliqué de la discipline scientifique (bien que, mais j'y reviendrai plus loin, il ait été particulièrement marqué chez les physiciens). En ce sens donc il s'est bien agi d'un phénomène politique et idéologique profond et durable. Je ne crois pas, cependant, qu'il puisse être « exemplaire », ou alors en un sens trop général pour être intéressant : tout bouleversement social de l'ampleur du mouvement de Mai 68 provoque nécessairement des effets importants chez les intellectuels. Ceci ne signifie nullement que, pour un intellectuel qui se veut révolutionnaire, il n'y ait rien à faire qu'à attendre une telle période de crise historique générale, passivement ou « activement », en militant dans un parti ou un groupuscule politique muni d'une ligne globale. Au contraire, il me semble que la nécessité première est l'action et la réflexion continues au sens même de notre pratique sociale propre. Mais il n'y a pas d'illusion à entretenir sur l'effet de ce travail critique ; il est nécessairement, non seulement minoritaire, mais surtout tributaire de la conjoncture idéologique du moment, qui est déterminée à une tout autre échelle que celle des milieux scientifiques, ou intellectuels en général. Telle idée qui peut paraître radicale à un tel moment risque rapidement d'être intégrée (certains disent « récupérée ») par l'idéologie dominante.

Pour tous les scientifiques, particulièrement pour les plus spécialisés, il y a un gouffre entre leur travail quotidien et la réflexion critique sur la science. Alors, la question est : comment peut-on relier la connaissance théorique des liens entre science et société à la pratique scientifique ?

Je ne suis pas certain qu'il existe un tel « gouffre » entre le travail quotidien des scientifiques, même très spécialisés, et l'élaboration d'une critique politique radicale de la science. Je crois, au contraire, que la pratique scientifique est une source directe très riche pour la connaissance théorique de la place qu'occupe la science *dans* la société. A une condition toutefois : c'est que la science ne soit pas conçue comme une activité en soi, autonome, dont il s'agirait ensuite d'étudier les liens avec la société. Toutes les formulations du problème en termes de rapport entre science *et* société, sont, de ce point de vue, viciées par avance. La pratique scientifique est une pratique sociale parmi d'autres, et je crois nécessaire, avant d'analyser sa spécificité, de bien comprendre les traits communs qu'elle partage avec toutes les autres. Ceci est particulièrement vrai depuis environ un quart de siècle où, dans de nombreuses disciplines, un mode de production archaïque du savoir scientifique, de type essentiellement féodal-artisanal, a été remplacé par un mode de production « moderne », capitaliste-industriel. Institutionnalisation, hiérarchisation, division du travail, tels me paraissent être les traits marquants de la pratique scientifique aujourd'hui. Les contradictions générales du système social dès lors se révèlent à l'intérieur même de l'activité scientifique. Il ne s'agit plus d'en critiquer la « mauvaise » organisation, ou la « mauvaise » utilisation, mais bien d'en comprendre la logique interne. Nombre de situations permettent de concrétiser une telle analyse. Parmi celles qui ont joué un rôle important en France au cours des dernières années, je citerai à titre d'exemple :

1) Des grèves du personnel technique dans les laboratoires, par exemple au Laboratoire Leprince-Ringuet du Collège de France en 1969 et au Laboratoire de physique nucléaire de Jussieu en 1970. Motivées par de mauvaises conditions de travail, l'insécurité de l'emploi, la répression antisyndicale, ces mouvements ont fait beaucoup pour illustrer l'ambiguïté de la position sociale des chercheurs scientifiques. Travailleurs salariés, certes, et de plus en plus « prolétarisés » par la perte de leur autonomie et leur intégration à une vaste machine organisationnelle, ils n'en sont pas moins privilégiés par rapport à la grande masse des producteurs de science invisibles, je veux dire l'ensemble du personnel technique, administratif et de service, indispensable au fonctionnement de l'institution scientifique. Les chercheurs, de par leur rôle social, entretiennent avec le système une complicité idéologique quant à la nature du savoir scientifique dont ils se croient – à tort – les producteurs et les propriétaires. Il a été fascinant de voir comment la bonne conscience de « gauche » de beaucoup de ces chercheurs, qui soutenaient les grèves ouvrières quand elles avaient lieu... ailleurs, a été mise à rude épreuve par cette irruption directe de la lutte des classes dans leur laboratoire.

2) L'affaire Jason : la division Jason était un organisme conseil du Pentagone, formé par plusieurs dizaines des plus brillants scientifiques (physiciens surtout) américains. Elle a joué un certain rôle dans la mise au point du champ de bataille électronique au Viêt-Nam et étudié divers autres projets pour le compte des militaires. Mise en cause initialement par le mouvement étudiant américain, la Division Jason a été prise à partie, en la personne de ses divers membres, pendant l'année 1972, dans les milieux de la physique européenne. Plusieurs physiciens éminents, tels Gell-

Mann à Paris, Drell à Cargèse, Wigner à Trieste, ont, sous des formes diverses, été violemment attaqués par la fraction la plus radicale du milieu (en général des jeunes chercheurs et parfois des techniciens). La démonstration a été faite de la connivence structurelle entre les maîtres de l'institution scientifique et les tenants du pouvoir politique et militaire : les physiciens ne sont pas d'abord des scientifiques « purs », qui auraient, ensuite, hors de leur laboratoire, telle ou telle opinion politique. Pour ceux d'entre eux qui trônent au sommet de la hiérarchie académique, c'est leur situation sociale même qui en fait les auxiliaires de l'appareil d'État [1].

3) Les manipulations génétiques : la biologie moléculaire moderne débouche à l'heure actuelle sur l' « ingénierie » génétique. Il s'agit là d'expériences à la portée encore incalculable et dont les dangers potentiels sont très mal connus et les risques mal maîtrisés (possibilité d'apparition de nouveaux virus pathogènes très dangereux). Un groupe de chercheurs en biologie a entamé en France une campagne contre ces expériences, réclamant l'information du grand public et son contrôle, refusant de laisser la responsabilité aux mains de comités d'experts cooptés. La réaction de l'institution mise en cause (en particulier de l'Institut Pasteur) a été très vive. L'intérêt pour la science pure sert ici d'alibi commode à la compétitivité acharnée du travail scientifique, elle-même masquant les profonds intérêts politiques et économiques en jeu (les applications militaires et pharmaceutiques de ces découvertes peuvent être immenses). On a bien vu dès lors que le problème n'est pas celui des applications de la science et de leur contrôle, mais bien celui de son orientation [2].

Je reviendrai plus bas sur un autre exemple, celui de la

1. On trouvera des textes relatant et analysant tant les grèves de techniciens que l'affaire Jason, dans *(Auto) critique de la science*, recueil de textes réunis par A. Jaubert et J.-M. Lévy-Leblond (Seuil, 1973).

2. Cf. A. Mendel, *les Manipulations génétiques* (Seuil, 1980).

lutte contre le programme énergétique nucléaire français, mais je veux déjà souligner ce qui me paraît être la leçon commune de ces différents exemples. A condition de concevoir l'activité scientifique dans toute sa matérialité sociale (et pas seulement, de façon idéaliste, au niveau de ses seuls résultats), on y voit sans mal les effets directs de la lutte des classes. « La » science est traversée des contradictions mêmes de nos sociétés en général. C'est précisément parce qu'elle n'est pas autonome, pas extérieure au tissu social d'ensemble, qu'une critique radicale est possible en son sein.

En concrétisant la dernière question : quelle peut être la part des scientifiques dans le mouvement antinucléaire ?

Le mouvement antinucléaire a connu d'importants développements en France au printemps 1975. Il a en particulier permis un engagement massif de certains scientifiques : un appel, lancé initialement par 400 physiciens, contre le programme électronucléaire gouvernemental, a fini par recueillir plusieurs milliers de signatures, toujours dans les milieux scientifiques. Mieux encore, de nombreux physiciens, et qui n'étaient pas nécessairement militants de longue date, ont fait un travail considérable d'analyse critique des textes officiels, démystifiant leur optimisme de commande, et démontrant la réalité des risques dans l'état actuel de la technologie. Les documents qu'ils ont élaborés ou diffusés ont été fort utiles et ont constitué un contrepoids important aux positions officielles. Nombre de ces chercheurs se sont de plus engagés personnellement, multipliant les conférences, les débats, les interventions, découvrant ainsi, pour certains d'entre eux, l'activité politique publique. C'est là l'aspect principal, et éminemment positif, du mouvement antinucléaire chez les scientifiques. Il ne doit pas masquer cependant d'autres aspects, plus contradictoires. Il faut d'abord souligner tout ce que ce mouvement doit à l'action patiente, longue et ingrate, menée depuis des années par divers groupes écologiques, trop souvent restés ignorés ou méprisés par l'extrême gauche conventionnelle. Malgré leur apolitisme parfois, leur idéalisme souvent, ces groupes avaient mis le doigt sur une contradiction majeure du capitalisme actuel. Il a fallu cependant que, dans le cas du nucléaire, leurs appels soient repris par les scientifiques pour avoir une portée massive. C'est là l'effet de l'idéologie de l'expertise, l'une des formes les plus pernicieuses de l'idéologie dominante. La critique du programme nucléaire a été enfin reflétée par les mass-media le jour où elle a pu se donner un visage respectable, celui des scientifiques, et un langage honorable, celui de la technique. Mais à opposer aux experts gouvernementaux, partisans du nucléaire, des contre-experts adversaires, dans un débat purement technologique, ne risque-t-on pas d'enliser le mouvement plutôt que de l'aider ? Ne convient-il pas de mettre en lumière, derrière les dangers de la technique nucléaire, ses aspects proprement politiques : course infinie à l'énergie, concentration du pouvoir économique, centralisation et contrôle policier des réseaux de distribution ? Ne faut-il pas surtout tenter de lier la contestation des scientifiques aux mouvements de masse qui ont pu se développer (en Bretagne et en Alsace surtout) ? C'est là, semble-t-il, la voie que tentent d'emprunter les franges les plus radicalisées du mouvement scientifique (voir le n° 2 de la revue *Impascience*). On peut dire en tout cas que la lutte antinucléaire est d'une importance capitale pour nous en ce qu'elle représente l'une des premières critiques de masse du système capitaliste au niveau de ses réalisations technologiques et scientifiques, qui ne sont plus aujourd'hui séparables de ses fondements écononomiques et politiques. Il est donc prévisible que cette lutte mette en crise les milieux scientifiques qui la soutiennent, écartelés entre une ligne libérale, réformiste, où les scientifiques puissent retrouver dans la contre-expertise une position idéologique menacée, et une ligne radicale, beaucoup plus inconfortable, qui permette de mettre leur savoir technique, indispensable, au service des mouvements populaires.

Mais l'exemple de la physique nucléaire, par ses applications, n'est-il pas particulier ? Que peut être le point de départ d'une critique dans d'autres domaines plus fondamentaux, comme la physique des particules ? Ne faut-il pas considérer plutôt son rôle idéologique que son impact économique ?

Bien sûr, l'importance relative du rôle idéologique et des fonctions économiques varie suivant la discipline scientifique considérée. C'est d'ailleurs pourquoi il est difficile, sinon impossible, d'analyser le rôle de « la Science » dans le système capitaliste, puisque le mot recouvre des réalités diverses et sans autonomie. Je ne pense pas cependant que la différence soit si grande entre la physique des hautes énergies (des particules et interactions fondamentales) et celle des basses énergies (nucléaire proprement dite), tout au moins telles qu'elles sont effectivement caractérisées aujourd'hui. D'abord, il serait intéressant d'étudier en détail les aspects économiques et politiques (pas seulement idéologiques [3]) de la physique de hautes énergies : le coût des équipements dits « improductifs » qui peuvent servir de régulateur au capital, d'une part, et permettent des bénéfices considérables aux quelques firmes de l'électronique maîtresses du marché, d'autre part. De plus la nécessaire collaboration internationale en ce domaine, due au gigantisme des installations et des équipes, permet, sous couvert de nobles motivations scientifiques, le déploiement des com-

3. Pour ces derniers, voir J.-M. Lévy-Leblond, « Mais ta physique ? », in *l'Idéologie de/dans la Science*, ouvrage collectif sous la direction de H. & S. Rose (Seuil, 1975).

plicités et rivalités simultanées des États nationaux ; l'histoire du CERN à Genève est à cet égard édifiante. Ensuite, la physique nucléaire à l'heure actuelle est bien loin, en tant que discipline de recherche fondamentale, de jouer le rôle que les profanes lui attribuent naïvement dans le développement de la technologie nucléaire. La mise en jeu pratique de l'énergie nucléaire, qu'elle soit civile ou militaire, a, dès la fin de la Seconde Guerre mondiale, échappé à ses premiers promoteurs. Elle est depuis trente ans l'affaire des ingénieurs plus que des chercheurs, de l'industrie et de l'armée plus que de l'université. Cela est si vrai que les scientifiques qui, en France, ont pris position contre le programme électronucléaire, ont à juste titre précisé, même quand ils étaient physiciens nucléaires, que leurs connaissances de principe ne leur donnaient aucune compétence pratique quant aux conditions réelles de fonctionnement des centrales. Tout au plus leur formation leur a-t-elle permis d'assimiler plus rapidement les éléments des dossiers techniques – et surtout leur position sociale d'y avoir plus facilement accès. Reste que ce sont bien les mêmes lois de la physique qui opèrent dans les laboratoires de recherche « pure » et dans les centrales ou les bombes où elles sont « appliquées ». Mais la contradiction n'est qu'apparente et découle d'une vision de *la* science comme globale et homogène. Il faut, pour soutenir cette vision, limiter *la* science au seul contenu du savoir scientifique et en gommer les multiples déterminations sociales. Si on les prend en compte au contraire, l'unité épistémologique de la théorie apparaît totalement secondaire au regard de la diversité sociale des pratiques. Il n'est donc pas possible, je crois, d'énoncer *une* théorie critique générale de *la* science. On peut, par contre, procéder à des analyses sectorielles (telle discipline) et partielles (idéologiques, économiques, etc.) qui trouvent leur unité hors de *la* science proprement dite. Il peut être plus intéressant, par exemple, d'articuler une critique du rôle idéologique de la physique des hautes énergies avec un point de vue général sur les fonctions idéologiques des divers appareils producteurs de savoir (tels que l'Université), qu'avec une étude du rôle économique de la physique des basses énergies qui, à son tour, devrait peut-être plutôt être reliée à l'analyse des fonctions politiques et économiques des technologies modernes. En d'autres termes, la critique radicale de *la* science doit commencer par affirmer l'inexistence de son objet...

Y a-t-il une connection entre les effets sociaux de l'activité scientifique dans les pays capitalistes et la théorie de la « révolution scientifique et technique », qui prévaut dans les pays socialistes ? Quel rôle joue la position du PCF chez les scientifiques de gauche ?

Toute analyse critique de la science en système capitaliste est *ipso facto* une attaque frontale contre la ligne du PCF. Après avoir répudié la notion de « révolution scientifique et technique » chez certains théoriciens hétérodoxes (par exemple R. Richta au moment du printemps de Prague), les idéologues du PCF, comme les Soviétiques, l'ont intégralement reprise à leur compte. De ce point de vue, les communistes ont bien, comme ils le disent eux-mêmes sans ironie, repris le « drapeau de la science » des mains d'une bourgeoisie qui commence, elle, à se poser quelques questions, quant à l'issue de ses « progrès » scientifique et technique. Le malheur est que, ce faisant, le drapeau n'a pas changé de couleur. Le PCF fait montre du scientisme le plus éculé, tel qu'il a pu se donner libre cours au siècle dernier. C'est ainsi que l'affiche de la fête de l'Humanité 1974 consistait en une maquette de molécule d'ADN – aux couleurs bleu, blanc, rouge du drapeau français ! – et que le clou de la fête était un palais de la science et de la technique... Les communistes ne consentent à mettre en cause que les mauvaises « applications » de la science, son

« détournement », voire son « freinage » par le capitalisme. Ils la pensent comme une entité autonome et idéale, progressiste par essence, entravée par un régime réactionnaire, mais que le socialisme libérerait, sans que sa nature, ses sources, son fonctionnement, sa place dans la société aient à être bouleversés de façon... révolutionnaire. Il ne servirait à rien pourtant de se livrer à une critique théorique, aussi approfondie soit-elle, de cette conception profondément idéaliste, si l'on n'en voit pas la fonction politique immédiate dans la stratégie du PCF. C'est qu'en effet les communistes fondent leurs perspectives sur un projet d'alliance de classe pratiquement inconditionnelle. Il s'agit entre autres pour eux de gagner globalement à la « gauche unie » toutes les couches de la petite et de la moyenne bourgeoisie, en particulier intellectuelle, en les convaincant que leurs intérêts de classe coïncident entièrement avec ceux du prolétariat et s'opposent en tout point à ceux des « monopoles » capitalistes. La flatterie à l'égard des scientifiques, et en particulier des plus compromis avec la bourgeoisie d'État, est alors le pendant dans nos milieux de la démagogie électoraliste. C'est ainsi que le PCF a mis la main sur le Syndicat national des chercheurs scientifiques. Celui-ci qui, aux alentours de Mai 68, avait joué un rôle critique important dans le milieu, a été réorienté par les communistes sur une ligne essentiellement défensive et corporative. Toute lutte antihiérarchique, toute contestation idéologique interne aux milieux scientifiques est abandonnée. Il n'est pas rare, dans les laboratoires, que des chercheurs de rang élevé répriment même techniciens ou jeunes chercheurs, au nom de « la science », avec l'appui du PCF ou des syndicats qu'il contrôle.

Les mêmes conceptions règnent en URSS et dans les pays dits socialistes d'Europe. La science et la technique y sont fétichisées et la prétendue « révolution scientifique et technique » y est bien la seule révolution dont on parle encore. Cette théorie est en fait l'aboutissement ultime de l'interprétation économiste du marxisme : puisque c'est la contradiction entre l'état des forces productives (en « progrès » continuel) et les rapports de production qui est motrice de l'histoire, développer les forces productives ce serait accroître la contradiction, et donc travailler pour le socialisme... Bien entendu ce recours (d'ailleurs incantatoire et inefficace) aux bienfaits de la science et de la technique ne fait que traduire l'actuelle impasse politique et idéologique des pays « socialistes ». Faute que les masses se mobilisent pour construire le socialisme, on compte sur les machines-outils et l'informatique pour soutenir un progrès, au moins économique, de plus en plus douteux.

Et les théoriciens comme Althusser et ses élèves, quelle influence ont-ils ?

Les travaux d'Althusser et de son école ont eu une grande importance. Juste avant Mai 68, dans une période de marasme idéologique apparent, ils ont constitué un point de ralliement pour beaucoup d'intellectuels à la recherche d'une pensée critique tant soit peu rigoureuse. En ce qui me concerne, toute une série de textes althussériens ont été d'une grande importance quant à l'évolution de mes idées sur l'histoire et la philosophie des sciences. Il faut bien dire cependant que ces aspects féconds sont à mon sens secondaires par rapport aux graves et simples critiques adressées régulièrement à l'althussérisme depuis plusieurs années par les courants les plus radicaux de l'extrême gauche française (et je ne parle pas ici des groupuscules trotskistes ou « marxistes-léninistes » ossifiés). L'appartenance maintenue et revendiquée d'Althusser au PCF, qui pouvait sembler autrefois contradictoire avec l'apparente vigueur de sa démarche théorique, a fini par clairement apparaître comme l'élément essentiel de sa position. Le « théoricisme » althussérien, dont ont fait état ses critiques et autocritiques, n'est pas un épiphénomène, mais l'expression même de son refus des nouvelles pratiques politiques. Caution de gauche du PCF à l'égard des milieux intellectuels, l'althussérisme servait à tenter de limiter au champ clos de débats académiques les affrontements politiques et idéologiques où il prétendait prendre part. Ni dans les luttes à l'université des années 1970, en particulier dans les milieux scientifiques, ni dans les mouvements récents les plus importants pour l'émergence d'une pensée révolutionnaire neuve (la révolte des femmes, les luttes des travailleurs immigrés, celles des prisonniers, la remise en cause de l'État national centralisé), les thèmes althussériens, faute d'une pratique effective, n'ont joué de rôle. Sous couvert donc d'une phraséologie de gauche et d'une rigueur d'analyse apparente, ce courant en définitive permet d'émousser l'acuité des contradictions et d'atténuer l'enjeu des luttes chez les intellectuels : si la théorie est, en elle-même, un terrain de la lutte des classes, les intellectuels peuvent contribuer à la révolution sans quitter leur douillet bureau, sans affronter pratiquement les effets de cette lutte des classes, ne serait-ce que dans leurs amphithéâtres ou laboratoires. Je dirais donc qu'à mon avis, l'althussérisme a connu en 1968 son apogée, ayant objectivement joué un rôle important dans les débats d'idée de la période qui s'acheva alors. Mais le mouvement même qu'il avait (très partiellement) contribué à préparer mit ses limites en évidence et le rendit caduc. Sans doute fallut-il encore quelques années pour que toutes les illusions se dissipent, mais les choses sont désormais claires, je crois ; un bilan précis et sans indulgence a été établi par Jacques Rancière dans son livre *la Leçon d'Althusser*. Peut-être dois-je insister encore sur le fait que la critique et le rejet de l'althussérisme comme vision politique générale n'a pas été le produit de débats d'idées théoriques, mais bien le résultat des nouveaux mouvements politiques qui l'ont réfuté dans la pratique. Et enfin il me faut préciser que cette critique globale n'ôte rien, en ce qui me concerne, à l'intérêt de nombreuses analyses et de certains concepts théoriques proposés par Althusser – en particulier quant à l'histoire et la philosophie des sciences.

Seriez-vous d'accord pour désigner votre discours de critique de la science comme très « pratique », ou même « pragmatique » ?

Je ne crois pas, tout d'abord, disposer d'*un* discours critique de la science. Tout au plus voudrais-je avancer quelques idées critiques. Ceci ne tient pas seulement à des limites subjectives ou personnelles, mais plus profondément à l'idée, déjà énoncée plus haut, qu'un tel discours global est impossible à l'heure actuelle. De ce point de vue, oui, certes, je revendiquerais le primat de la pratique dans ma démarche. J'aimerais partir des diverses activités sociales qui constituent la science ou s'articulent à elle, pour y plonger les racines multiples des discours et pratiques critiques qui m'intéressent. De plus, à la multiplicité des sources, répond celle des destinations : une analyse politique et idéologique de la physique contemporaine, en général n'a pas les mêmes lecteurs qu'une discussion épistémologique de la mécanique quantique. Ce n'est pas un souci abstrait et douteux d'efficacité, mais bien l'incapacité où je suis d'écrire (ou parler) sans tenir compte (ou au moins le tenter) de ceux à qui je m'adresse, qui conditionne donc aussi la multiplicité du discours. Par ailleurs, cet accent « pragmatique » que vous semblez me trouver résulte peut-être aussi d'un effort délibéré pour rompre avec un certain théoricisme, une tendance à l'abstraction, qui me semblent *aujourd'hui* le danger principal des analyses politiques et idéologiques. C'est aussi pour moi un effort de désintoxication : à quoi me servirait de participer au développement d'une critique de la science, si j'y reproduisais les mêmes comportements (j'allais dire les mêmes vices) qui m'ont poussé vers cette science – et ont failli m'y enliser ? Je n'ai donc pas de prétention autre que de chercher à intervenir en divers lieux et moments sur des points dont j'espère, peut-être naïvement, qu'à la fois ils m'intéressent et ont quelque importance, tour à tour problèmes politiques, idéologiques, épistémologiques, pédagogiques, etc. Que ces interventions multiples trouvent à s'articuler, je le souhaite, qu'elles forment un tout cohérent et fermé, je ne peux même pas l'imaginer, encore moins le souhaiter.

La raison tonne en son cratère...

En 1976, le réveil du volcan de la Soufrière en Guadeloupe provoquait un vif débat scientifico-politique. Certains experts, dont le Pr. Allègre, redoutaient une éruption catastrophique. Ils recommandèrent l'évacuation de la zone menacée, évacuation qui eut lieu à grands frais. D'autres, H. Tazieff et ses collaborateurs, pensaient le danger inexistant. Les événements leur donnèrent raison (comme, plus tard, les tribunaux dans les procès en diffamation qui suivirent cet affrontement).

*M. Allègre (*la Recherche, *n° 73, déc. 1976, p. 1065) a parfaitement raison : les décisions d'évacuation prises à la Guadeloupe sont du seul ressort des autorités, et ne sauraient donc engager la responsabilité des scientifiques. Mais il est plus facile de lancer des tomates aux acteurs présents sur scène – et, après tout, ils ont accepté leur rôle – qu'à l'auteur et au metteur en scène dans les coulisses.*

Il est clair maintenant que les responsables officiels, ministériels et préfectoraux, ont fait preuve d'une légèreté coupable en écoutant les avis les plus alarmistes. La situa-

tion économique et sociale de la Guadeloupe en est gravement perturbée pour longtemps, et les éruptions les plus probables désormais ne sont pas celles de la Soufrière.

Les autorités auraient bien plutôt dû suivre les conseils de M. Tazieff, même et surtout si celui-ci s'était trompé. *Quelques milliers de morts, des dizaines de millions de dégâts : on aurait pu accuser les experts incompétents ou la fatalité (on la rend bien responsable des catastrophes minières...), faire vibrer la corde de la solidarité (tellement plus sensible après qu'avant les désastres) et surtout permettre une relance massive de l'économie guadeloupéenne (reconstruction, grands travaux, modernisation), stabilisant ainsi un avenir politique aujourd'hui compromis par l'apathie du volcan (est-il vrai qu'on aurait, en haut lieu, été jusqu'à envisager le déclenchement artificiel d'une éruption?).*

Un pouvoir plus lucide aurait demandé l'avis d'économistes et de sociologues, plutôt que celui de géologues et de vulcanologues. Il aurait, par exemple, tiré profit d'une étude menée, il y a quelques années, à l'initiative de la Société américaine de géophysique, sur l'impact social de la prochaine prévisibilité des séismes majeurs. La conclusion en était claire : dans une économie de profit, le coût social global d'une telle prévision, avec ses déplacements de populations, fuites de capitaux, spéculations sur les terrains, abandons d'équipements, etc., serait bien supérieur au coût des destructions (d'individus et de biens) subies impromptu, et ce, d'autant plus que la prévision serait à plus long terme. L'étude recommandait donc la plus extrême prudence dans l'annonce publique d'une telle prévision.

Ici, comme dans tant d'autres cas, l'accroissement du savoir scientifique et technique bute contre l'impossibilité de sa mise en œuvre effective (ceci, dans le meilleur des cas, quand ce savoir n'est pas le simple alibi de moins nobles déterminations, économiques ou militaires). « Nous ne serons libérés des puissances naturelles que lorsque nous serons libérés de la violence des hommes », écrivait Bertolt Brecht dans l'Achat du Cuivre.

En attendant, on continuera à voir, comme le disait déjà Joseph Prudhomme, « le char de l'État naviguer sur un volcan ».

De Lyssenko en Althusser

A l'occasion de la publication d'un livre de Dominique Lecourt, *Lyssenko, histoire réelle d'une « science prolétarienne »* (Maspero, 1976).

L'« *affaire Lyssenko* » constitua à la fin des années 1940 l'un des sommets de la guerre froide idéologique et se traduisit par des affrontements d'une extrême violence dans les milieux intellectuels occidentaux – après avoir entraîné en URSS l'élimination, professionnelle et souvent physique, de nombreux biologistes et l'effondrement de leur discipline. Ici même, les intellectuels communistes durent prendre parti pour la nouvelle « science prolétarienne » qui naissait en URSS, et renier la « science bourgeoise » et occidentale. Certains n'eurent guère de mal, ainsi Aragon, rompu à tous les dithyrambes. D'autres, scientifiques eux-mêmes, n'y arrivèrent pas et, tel Jacques Monod, rompirent à cette occasion, non seulement avec le PCF mais avec le marxisme. Or, l'affaire Lyssenko continue à hanter les rapports du PCF avec les intellectuels. A son habitude, le PCF s'est contenté d'un simple reniement des « erreurs » ou « déviations » passées, sans qu'aucune autocritique de fond ne lui permette d'en comprendre l'origine et la nature. Le champ est ainsi resté libre pour des interprétations fondamentalement idéalistes du phénomène qui, selon les auteurs, relèverait soit d'une tare congénitale et fondamentale du marxisme ou, au contraire, aurait découlé de la paranoïa individuelle de Staline. C'est à donner une « histoire réelle », matérialiste, de cette prétendue science prolétarienne que vise Lecourt. Il démontre, et de façon convaincante, que le lyssenkisme n'est pas plus le fait de Lyssenko que le stalinisme n'est celui de Staline. Loin d'être un phénomène isolé, singulier et contingent, il procède d'une surdétermination économique et idéologique intrinsèquement liée à la situation de l'URSS après la Seconde Guerre mondiale.

Pour l'essentiel, sa source immédiate est à trouver dans les graves difficultés de l'agriculture soviétique. La collectivisation autoritaire des terres et la subordination de l'agriculture à l'industrie traduisent l'incapacité du système soviétique à aborder politiquement la question agricole. C'est la modernisation, la mécanisation, etc., autrement dit la technique, qui seront mises au poste de commandement. L'échec de cette ligne induira alors, par une sorte de fuite en avant, l'idée que c'est la base scientifique elle-même de cette technique qui doit être modifiée, « prolétarisée ». Simultanément, cette conception joue un rôle politique essentiel en exprimant les intérêts d'une nouvelle couche sociale très particulière, « celle des cadres de la production agricole dans les fermes d'État, dans les stations de sélection, les kolkhozes modèles », les administrations et les ministères.

C'est la montée de cette couche qui explique au fond que le lyssenkisme ne triomphe qu'en 1948, recevant enfin l'aval du parti après plus de 20 ans de combat contre la science « orthodoxe »! Lecourt résume ainsi ce mécanisme : « Cet ensemble n'est pas le simple fruit de la terreur et de la corruption comme le pense, par exemple, Joravsky : c'est le produit d'une ligne politique déterminée, qui, pour avoir posé la question paysanne en termes unilatéralement " techniques ", a bel et bien eu pour effet de susciter à l'intérieur des campagnes une différenciation sociale de type nouveau entre les " simples " kolkhoziens et les cadres-techniciens dont l'idéologie se cristallisa autour des deux mots d'ordre successifs de Staline : " la technique décide de tout ", puis " les cadres décident de tout ". La forme " agricole " de cette idéologie fut le " lyssenkisme ". »

En bonne logique matérialiste, ce n'est qu'après en avoir établi les bases historiques que Lecourt étudie les problèmes philosophiques posés au marxisme par l'épisode lyssenkiste. On trouvera là une critique extrêmement intéressante de la conception ontologique du marxisme,« dominante depuis plus de quarante ans », dit Lecourt. Cette conception fait de la dialectique une « loi de l'univers lui-même », comme le montre à l'évidence un texte de Staline, que l'auteur oppose à Lénine qui, d'après lui, n'aurait vu dans la dialectique qu' « une condition pour connaître » les processus de l'univers. Lecourt se meut ici sur le tranchant du rasoir dialectique et certains le soupçonneront vite d'avoir déjà basculé sur le versant maudit de l'idéalisme. C'est que l' « enjeu » (terme cher à l'auteur) dépasse largement le lyssenkisme et concerne la théorie marxiste en tant que telle, d'où l'importance. Le lyssenkisme est autopsié de main de maître par Lecourt. C'est que la philosophie althussérienne est la médecine légale des sciences ; c'est avec brio qu'elle opère sur leurs cadavres. Certes nous n'ignorons plus rien des maux dont souffrit le malade, infecté d'économisme, et de pragmatisme et mort, finalement, d'opportunisme, lorsque les succès agricoles attendus ne venant toujours pas, on s'en remit, sous Khrouchtchev, à la science et à la technique, bourgeoises cette fois-ci, qui, elles au moins, marchaient. Mais on peut se demander à qui ces diagnostics sévères vont bien pouvoir servir, sinon à la famille du mort. C'est que, finalement, Lecourt renouvelle ici l'opération habituelle désormais du groupe althussérien : pourfendre un ennemi absent. Certes, la démonstration est élégante, les moulinets habiles et les coups bien portés. Quel dommage que la bataille n'ait pu être menée avec cette vigueur il y a trente ans ! Bien sûr, « l'oiseau de Minerve ne prend son vol qu'à la nuit », et c'est déjà bien assez difficile d'avoir des idées justes : on ne peut pas en plus les avoir au bon moment. Il ne s'agit pas de reprocher à Lecourt d'être né trente ans trop tard, mais, à se donner des cibles aussi dépassées, on ne peut que regarder en arrière, éviter d'affronter les problèmes du moment ou de l'avenir. Et c'est bien le sens de l'opération.

La critique acérée et pertinente contre la « science prolétarienne » que dérisoirement voulut être le lyssenkisme ne fait finalement qu'ignorer la vraie question du moment, celle de la « science bourgeoise ». Pourtant, il s'en est écrit, dit et fait à ce sujet depuis 1968, et pas qu'en France. De façon maladroite, éclectique, souvent empirique certes, mais déterminée, s'ébauche une critique radicale de la science contemporaine qui refuse l'alternative « scientisme ou irrationalisme », qui cherche à comprendre la nature sociale de la science autrement qu'au seul niveau de ses « applications », bonnes ou mauvaises. Et si la science était beaucoup plus bourgeoise encore que ne le pensait Jdanov, à ce point qu'il ne pourrait même pas exister de « science prolétarienne » ? Plus précisément : la forme de savoir collectif que nous appelons « science » n'est-elle pas intrinsèquement liée aux sociétés de classe et, en particulier, à la division du travail manuel et intellectuel ? Alors la science aujourd'hui serait, par construction, capitaliste (plutôt que bourgeoise). Le socialisme, quant à lui, exigerait un nouveau type de savoir, aussi différent de (et supérieur à) la science que celle-ci l'était de la magie. C'est cette idée qui aujourd'hui, péniblement, se cherche. Lecourt, quant à lui, l'ignore au nom d'une conception, implicite mais parfaitement claire, de la science conçue comme vérité pure, dont la tâche du philosophe est de frayer le chemin. En ceci, sa pensée est cohérente avec le scientisme fondamental du PCF, qu'il exprime simplement sous une forme élaborée : version noble, pour intellectuels, de la ligne grossière servie aux masses. On le voit : malgré l'intérêt de ce qu'il dit, c'est ce qu'il ne dit pas qui constitue l'essentiel de ce livre. Althusser, en nous le présentant, invite ceux qui « trouveraient à reprendre », à « faire mieux ». Le piège est un peu gros : dans le genre, on ne peut guère faire mieux. Mais on peut faire autre.

Défense corporative

La presse, en ce mois de juin 1978, a fait écho au boycott scientifique de l'URSS décidé par des physiciens français pour protester contre la condamnation de leur collègue. Orlov, de même qu'aux interventions similaires en faveur de physiciens argentins persécutés. En plein accord avec ces initiatives, je ne peux m'empêcher cependant de m'interroger sur cette « défense corporative [qui] a fait, en quelques années, tache d'huile dans le monde » comme l'écrit le Monde *du 16 juin en rappelant les actions analogues de mathématiciens, psychiatres et cancérologues. Y a-t-il nécessairement adéquation entre la défense des libertés et des droits des hommes d'une part, et la « défense corporative » de l'autre? Le célèbre physicien américain Gell-Mann, prix Nobel, venu donner une conférence au Collège de France en 1972, en fut expulsé par son auditoire en raison de son appartenance à la Division Jason, organisme conseil du Pentagone pendant la guerre du Viêt-nam. Est-il mal venu de remarquer qu'aujourd'hui boycottent ensemble l'URSS ceux qui, par solidarité avec le peuple vietnamien agressé, chassèrent Gell-Mann, et ceux qui prirent son parti — au nom de la « défense corporative »? (Cf. A. Jaubert et J.-M. Lévy-Leblond,* (Auto) critique de la science, *Seuil, 1973.) L'innocence de la science en notre monde n'est plus tellement évidente qu'on doive nécessairement défendre ses institutions. L'ironie serait grande de voir une corporation bien compromise se refaire une virginité sur le dos de ses réprouvés. Après tout, ni le Soviétique Orlov ni l'Argentin Pasquini n'ont été pourchassés* en tant que physiciens! *Certes, il faut défendre ces dissidents, comme tous les autres, et tant mieux si ce qui reste de prestige à la profession pour une fois est utilisé contre les puissants de ce monde. Mais s'il est indispensable d'agir pour nos collègues persécutés, n'oublions pas ceux, « collègues » aussi, qui se tiennent toujours au côté des persécuteurs.*

La disparition de Majorana

A propos de la parution du livre de L. Sciascia, la Disparition de Majorana *(Denoël, « Lettres Nouvelles », 1979).*

Ettore Majorana, brillant physicien italien des années 1930, disparaît en mars 1938, après avoir fait part de ses intentions suicidaires. Mais on ne retrouvera jamais son corps, et de multiples spéculations verront le jour sur son sort. Sciascia reprend ici l'enquête. Pour lui, Majorana, effrayé des conséquences politiques et militaires qu'allait entraîner la maîtrise (si l'on peut dire!) de l'énergie nucléaire, aurait rompu avec le monde de la science pour se retirer à vie dans un couvent. Il est inutile de refaire l'éloge littéraire de Sciascia, qui, à son habitude, utilise avec brio la forme du roman policier. Documents, hypothèses et prises de position personnelles s'entremêlent en un texte rapide et prenant. Et c'est là beaucoup de talent au service d'une cause bien faible. Derrière le cas Majorana, c'est le rôle social de la science en général que vise Sciascia. Mais, victime exemplaire de l'idéologie dominante que pourtant il voulait combattre, Sciascia confond les causes et les effets. Sa conclusion est claire : si « nous vivons de plus en plus comme des chiens » (Camus), c'est « grâce à la science, grâce surtout à la science » (Sciascia). Idéalisme foncier qui inverse la relation entre une science aujourd'hui effectivement oppressive, élitiste, ésotérique, etc., et la société qui la conditionne ainsi. Dans la logique de ce point de vue, Sciascia ravive le mythe du génie visionnaire et solitaire, et attribue à Majorana en 1937 une clairvoyance impossible, reflet anticipé de lueurs d'Hiroshima qui nous éclairent aujourd'hui. Il découpe arbitrairement les responsabilités, et pour mieux accuser les physiciens nucléaires de Los Alamos, va jusqu'à décharger leurs collègues allemands, tel Heisenberg, dont le rôle fut pourtant rien moins que clair. Il propose enfin comme seule solution aux scientifiques la claustration volontaire. Que n'a-t-il lu Der Physiker, *la remarquable pièce où Dürrenmatt démonte avec ironie l'illusion d'une telle retraite! Le livre de Sciascia a d'ailleurs soulevé une intense polémique en Italie. Son édition française ne fait état, malheureusement, que des critiques de l'establishment scientifique italien, face auxquelles Sciascia a la partie belle. Mais on attend maintenant sa réponse à ceux pour qui la critique radicale de la science ne se confond pas avec la condamnation ou l'apologie également individuelles de savants plus ou moins fous.*

Réactions nucléaires

Ce texte fut écrit alors qu'au printemps 1976, d'Erdeven à Fessenheim, de Braud-Saint-Louis à Port-Leucate, manifestations, occupations et pétitions mettaient en cause le programme électronucléaire gouvernemental. L'EDF, le CEA et les ministres contre-attaquaient sur les ondes, dans la presse, au Parlement. Nul doute que ce débat, aujourd'hui latent, ne revienne bientôt au premier plan.

Pour la première fois sans doute dans l'histoire, une mutation technologique n'est plus considérée comme un progrès automatique, ni même acceptée comme une évolution inéluctable. Et ce mouvement antinucléaire, sous des formes diverses, existe désormais dans tous les pays capitalistes avancés. Certes, tout n'est pas clair dans ses motivations et ses mots d'ordres ; bien sûr, un rousseauisme parfois naïf sous-tend les discours de certains groupes écologiques ; évidemment, le refus d'une implantation de centrale nucléaire parfois repose sur la défense d'intérêts ou de privilèges étroitement locaux. Mais ne serait-ce pas le propre de tout mouvement social réel que de progresser à travers de telles contradictions entre certaines de ses formes d'expression d'une part, et ses objectifs de fond d'autre part ?

La vérité politique d'un tel mouvement ne sort pas tout armée d'un quelconque comité central, telle Athéna de la tête de Zeus. Plus profondément, la radicalité du mouvement antinucléaire repose justement sur son extériorité par rapport aux normes que notre système social impose à sa critique même. Socialement hétérogène : paysans et pêcheurs, instituteurs et curés, marginaux divers ; géographiquement dispersé : côtes bretonnes et méditerranéennes, campagnes alsaciennes, loin des grandes villes en tout cas ; organisationnellement complexe : comités locaux autonomes, associations écologiques diverses, groupes d'information spécialisés ; rien ici qui corresponde aux schémas orthodoxes : la classe ouvrière est peu touchée, les villes restent à l'écart, les organisations politiques traditionnelles font la fine bouche.

Pourtant, ce mouvement va droit au cœur du système ; il questionne non pas seulement ses apparences, sa représentation politique, son discours idéologique, mais bien ses fondations. C'est la logique de la reproduction capitaliste, en tant qu'elle exige un élargissement indéfini de sa base matérielle, une croissance proprement cancéreuse de ses « forces productives » qui est mise en cause. Aussi bien, la mutation nucléaire est-elle d'une importance essentielle : jamais peut-être la signification politique de la technologie n'est-elle apparue aussi clairement.

Jusqu'à présent avait pu se maintenir à peu près intact le mythe de la neutralité des techniques, ou, en d'autres termes, de l'autonomie des forces productives ; la version économiste du marxisme (dominante aujourd'hui), de ce point de vue n'est que l'un des reflets de l'idéologie bourgeoise – et pas forcément le plus avancé. Mais la technologie nucléaire à l'époque historique actuelle ne peut être mise en œuvre que dans une société centralisée, contrôlée, divisée, technicisée. Elle exige et accentue la division du travail, la négation des intérêts des producteurs immédiats, la dépossession des possibilités de décision locales, l'hypertrophie du contrôle policier, le renforcement de l'idéologie d'expertise et de compétence.

S'il fut possible à la Chine populaire d'expérimenter une sidérurgie paysanne, décentralisée, à petite échelle (avec un succès d'ailleurs limité), un tel pari semble rigoureusement impossible en ce qui concerne l'industrie nucléaire. Naturellement, il ne s'agit pas ici d'une caractéristique maléfique immanente aux lois de la physique nucléaire, mais simplement de ceci,qu'une éventuelle maîtrise sociale collective de l'énergie nucléaire ne serait possible que dans une société socialiste très hautement développée, ayant déjà accompli d'importants progrès dans l'abolition des divisions villes/campagnes, travail manuel/travail intellectuel. Une telle formation sociale relève à l'heure actuelle de l'utopie lointaine. Enfin, il n'est pas évident, bien au contraire, qu'une telle société ne stabiliserait pas ses besoins énergétiques au-dessous du seuil qu'exige la mise en œuvre de l'énergie nucléaire, ou/et qu'elle ne développerait pas en priorité des technologies plus décentralisées et mieux contrôlables (sans tomber ici dans l'illusion pastorale des technologies « douces » : les piles solaires exigent du silicium, les éoliennes rentables des métaux légers, d'où la nécessité d'une base industrielle minimale !).

La lutte contre la technologie électronucléaire est donc, quelles qu'en soient les formes présentes, fondamentalement politique. Sa complexité et sa difficulté viennent précisément de la conjonction nouvelle de ces deux termes : le politique et le technologique. La critique technique et scientifique des risques et dangers du programme électronucléaire est nécessaire, mais insuffisante, comme l'est symétriquement sa seule critique politique. A l'heure actuelle, le mouvement oscille encore entre ces deux pôles, approfondissant tour à tour chacun de ces aspects, sans qu'ait émergé une vision globale. Il faut en tout cas se féliciter vivement de la parution récente de deux dossiers techniques qui apportent, pour la première fois en France, des éléments précis au débat et le mettent à la portée de chacun, démystifiant ainsi le prestige des experts et l'intimidation du discours scientifique officiel. *Questions sur le nucléaire* (Bourgois) est un recueil compilé par D. Pignon et Ph. Courrège, B. Drévillon, J.-P. Mandiburu, A. Roy ; ce groupe de physiciens est directement issu de « l'appel des 400 » scientifiques contre le programme nucléaire gouvernemental, et représente l'une des plus utiles réalisations de ce collectif. Ce dossier est principalement consacré à l'analyse des risques d'accidents dans les centrales nucléaires ; il reproduit, commente et compare de nombreux textes jusqu'ici confidentiels – en France, en tout cas. *L'Électronucléaire en France* (Seuil) résulte du travail du syndicat CFDT de l'énergie nucléaire [1]. Il s'agit d'un ouvrage de synthèse plus général que le précédent, qui passe en revue les aspects économiques et écologiques du programme aussi bien que les problèmes de sécurité, où l'expérience acquise sur le tas par les travailleurs du nucléaire est évidemment irremplaçable.

Il n'est pas question ici de résumer ces livres, puisqu'il s'agit de dossiers détaillés, à lire et travailler attentivement. Précisons cependant qu'ils n'exigent pas de connaissances scientifiques préalables. Ces deux textes, parus très heureusement en collections de poche, constituent donc désormais une solide et indispensable documentation de base. Leur importance politique n'est pas moins importante : pour la première fois, des agents directs de l'appareil technologique d'État mettent, collectivement et ès qualités, leur savoir à la disposition de ceux qui en sont par principe privés. Cette véritable trahison de classe est porteuse d'une

1. Une mise à jour de cet ouvrage a été publiée en 1980 sous le titre *le Dossier électronucléaire* (Seuil, « Points-Sciences »).

signification considérable quant aux possibilités futures de nouvelles alliances entre forces sociales aujourd'hui dispersées : quelle action commune jusqu'ici était envisageable entre un pêcheur breton, un technicien de Marcoule et un physicien du Collège de France ?

Il ne faudrait pas croire cependant que la brèche ainsi ouverte ne puisse être refermée. C'est que, justement, la critique politique reste ici implicite. Une double méconnaissance de cette dimension caractérise ces deux livres, et tout d'abord, celle de leur propre origine. C'est qu'en effet l'existence de ces ouvrages, et la prise de conscience qu'elle traduit de la part des milieux scientifiques et techniques, est elle-même la résultante du long et patient travail de nombreux groupes et militants « écologiques » et des comités antinucléaires locaux de base. Ce sont *eux* qui ont creusé la brèche. Mais il est dans la logique du système que s'y portent au premier rang ceux auxquels il délègue la tâche de représenter le savoir, fût-ce de façon critique. L'idéologie de la compétence est encore assez puissante pour que presse à grand tirage et télévision ne fassent massivement écho à la campagne antinucléaire que lorsqu'elle peut présenter la digne apparence de la respectabilité scientifique. On peut alors opposer aux apologies nucléaires télévisées d'un Leprince-Ringuet les critiques d'un Froissart, également professeur au Collège de France. Mais il serait impensable évidemment que la parole soit ainsi donnée aux pêcheurs de Port-Leucate ou aux paysans d'Erdeven.

Sous la pression de cette idéologie de la compétence, le débat peut tourner à la confrontation entre experts et contre-experts par-dessus la tête des millions de gens pourtant directement concernés. Le risque de reconstituer et de conforter ainsi l'idéologie dominante à partir de sa propre critique a été clairement mis en relief par certains scientifiques (voir le n° 2 de la revue *Impascience*, et son dossier « Tout nucléaire, tout politique »). Ce risque est évidemment moindre dans l'information écrite que dans les moyens de communications audiovisuels et, à cet égard, les livres ici analysés sont certainement moins ambigus que tels débats publics ou interventions télévisées. Le danger n'en existe pas moins ; il fait typiquement partie de ces contradictions qui, faute de pouvoir être actuellement dépassées, devraient au moins être énoncées.

Les partisans du programme électronucléaire, pour affaiblir la position de ses adversaires et dévaloriser la portée de leurs critiques, utilisent souvent deux arguments historiques. D'une part, la réticence devant l'énergie nucléaire ne serait que l'écho tardif et dévoyé des grandes peurs devant la Bombe. D'autre part, le refus de la technologie nucléaire témoignerait d'un passéisme analogue à celui des opposants au chemin de fer, il y a un siècle. Les antinucléaires souvent récusent ces assertions, clamant qu'il s'agit là d'amalgames malhonnêtes, que la crainte des centrales n'a rien à voir avec celle des bombes, ni leur rejet avec celui des voies ferrées. Je ne suis pas certain qu'il soit juste ni habile, d'éluder ainsi ces attaques : dans les deux cas, elles font aisément retour à l'envoyeur.

Car enfin, serait-il si absurde de considérer que la peur du nucléaire civil prolonge *à juste titre* celle du nucléaire militaire ? Je ne parle même pas ici des futurs développements qui permettront l'accès à l'arme nucléaire de toute nation possédant une centrale civile productrice de plutonium. N'envisageons que les origines de la technologie nucléaire. Est-ce vraiment par hasard que la Seconde Guerre mondiale a permis sa maîtrise et sa mise au point ? Croit-on sérieusement qu'une nécessité autre que militaire aurait conduit aux investissements financiers, matériels et humains, d'ampleur inégalée, du projet Manhattan ? Ne voit-on pas que l'armée était à l'origine la seule institution capable de prendre en charge une technologie nouvelle d'une telle complexité ? N'est-il pas évident enfin que si les sommes fabuleuses consacrées pendant des décennies à la maîtrise des techniques nucléaires (en particulier la séparation, l'enrichissement, le retraitement des matériaux fissiles) étaient déduites des budgets militaires et imputés au coût total du programme « civil » qui en a bénéficié, le prix économique de l'énergie nucléaire serait incommensurablement supérieur à ses estimations actuelles ? Les centrales sont donc bien filles (et mères) des bombes. Le sentiment populaire, implicitement, ne s'y trompe pas.

La peur salutaire de la Bombe ne se manifeste guère aujourd'hui. Que sont devenues les grandes craintes des années 1950, quand la guerre froide menaçait des flammes nucléaires, et que, rien qu'en France, plusieurs millions de personnes signaient l'Appel de Stockholm ? Ces générations n'ont pas pu oublier complètement leur refus, leur lutte contre l'apocalypse nucléaire, ou leur simple terreur. La détente est venue, et la coexistence. Mais la seule coexistence véritable est aujourd'hui celle de l'humanité avec un stock d'armes suffisant pour la détruire plusieurs fois. Et malgré les discours rassurants, chacun sait que la détente, les doigts restent crispés dessus. La crainte ne s'avoue plus, elle n'en est que plus profonde. Comment s'étonner alors qu'elle resurgisse, peut-être déguisée, devant le nucléaire civil ? Ne sont-ce pas les mêmes forces sociales qui ont besoin des bombes et des centrales ? Les mêmes politiciens qui les défendent, de droite à gauche ? Les mêmes pontes scientifiques qui ont collaboré avec l'armée et aident EDF ? Pourquoi le mouvement antinucléaire n'accepterait-il pas ici le défi, pour élargir son refus à celui du programme nucléaire militaire qui, on ne le sait pas assez, ne cesse de se développer ?

Quant à ceux qui refusaient le chemin de fer en 1850, qu'en savons-nous vraiment ? Leurs arguments ne nous sont-ils point parvenus que par l'intermédiaire de ceux à qui ils s'opposaient ? L'histoire technologique, comme l'histoire politique, est toujours écrite par les vainqueurs.

Aujourd'hui, où beaucoup cherchent à retrouver la mémoire populaire, il faudrait peut-être enquêter à nouveau sur ce qu'ont pu être les réactions (réactions, oui : est-on toujours réactionnaire lorsque l'on réagit ?) des campagnes et des bourgs devant l'extension du réseau ferré. Moyen de communication, de modernisation, d'échange, certes. Mais n'a-t-il pas servi d'abord, comme *toute* technologie nouvelle, à conforter les dominations déjà établies ? Est-ce faire preuve d'un passéisme outrancier que de demander une estimation de toutes les conséquences sociales effectives du chemin de fer, le passif et l'actif, avant que d'accepter les justifications *a posteriori* ? L'électricité, la voiture (donc le pétrole), la télévision, d'autres innovations technologiques récentes dont il conviendrait d'évaluer sérieusement les bouleversements sociaux qu'elles ont accompagnés (suscités et/ou justifiés).

Peut-être s'apercevrait-on alors que la spécificité du nucléaire réside moins dans l'ampleur de ses répercussions que dans la conscience collective qui s'en développe. Je ne suis pas, pour ma part, persuadé que la technologie nucléaire soit, en elle-même, qualitativement plus dangereuse que toute autre. Il n'y a pas de raison *technique* qu'elle ne puisse, en y mettant l'argent, les hommes, le temps, être maîtrisée. Les réactions en chaîne les moins bien connues ne sont pas celles de la fission nucléaire, mais celles des transformations sociales. La nouveauté du nucléaire résiderait alors dans le refus explicite d'une partie croissante de l'humanité de s'engager aveuglément dans une nouvelle technologie, irréversible comme les précédentes. Par-delà la crainte de dangers matériels immédiats, et même si cette crainte s'avérait infondée ou exagérée, ce refus serait l'essentiel, même s'il n'est pas encore transparent. Malgré les apparences, le mouvement antinucléaire serait moins défensif et réactif qu'offensif, novateur, et porteur d'espoir. En ce sens, c'est bien une nouvelle conception de la politique qui germe ici.

Les salades de « Libé »

Dans Libération *du 6 avril 1976, page 3, à propos de Lip : « La montre à quartz offre pourtant des possibilités nouvelles […]. Mais, pour cela, il faudrait développer les secteurs de pointe et financer la recherche ». Autrement dit, le capitalisme freine le développement des forces productives et seul un essor continu de la science et de la technique permet le progrès social. On croirait lire* l'Huma.

Dans le même numéro, page 5, on nous affole à l'idée de la « contamination radioactive » *et des* « risques de leucémie » *dont nous menace l'ingestion d'une feuille de laitue américaine contrôlée aux rayons gamma. Déjà il y a quelques semaines, à propos de pommes de terre traitées, Tartin et Tartine en avaient lourd sur la patate du même risque. On croirait lire* la Gueule ouverte. *Comme si on ne pouvait aujourd'hui se déterminer que « pour » ou « contre » la science, et même, quand on ne sait plus très bien, pour et contre à la fois, comme ici. Décidément, par-delà le bien et le mal, c'est bien difficile d'y arriver.*

On n'est quand même pas obligé, pour soutenir sans réticences la lutte des Lip, de chanter les louanges de la montre à quartz ! C'est bien le gadget le plus inutile qu'on ait proposé — imposé ! — depuis longtemps. Rien de plus au point, de plus stable et fiable que la bonne vieille montre mécanique, depuis des siècles. Mais justement, les montres clas-

siques marchent si bien, sont si peu chères (relativement), que le marché en est presque saturé. D'où le nouveau joujou (pas si commode d'ailleurs : faut appuyer sur un bouton avec la main droite pour lire l'heure au poignet gauche; essayez donc quand vous portez une valise dans chaque main). Mais qui donc, vraiment, a besoin de montres précises au centième de seconde, sinon ceux qui les vendent? En quoi serait-ce trahir les Lip que de le dire? Ils ne sont pour rien dans le choix de cette technologie. Et comment, si nous nous taisons (ou pire, comme Libé*), nous gausser de Séguy quand il exige que* « notre » *armée utilise des fusils français pour donner du travail aux ouvriers des manufactures d'armes ?*

Quant aux rayons gamma, c'est pas contagieux! Ce qui est dangereux, c'est d'en prendre directement dans la figure. Mais une salade ou une patate traitée aux gamma, c'est comme un lapin tué d'un coup de fusil; à le manger, vous ne risquez pas que la balle vous revienne en travers du gosier. Il y a d'ailleurs belle lurette que lesdits rayons gamma ou leurs cousins, X, servent à contrôler diverses pièces métalliques de l'industrie. L'irradiation n'est pourtant pas le principal danger de l'automobile. Les laitues américaines, c'est pareil : elles seront sûrement insipides (plus que nos laitues d'aujourd'hui? Ça paraît difficile...) mais pas *parce qu'elles seront gamma-huchées. Faut pas prendre l'effet pour la cause : les rayons gamma sont l'un des moyens techniques de l'industrialisation, standardisation, automatisation, etc., de la production saladière. Et c'est ce processus de production qui est en cause, pas (dans ce cas particulier) la radioactivité.*

Pour conclure sur une noble maxime : la science et la technique, camarades, ne méritent ni cet excès d'honneur ni cette indignité.

La campagne verte

Lettre aux candidats des listes Paris-Écologie lors des élections municipales de mars 1977.

Messieurs et Chers Collègues,

Je viens vous apporter tout mon soutien dans votre campagne électorale.

Le malentendu qui nous opposait au sujet des éventuels effets de quelques malheureuses centrales nucléaires est ramené à ses justes proportions, secondaires.

J'avais cru en effet qu'à cette occasion, vous mettiez en cause la nature même de la science dans nos sociétés, et le rôle qu'y jouent les scientifiques.

Je suis heureux de constater que je me suis trompé. Dans l'Écho logique, *organe de votre association dans le XIV*e *arrondissement, vous rendez à notre corporation la place qui lui revient: la première.*

Vous écrivez ainsi dans votre éditorial: « Depuis la fin des années 1960, des scientifiques *alertent l'opinion [...] Ils insistent sur la nécessaire solidarité de l'homme et du monde vivant telle qu'une* science *permet de l'étudier: l'écologie. A* leur *appel, se sont créés de nombreux organismes [...] Un vaste courant s'est formé, qui regroupe non seulement* les scientifiques *[etc.]. Paris-Écologie, ce sont des* scientifiques *[etc.]. Venez les rejoindre. »*

Merci, Messieurs, de votre estime inattendue après tant de sarcasmes. Merci, au moment où le pouvoir lui-même, malgré nos bons et loyaux services, réduit ses subsides et nous témoigne quelque défiance (voir un récent discours, véritablement gauchiste, d'Alice Saunier-Seïté, sur les effets néfastes de la science), de prendre en compte notre importance et d'utiliser, pour votre campagne électorale, notre image de marque, la rafraîchissant du même coup.

Nous sommes d'ailleurs faits pour nous entendre: nos habits d'académiciens ne sont-ils pas, depuis toujours, verts?

Henri Leduc-Ringard,
physicien nucléaire,
professeur au Collège de France,
membre de l'Académie,
etc.

p.c.c. Jean-Marc
Lévy-Leblond

Complexité et perplexités

Le texte qui suit ouvrait en 1978 dans *le Monde diplomatique* une série intitulée « Interrogations », et que je présentais ainsi :

« Le monde aujourd'hui est plein de certitudes. Toute pensée est affirmative, tout discours constitutif. Impossible de parler, d'écrire, sans être supposé savoir. Le droit d'expression se transforme en devoir d'assertion. On préfère les réponses, même sans questions, aux questions, même sans réponses. Quelle force dans la contrainte sociale qui oblige à se faire marchand de vérités tout un chacun dont la profession est de penser, et le pousse à endosser à chaque instant les costumes intellectuels de rigueur ! A voir certains se hâter de certitude en certitude contradictoires, il vient le désir de proposer, au lieu de dialectiques roublardes et précipitées, une maïeutique naïve et patiente.

Car il n'est pas de réflexion véritable qui ne finisse par poser plus de questions qu'elle n'en résout. Une activité de pensée, scientifique ou artistique, peu importe, ne prend sens que par les certitudes qu'elle réfute, par les préjugés qu'elle ruine — fussent-ils ceux sur lesquels elle est fondée. Nombre de chercheurs sont, tôt ou tard, confrontés à des interrogations redoutables, souvent anciennes et élémentaires, longtemps tenues pour réglées, qui jaillissent à nouveau du cœur même de travaux locaux et spécialisés, pour remettre en cause toute une vision du monde.

Métaphysiques ou politiques, il est d'usage de n'avouer ses perplexités qu'à l'abri des réponses, mêmes provisoires, que leur fournit tel ou tel système de prêt-à-penser. Oserons-nous avancer à découvert, retrouver le questionnement, avouer l'ignorance et revendiquer l'incertitude ? »

J'ai peur des centrales nucléaires. Mais beaucoup moins à cause des dangers d'accident que de leur possible fonctionnement normal. J'ai peur, non tant parce qu'elles menacent de ne pas marcher, mais parce qu'elles pourraient bien marcher – et que je ne comprends pas pourquoi. Devant des systèmes complexes et gigantesques, intégrant des tonnes de béton, des myriades de minuscules transistors, des kilomètres de tubulures, échangeant des flux d'électricité, de vapeur et d'argent, reposant sur le travail de milliers d'ouvriers et ingénieurs, les décisions de centaines de politiciens et technocrates, le vertige me prend. Je ne comprends pas *pourquoi* « ça marche », parce que je ne comprends pas *comment*. Physicien, je connais pourtant les principes de l'énergie nucléaire, ceux de la thermodynamique, ceux de l'électricité – j'ai le privilège de posséder presque tout l'arsenal nécessaire à la compréhension théorique du fonctionnement d'une centrale nucléaire. Théorique *seulement* : c'est qu'il y a loin des principes à leur mise en œuvre, des livres de physique et de leurs équations aux réacteurs et à leurs barres de contrôle. De la physique théorique à la physique expérimentale, déjà un fossé ; de la physique à la technologie, un gouffre. Que sais-je de la métallurgie, de l'électrotechnique, de l'hydrodynamique appliquées, sans parler de la plomberie et de la maçonnerie, qui se réalisent dans une centrale nucléaire au même titre que la physique fondamentale ? Comment donc parler de com-préhension lorsqu'il s'agit d'une prise aussi unilatérale (du côté de la théorie) et partielle (du point de vue de la physique) sur la réalité ?

Ce qui pourrait n'être qu'anxiété personnelle, due à l'insuffisance de mes moyens individuels, se transforme en interrogation universelle lorsque je réalise que *personne* ne possède cette compréhension qui me manque. Les plus impliqués dans une entreprise de cette ampleur n'ont chacun qu'une vue extrêmement limitée : l'ingénieur métallurgiste ne saura rien sur les normes de sécurité du béton, le spécialiste de la radioprotection ne connaît pas les problèmes d'échange de chaleur à haute température, et les administrateurs du projet n'en maîtrisent que l'organigramme de papier. Au découpage du système technologique en sous-systèmes particuliers répond la division de la machine sociale en secteurs hétérogènes. Il n'y a plus de perception globale possible, plus de point de vue d'où le système puisse être saisi en sa totalité. Ses principes théoriques, sa réalisation pratique, son organisation sociale, autant d'aspects séparés. Rien là qui soit particulier à l'électronucléaire : il ne fait que porter à un degré plus élevé encore la socialisation machinale de la technologie inaugurée au XIXe siècle par le capitalisme. C'est sans doute avec les voies ferrées, puis les réseaux de distribution de l'électricité, qu'apparaissent pour la première fois des objets techniques d'échelle proprement surhumaine. Les machines à vapeur, les automobiles elles-mêmes (en leurs débuts au moins) restent à portée de main individuelle : leur fonctionnement, entretien, réparation (sinon leur production) peuvent encore être maîtrisés par l'artisan ou l'amateur isolé. Mais l'étendue spatiale et la complexité organisationnelle du chemin de fer, de l'électricité ou du téléphone, avant même leur sophistication technique, en font des systèmes directement sociaux. La maîtrise et la connaissance des processus y échappent au travailleur individuel sans que *personne* ne les récupère ; à la différence de la manufacture ou même de l'usine traditionnelle, elles se diluent dans la structure collective et perdent jusqu'à leur signification propre.

La compréhension alors fait place à l'appréhension. On a déjà exprimé autrefois, devant le développement de ces nouvelles technologies, les mêmes craintes, les mêmes refus que devant le nucléaire. En apparence peur des risques et des dangers, en réalité peut-être peur du succès. A cet égard, les partisans du nucléaire n'ont pas tort, qui assimilent leurs adversaires écologiques à ceux, naguère, du chemin de fer. Ils peuvent même avoir raison quand ils affirment que, comme le chemin de fer, le nucléaire saura surmonter ses problèmes de sécurité et devenir fiable. Mais on peut accepter cette argumentation pour la retourner : si le chemin de fer n'a pas étouffé les voyageurs dans ses tunnels ou provoqué de pleurésies dans ses wagons, qui oserait affirmer que son coût social fût nul ? C'est tout le tissu national qui en a été bouleversé, les relations ville-campagne, le poids économique des régions, l'organisation interne des cités, etc. – sur une échelle certainement imprévue par les plus visionnaires des apôtres du progrès technique. La distribution généralisée de l'électricité, la circulation automobile, le téléphone individuel, la télévision à domicile : autant d'exemples analogues où les technologies nouvelles contribuent toujours à accentuer les traits les plus marquants de la société qui les met en œuvre : disjonction de la production et de la consommation, atomisation de la vie sociale en activités séparées (travail, loisir, repos), distension des liens historiques et géographiques, perte de toute autonomie personnelle et aggravation de la dépendance institutionnelle, etc. Il s'agit donc moins de refuser le progrès ou de le nier que de le considérer comme purement tautologique : la roue de l'histoire avance certes, mais dans la direction très particulière déterminée par l'ordre social.

Ce fonctionnement désormais machinique de tout système sociotechnique, tel l'électronucléaire, entraîne la dissolution de toute notion de responsabilité. Puisqu'il n'y a plus de vue d'ensemble du projet, plus de contrôle global, les décisions ne sont plus que ponctuelles (politiques *ou* économiques *ou* techniques, séparément) et deviennent automatiquement irréversibles : chacun peut s'abriter derrière un ordre ou une incitation venus de plus haut, ou d'à côté. Les ouvriers obéissent aux ingénieurs, les ingénieurs appliquent les décisions administratives, les politiciens s'en réfèrent aux experts, les experts arguent des nécessités techniques, et il devient impossible de rompre cet enchaînement, de s'opposer à l'inertie d'un système dont l'existence est le seul argument pour sa perpétuation et sa croissance. Dès lors, les accidents inévitables [1] n'ont jamais de responsables, tout au plus des coupables. Quand le barrage de Malpasset se rompt, on peut déceler une faute professionnelle chez l'architecte, ou quand la vanne d'Ekofisk déverse son pétrole dans la mer du Nord, impliquer un technicien maladroit. Mais la disproportion entre l'effet et sa cause présumée rend l'imputation proche de la conjuration magique : le bouc émissaire est toujours là pour prendre en charge et concentrer la culpabilité diffuse et confuse du corps social. Autant vaudrait accuser et traîner devant les tribunaux la paille dans l'acier, ou la faille dans le béton. Comment exiger d'une machine humaine un fonctionnement sans défaillance, qu'on n'espère d'aucun engin mécanique ? Et voici que l'on est conduit au fatalisme, plus inacceptable encore que l'exorcisme. C'est pourtant bien cette absence de réaction qui est désormais la nôtre, par exemple

1. Cf. P. Lagadec, *la Civilisation du risque, catastrophes technologiques et responsabilité sociale* (Seuil, Paris,1981).

devant les dizaines de milliers de victimes annuelles de l'automobile : « Personne n'y peut rien. » *C'est vrai.* Et n'est-ce pas une raison largement suffisante pour refuser toute extension du réseau sociotechnique qui nous enserre ? Chaque innovation technologique que nous acceptons, nous la paierons *sans savoir quand, ni comment.* Mais ce coût inévitable, nous avons désormais au moins la certitude de son existence.

Devant l'inéluctabilité des accidents, l'attentisme pourrait prendre le pas sur le fatalisme et l'on en viendrait à espérer les catastrophes majeures qui, enfin, révéleraient la vraie nature de *ce* progrès et le condamneraient. Il faudrait alors se réjouir de la disparition progressive du contrôle social sur la technostructure et de l'accroissement corrélatif de sa vulnérabilité. Plus élevée sa complexité, plus nombreuses les causes de défaillances, plus imprévisible leur nature. Que tel réacteur nucléaire de puissance soit gravement endommagé et demande des mois de réparation à cause d'un incendie provoqué par la vulgaire bougie utilisée par un technicien pour vérifier les circuits dans un recoin obscur, cela ne démontre-t-il pas l'inévitable fragilité des monstres techniques, condamnés à mort par leur gigantisme même, comme les grands reptiles de l'ère secondaire ? Mais cet optimisme cynique est inacceptable. La politique du pire n'est pas seulement inefficace en pratique, elle est également erronée en théorie. Car les défaillances du système, fautes des hommes ou défauts des machines, si elles provoquent, de temps à autre, la catastrophe, sont aussi et d'abord ce qui en assure le fonctionnement normal. Au niveau de complexité atteint, le respect absolu de toutes les contraintes imposées, limites de tolérance techniques ou normes d'organisation administratives, entraînerait immédiatement le blocage immédiat de la machine. Une surorganisation extrêmement stricte, donc lourde et coûteuse, est requise si l'on veut harmoniser dans le temps et l'espace l'effet de ces différentes contraintes et éviter qu'elles n'entrent en conflit. Seul, naturellement, l'appareil technique militaire, et peut-être la technique spatiale, ont pu jusqu'ici s'offrir ce luxe, et oublier délibérément les exigences de rentabilité immédiate et locale. Le prix, politique plus même qu'économique, en est clair.

C'est une caractéristique des systèmes complexes que leur relative immunité par rapport à leurs déficiences, mieux, la nécessité du rôle qu'elles y jouent. Ce qu'ils perdent, un peu, en fiabilité et en sécurité, ils le gagnent, beaucoup, en souplesse et en adaptabilité. Aucun mécanisme ne peut fonctionner s'il ne dispose d'un certain jeu. Ainsi la bonne conscience bourgeoise n'a-t-elle pas tort de souligner que les morts de l'automobile sont le prix à payer pour le libéralisme de notre société ; en Roumanie, les responsables d'accidents de la route vont en camp de rééducation. De même EDF reste-t-elle dans cette logique imperturbable, lorsqu'elle accuse les écologistes de faire augmenter les prix de l'énergie et d'être responsables de la mise en place éventuelle de structures policières plus strictes autour des sites nucléaires.

Comment échapper à cette diabolique alternative ? S'il est à présent impossible d'esquisser une réponse, c'est peut-être que nos analyses théoriques n'ont pas encore envisagé dans toute son ampleur cette *efficacité de la défaillance*, cette *fonctionnalité du dysfonctionnement*. Un système complexe ne fonctionne que par ses écarts à ses normes propres.

Notre système social dans son ensemble en offre peut-être la meilleure preuve. Ainsi, voici quand même plus d'un siècle que Marx l'a démontré : le capitalisme ne peut durer, il est condamné à court terme. Devant l'évidente faillite de la conclusion, on a essentiellement critiqué la démonstration. Et s'il fallait plutôt incriminer sa prémisse, et reconnaître que le système social actuel n'est pas le capitalisme, pas tout à fait ? Plus même qu'aux innovations hétérodoxes que le Capital a acceptées pour se maintenir (telle la planification étatique), je pense aux diverses formes sociales extérieures ou antérieures au règne du Capital et qui jouent néanmoins un rôle majeur dans sa stabilité, comme, au premier chef, le travail domestique non rétribué des femmes. Il faudrait alors reconnaître que, malgré son extension continue, la sphère du Capital n'est pas homogène, mais comprend des lacunes et des failles, nécessaires à sa vitalité. La persistance et la récurrence de composantes archaïques au sein du système capitaliste s'expliqueraient ainsi par la nouvelle fonctionnalité qu'ils y trouvent (on gagnerait sans doute beaucoup à envisager sous cet angle la situation d'un pays comme l'Italie). Inversement, l'échec des tentatives socialistes jusqu'à présent ne serait-il pas dû à leur volontarisme hégémonique, et l'immobilisme de leurs sociétés à l'impossibilité d'assurer le contrôle absolu d'une machine sociale en fonctionnement effectif[2] ? On comprendrait alors que le marxisme n'ait d'efficacité que critique. Sur un plan moins théorique, et à titre d'exemple, le refus d'affronter ce problème explique peut-être aussi la résistance des travailleurs devant cette forme suprême de la critique sociale en actes, la grève du zèle. C'est que, en démontrant l'impossibilité d'assurer le trafic aérien dans le respect absolu de ses règles de sécurité, les aiguilleurs du ciel subvertissent la notion de contrôle social en général, bien au-delà de l'ordre capitaliste momentanément mis en cause. Mais les organisations syndicales ou politiques aspirent moins à la destruction du pouvoir qu'à sa prise. A ce titre, elles ont besoin de s'appuyer sur un projet idéal de réorganisation sociale : il s'agirait de substituer à l'ordre capitaliste, mauvais car insuffisamment ordonné (certains parlent volontiers de son « anarchie »), un ordre nouveau, plus rigoureux. Un renforcement des contraintes qui régissent la machine sociale, un meilleur contrôle seraient nécessaires – et possibles. Mais

2. Naturellement, la conclusion logique de ces développements est la remise en cause de la notion même de système social, et plus généralement de toute pensée systémique.

les grèves du zèle réfutent par l'absurde cette illusion, d'où la réticence à y recourir. Enfin, la même idée – l'efficace de la faille – ne vaut-elle pas pour les systèmes de pensée ? Plutôt que d'ironiser sur les contradictions et déficiences de telle théorie, on devrait alors reconnaître qu'elles seules lui assurent un fonctionnement productif. On accepterait aussi l'hétérogénéité intrinsèque de toute doctrine, et on éviterait de la critiquer en lui imposant une homogénéité artificielle, visant ainsi une cible trop facilement atteinte.

A M. le Ministre, par anticipation

Cette lettre fut adressée le 11 octobre 1979 à M. J.-P. Chevènement, après une discussion sur les problèmes politiques et culturels de la science. Je me suis autorisé à rendre cette lettre publique, comme le fut la responsabilité de son destinataire, pendant deux années fécondes.

Cher Monsieur,

J'ai lu le texte de l'avant-projet socialiste que vous m'aviez adressé.

Je crois n'avoir pas de critiques majeures à l'égard des parties du texte portant sur la science et la politique scientifique. Plus précisément, j'approuve ce qui est écrit – mais cela me semble insuffisant. Le ton de votre projet en effet est dans l'ensemble plutôt défensif. Or, si je pense être d'accord avec vous pour craindre la remontée de l'irrationalisme et de l'obscurantisme, je suis probablement plus inquiet encore, car la science et les scientifiques à l'heure actuelle me paraissent mal placés et mal armés pour faire front.

A la fois pour des raisons politiques : division du travail dans les milieux scientifiques et intégration de leurs couches dirigeantes au fameux complexe militaro-industriel (même si c'est, en France, sous des formes plus subtiles qu'aux USA), et idéologiques : crise interne de la rationalité scientifique liée à la parcellisation du savoir et à son instrumentalisation, la science est devenue un rempart bien mou contre l'obscurantisme, et n'est certainement plus une arme offensive.

Il faut donc prévoir un long et patient travail pour arracher le savoir à ses maîtres actuels et le retourner contre eux. Ceci exige à mon sens d'abord une politique culturelle scientifique de masse, qui englobe mais déborde largement l'enseignement proprement dit. Il y a d'ailleurs à cet égard au moins une échéance sur laquelle je ne comprends pas que la gauche semble laisser champ libre au pouvoir giscardien : il s'agit de l'ambitieux projet de Musée des sciences et techniques de La Villette.

L'élaboration de cette politique culturelle devrait permettre d'établir des liens organiques avec une large fraction des travailleurs scientifiques et offrir une base aux nécessaires démocratisations qu'il faudra bien accepter d'opérer dans les milieux scientifiques pour y renverser divers privilèges et remettre en cause, parfois profondément, certaines priorités du développement scientifique.

Certains des textes que je vous adresse séparément contiennent peut-être d'autres remarques que je souhaite pertinentes pour cette élaboration.

Avec mes salutations.

L'éducation scientifique et technique : pour un nouveau cours

Quelques propositions pour le changement espéré, à l'occasion de l'entrée dans une période peut-être nouvelle (juillet 1981).

La crise de notre système éducatif est générale, elle en concerne tous les niveaux et n'épargne aucune discipline. Elle revêt cependant une acuité particulière dans l'enseignement scientifique puisqu'il est devenu, au cours de la dernière période, la clé de voûte de l'édifice. L'enseignement des sciences tient cette position à la fois de par son rôle symbolique, comme porteur des valeurs « modernes », et de par sa fonction effective, comme agent de la sélection sociale : les privilèges de la série C des classes du second cycle et du baccalauréat sont l'illustration de cette double importance.

Il est inutile de s'appesantir sur les dommages engendrés par la situation actuelle : la frustration des élèves, la faiblesse des étudiants, l'anxiété des parents, l'impuissance des maîtres sont trop évidentes. Observons cependant qu'il s'agit là des réactions communes que suscite la science *à l'école.* Ailleurs, au-dehors des institutions éducatives, c'est au contraire un renouveau certain d'intérêt pour la science qui se manifeste dans les media, la presse, l'édition, les musées, les clubs, etc. C'est là un premier élément encourageant quant à la rénovation nécessaire.

Un second élément provient de l'intense activité professionnelle déployée depuis quelques années autour de l'éducation scientifique. Plusieurs groupes de chercheurs se consacrant à sa pédagogie se sont formés, des études didactiques sont publiées, des colloques spécialisés ont lieu [1]. Pourtant les effets de ce travail, notable en quantité et souvent appréciable en qualité, ont jusqu'ici été assez limités. Cette étrange discipline que sont les « sciences » (?) de l'éducation a certes vu apparaître une branche particulière, consacrée... aux sciences, avec les habituels phénomènes subséquents de prise de mini-pouvoirs, d'institutionnalisation, de rivalité – sans parler du risque d'évolution itérative (à quand un programme d'éducation en sciences de l'éducation en sciences, etc. ?).

Mais, hormis quelques expériences ponctuelles, l'enseignement des sciences, à l'école primaire aussi bien que dans le secondaire, sans même parler du supérieur, n'a guère été affecté par ces recherches et conserve son caractère essentiellement dogmatique. Les bonnes intentions dont étaient armés les réformateurs de l'enseignement des mathématiques autrefois, de la physique plus récemment, se sont vite révélé paver un véritable enfer dans le premier cas [2] et pour le moins un purgatoire dans le second.

C'est que le cadre général du système éducatif pendant les deux dernières décennies ne permettait guère une approche novatrice. Même la diffusion des réformes mentionnées, somme toute modestes puisqu'elles ne touchaient

1. Voir par exemple les Journées de l'éducation scientifiques qui se sont tenues à Chamonix les trois dernières années, et dont les Actes offrent un panorama de ces activités. (UER de Didactique des disciplines de l'Université Paris-VII).

2. Pour le seul cas des mathématiques, voir en particulier les analyses de Stella Baruk dans ses deux ouvrages *Échec et Maths* (Seuil, 1974) et *Fabrice, ou l'école des mathématiques* (Seuil, 1977).

guère qu'aux programmes et non aux objectifs, ont échoué par manque de fonds – si j'ose dire –, ce qu'ont traduit l'insuffisance notoire du matériel de classe et de laboratoire nécessaire, et la déficience tragique de l'indispensable recyclage des enseignants. La suspicion pesant sur les IREM (Instituts de recherche sur l'enseignement des mathématiques), puis la décision de mettre fin à leur existence, comme déjà le refus de généraliser des structures analogues aux autres disciplines, témoignent éloquemment de la politique d'étouffement suivie jusqu'ici. Il n'est pas interdit de penser que, fidèle à sa politique « libérale » systématique, le pouvoir précédent pratiquait, de façon sans doute délibérée, une stratégie du « laissez-faire », assistant, et au besoin aidant, au lent naufrage d'un système éducatif désormais inadapté.

Car le système *est* inadapté. Et le changement politique ne débouchera sur une rénovation de l'enseignement que s'il permet de poser les questions les plus profondes, quant aux finalités de l'éducation et à son articulation avec les autres activités sociales. C'est à la condition que soit ouvert un vaste débat sur ces questions que les recherches pédagogiques rappelées ci-dessus pourront éventuellement trouver leur application.

Quelques principes essentiels doivent être dégagés pour que la rénovation attendue ne se limite pas à un replâtrage de surface. Voici, dans cet esprit, quelques propositions à discuter :

1. *Mettre fin au choix téléologique des contenus de l'enseignement*

Quels sont donc les objectifs de l'éducation scientifique ? Jamais posée explicitement dans le système actuel, cette question trouve cependant une réponse claire si l'on considère la curieuse méthode de récurrence utilisée pour déterminer les contenus de l'enseignement scientifique à chaque niveau. Grosso modo, ce sont les programmes des enseignements universitaires de troisième et second cycles, et ceux des grandes Écoles, qui régissent ceux du DEUG (premier cycle) et des classes de préparation aux concours, lesquels fixent ceux du baccalauréat, qui de proche en proche spécifient ceux de tout le secondaire, qui rejaillissent sur le primaire. En un raccourci à peine outré, on peut affirmer que les programmes de l'École polytechnique déterminent ceux de l'école maternelle. Autrement dit, par ce mécanisme téléologique, les besoins assignés à l'infime minorité qui émerge au sommet de la pyramide éducative imposent leur règle à la vaste majorité de ceux qui la quittent aux divers paliers intermédiaires. Il n'y aura pas de politique éducative démocratique tant que cette démarche ne sera pas renversée. A chaque niveau, les contenus d'un enseignement doivent être déterminés en fonction de ceux, élèves ou étudiants, qui sortent du système éducatif à ce niveau (ou s'y diversifient) et non de ceux qui y restent (ou y suivent une filière privilégiée). Il faut donc affirmer l'hétérogénéité et l'autonomie des différents niveaux. Cela implique, en particulier, quelque vigilance, dans les processus de concertation et d'élaboration, à l'égard de la hiérarchie académique (que l'université n'impose pas ses conceptions à l'école), et de l'expertise didactique (que les sciences de l'éducation servent l'éducation en sciences, et non l'inverse).

2. *Affronter la dualité des objectifs culturels et professionnels*

Les réformes de l'enseignement des sciences ont souvent reposé jusqu'ici sur le postulat que l'on « modernisait » automatiquement et simultanément la formation culturelle et la préparation professionnelle. Or ce qui était, par nature, vrai d'une éducation fondée sur les humanités et destinée aux élites bourgeoises, n'a plus aucune raison de l'être d'une éducation de masse à base scientifique. C'est par une pétition de principe bien douteuse que l'on a affirmé l'importance, par exemple, des mathématiques « modernes », et pour la compréhension générale du monde et pour la formation d'une compétence technique. Il se peut, certes, que ces deux objectifs coïncident parfois (par exemple, pour certains aspects des sciences de la vie). Mais il ne peut s'agir du cas général, et mieux vaut affronter lucidement cette dualité. Les problèmes n'en seront pas rendus plus faciles, au contraire : s'il s'agit de former l'esprit des enfants à la réflexion rationnelle, la théorie des ensembles, dépouillée de ses absurdes alibis techniques, ne vaut pas forcément mieux que les échecs. Et s'il s'agit d'appréhender le monde industriel, la vieille géométrie descriptive vaut probablement mieux que l'algèbre linéaire. De toute façon, l'expansion considérable de la recherche fondamentale doit nécessairement conduire à abandonner l'idée d'un enseignement encyclopédique : il n'est ni possible ni nécessaire de tout enseigner. Le dilemme de Montaigne n'en est plus un : les têtes sont en tout cas trop petites pour être « bien pleines » ; elles sont condamnées à n'être, au mieux, que « bien faites ». Le tout est de s'accorder maintenant sur les critères de ce « bien ».

3. *Articuler le monde des idées et le monde des choses*

C'est une tare universellement reconnue de notre enseignement scientifique que d'être trop théorique. Mais il ne faut pas seulement entendre par là que la pratique y est insuffisante en quantité. C'est surtout qu'elle y est secondaire, et subordonnée. Les travaux pratiques, en physique ou en sciences naturelles, servent essentiellement à illustrer la théorie, à donner corps au discours. La petite fille d'un ami survolant en avion l'embouchure du Rhône s'émerveillait que le delta du fleuve imite si parfaitement sa carte. Nos étudiants, eux, ne s'étonnent jamais de voir la nature « obéir aux lois physiques » et *la* jugent coupable dès lors qu'une expérience échoue. L'autonomie et la richesse du réel disparaissent totalement derrière la puissance et la simplicité de ses représentations. La science s'identifie à la connaissance figée des théories, non plus à l'exploration hasardeuse de la nature. Il nous faut donc rétablir l'esprit de la *leçon de choses*. A tous les niveaux, nous devons enseigner à connaître et re-connaître les objets, les êtres et les phénomènes : la craie et la feuille, l'arc-en-ciel et les bergeronnettes, les marées et la nébuleuse d'Andromède. Ceci exige que le découpage du savoir en disciplines théoriques ne soit pas admis comme allant de soi et devant régir l'organisation des contenus. La difficulté de la compréhension scientifique d'un phénomène tient d'abord à l'identification de sa nature : la cohésion d'une goutte d'eau est-elle gravitationnelle ? L'énergie solaire est-elle électrique ? C'est interdire ce questionnement essentiel que de fixer les programmes d'un enseignement par blocs théoriques. Il s'agit donc d'articuler le monde des idées et celui des choses. On peut imaginer qu'alternent deux types de démarches : pour la physique, par exemple, l'une où l'on ferait de la Mécanique, de l'Électricité, de l'Optique, de la Thermodynamique, etc., dans leur spécificité, l'autre où l'on étudierait la Lumière, les Matériaux, la Terre, le Climat, etc., dans leur complexité. Bien entendu, la division même des diverses sciences (physique, chimie, biologie, etc.) doit être soumise à une remise en cause identique.

4. Donner toute sa place à la technique

L'idée est banale. Encore faut-il la pousser jusqu'au bout : la place de la technique n'est pas *à côté* de l'enseignement scientifique, mais *dedans* – pour ne pas dire *devant*.

Les cours de « technologie » (avec leur célèbre étude de la targette) ont dérisoirement échoué. C'est qu'un enseignement scientifique digne de ce nom ne peut être séparé de l'enseignement technique. Quel est l'intérêt d'enseigner aux enfants les lois d'Ohm et de Kirchhoff, même avec des travaux pratiques de laboratoire, si on ne leur apprend pas, aussi et d'abord, à réparer un interrupteur, remplacer un fusible, monter une prise ? A quoi sert la biologie humaine si l'on ne sait pas pratiquer la respiration artificielle ou faire une injection intramusculaire ? Pourquoi donner un cours de chimie s'il ne permet pas d'apprendre à développer un film photographique ou contrôler le pH d'une mayonnaise ? Pas de science sans technique, donc. Mais peut-être, en plus, de la technique sans science. Une fonction essentielle du système éducatif est de permettre l'apprentissage de conduites indispensables à la vie sociale moderne – c'est une lapalissade. Comment se fait-il alors que notre enseignement forme si mal à la maîtrise du monde technique quotidien ? N'est-il pas dérisoire de projeter l'entrée de l'informatique dans l'école, alors qu'on n'y enseigne systématiquement et à tous, garçons et filles, ni à conduire une voiture, ni à taper à la machine, ni à faire la cuisine, ni à coudre ou tricoter, ni à réparer la plomberie ?

5. *Rendre à la science son épaisseur*

Ou encore : considérer la science comme activité plutôt que comme résultat, comme production de connaissance plutôt que comme connaissance produite. La science, c'est moins les théorèmes, les lois, les expériences que les arguments, rationnels ou non, les conflits d'idées et de personnes, les théories vraies *et* les fausses [3], les politiques de choix prioritaires, les déterminations militaires et les

3. Voir « Éloge des théories fausses », p. 76.

retombées économiques. C'est l'absence de tout tissu social dans la représentation scolaire de la science qui aboutit à en donner une image aussi pauvre et morte : les manuels et les cours sont à l'activité scientifique à peu près ce que le squelette des classes de sciences naturelles est au corps humain[4]. Et ce n'est pas le trop maigre enseignement séparé de philosophie des sciences actuel qui peut remédier à cette déficience – il n'est que de lire les copies de philosophie du bac (série C!) pour s'en persuader. Il faut donc que l'enseignement des sciences prenne toutes ses dimensions: historique, épistémologique, économique, politique. Et ceci, non sous forme d'adjonctions extérieures et plaquées, mais de façon interne et organique. Il ne s'agit pas, insistons-y, d'ajouter à l'enseignement scientifique des cours d'histoire, de philosophie ou d'économie de la science, mais bien de transformer cet enseignement en y intégrant ces aspects. C'est une condition nécessaire pour que soit désenclavée la science, qu'elle puisse contribuer à la culture générale – et qu'elle en bénéficie à son tour.

Enfin, l'éducation ne se réduit pas à l'enseignement; elle ne concerne pas seulement élèves et étudiants. La formation permanente doit évidemment être un objectif essentiel d'une éducation scientifique au plein sens du terme – voire d'une ré-éducation scientifique.

Il est clair que la prise en considération et la mise en pratique de tels principes exige un travail considérable de la part des enseignants en sciences de tous niveaux. Ils ne devront pas seulement reprendre et renouveler leur propre formation, mais aussi accepter que l'institution scolaire ne

4. Ce qui n'empêche pas, évidemment, cette science ossifiée de jouer un rôle majeur, et pas seulement négatif, pour les élèves – tout comme le squelette de sciences naturelles : voir le personnage de Martin Squelette dans le merveilleux film de Christian-Jaque, *les Disparus de Saint-Agil*, (1938).

soit plus le seul lieu de l'enseignement, même si elle en reste le foyer. Il faudra sortir de l'école, du lycée et de l'université pour aller dans les laboratoires, les usines, les musées – et la nature ! Le désir de changement des enseignants est-il suffisant pour les rendre disponibles à de profondes mutations ? Par-delà la défense de nos intérêts corporatifs, aussi légitimes puissent-ils être, peut-on compter sur notre conscience professionnelle et l'exigence de notre vocation ? Voici advenue, a-t-on dit, la république des professeurs. Puissions-nous montrer qu'elle n'est à nous que pour tous.

Le changement : Au/tour de la science

L'importance de la recherche scientifique pour une société moderne est aussi facile à constater que difficile à justifier. Deux types essentiels d'arguments sont couramment avancés, faisant de la recherche soit la source du développement technologique et industriel (voire social), soit l'expression du progrès intellectuel et culturel (voire moral). Cette motivation, par sa dualité même, est suspecte : en acceptant provisoirement la validité de chacune de ces justifications, comment ne pas craindre leur conflit ? N'est-il pas évident que les priorités et les choix d'orientation d'une politique scientifique consciente différeront suivant la nature des objectifs principaux ? Au stade de complexité et de coût atteint par la recherche, l'espoir est naïf que l'on puisse viser deux cibles à la fois : la science pour pouvoir et la science pour savoir.

Heureusement, oserai-je dire, chacune de ces cibles est en fait trop lointaine, et la contradiction perd sa gravité si l'on considère la situation d'un œil plus réaliste. C'est d'abord que le lien entre recherche et développement, entre science et industrie, n'est rien moins que direct. De multiples études ont, ces dernières années, tenté de mettre en évidence les sources scientifiques de l'innovation technique (projets TRACES, HINDSIGHT, etc.), sans résultats clairs. D'une part, il se fait bien plus de science qu'il ne peut s'en appliquer, et de l'autre, les applications éventuelles sont sous la dépendance cruciale de facteurs extra-scientifiques : la science est très partiellement nécessaire et très largement insuffisante à la technique [1]. La ténuité des liens, la subtilité des médiations interdisent d'utiliser la prospective technologique et industrielle comme base d'une politique scientifique – du point de vue même des intérêts propres du développement industriel : il n'y a de pilotage par l'aval possible que dans une navigation à (courte) vue. Bien entendu, il reste vrai que peuvent être efficaces des programmes de recherche orientés, dans des secteurs bien définis où il s'agit avant tout de transformer un savoir en savoir-faire, qu'il s'agisse aujourd'hui de génie biologique ou de micro-électronique. Mais si l'on peut raisonnablement diriger *des* recherches, comment gouverner *la* recherche ? C'est en amont, au stade des choix de priorité entre les différentes disciplines fondamentales et leurs secteurs particuliers, que la pertinence de l'argument technologique est bien faible. Un domaine comme la physique expérimentale des particules, par exemple, peut-il voir les investissements majeurs qu'exigent les nouveaux grands accélérateurs justifiés autrement que par la continuité de l'inertie, les pressions du lobby scientifique spécialisé et les engagements de coopération internationale ?

D'autre part, la visée culturelle de la science ne peut davantage être prise au sérieux comme principe directeur, tout au moins en ce qui concerne la politique scientifique suivie jusqu'ici. Le divorce est tragique, en effet, entre la sophistication des outils intellectuels de la recherche spécialisée et la finesse de certaines analyses philosophiques inspirées par la science moderne, d'un côté, et de l'autre, l'analphabétisme scientifique de la société dans son ensemble – y compris la profonde inculture professionnelle

1. Cf. en particulier l'ouvrage de O. Giarini et H. Loubergé, *la Civilisation technicienne à la dérive* (Dunod, 1979).

des chercheurs eux-mêmes. Pour s'en tenir aux symptômes les plus grossiers de cette aliénation, comment nier, par-delà les bonnes intentions des réformateurs initiaux, l'aspect de plus en plus scolastique de la science dans l'enseignement secondaire et son rôle essentiellement sélectif ? Et comment éviter la dérision devant la coexistence journalistique des exploits de l'astrophysique avec les rubriques astrologiques ? En page 2, Saturne exerce son ascendant sur vos amours et votre fortune, cependant qu'en page 1, Voyager vous offre en gros plan le portrait de ses anneaux...

La science n'est, à proprement parler, ni appliquée ni partagée. On n'en conclura pas pour autant qu'elle est inutile. Laissons ici de côté le rôle idéologique qu'elle a si bien tenu comme garante de tout argument d'autorité, et tenue de camouflage rêvée pour toute décision politique, en souhaitant qu'il s'agisse d'une période révolue. Reste qu'on peut trouver à la recherche scientifique un rôle effectif et fonctionnel dans le système social, si l'on veut bien voir que son impact s'exerce bien en deçà du niveau des applications techniques et des connaissances sociales. C'est D. de Solla Price qui a développé brillamment l'argument attribuant à la recherche une valeur *extrinsèque* [2]. Brièvement résumée, sa thèse part de l'impossibilité, évoquée plus haut, de démontrer l'utilité intrinsèque de la plupart des recherches fondamentales, qui ne seront ni mises en pratique ni diffusées. Il n'en demeure pas moins que la sophistication technologique, aussi bien que la complexité sociale (c'est moi qui ajoute ce second facteur) de nos sociétés, requière un niveau moyen toujours plus élevé de compétence collective : savoir-faire, mais aussi savoir-savoir. Le corps pro-

2. D. de Solla Price, « An Extrinsic value Theory for Basic & Applied Research », in *Science & Technology Policy*, J. Haberer ed. (Heath, 1977) ; « The Conceptual Basis of Science & Technology Policy », Symposium Franqui *Order and Disorder in Science Policy* (Bruxelles, mai 1979) ; « A Theoretical Basis for Input-output Analysis of National R & D Policies » in *Research, Development and Technological Innovation*, D. Sahal ed. (Heath, 1980).

fessionnel chargé à la fois d'assurer la formation des techniciens et des gestionnaires, et d'assurer la diffusion de la fraction finalement utile des connaissances acquises, doit donc faire preuve d'une considérable capacité de renouvellement. L'activité de recherche scientifique aurait alors pour rôle majeur de permettre la disponibilité et la circulation sociales des nouveaux savoirs et techniques, plutôt que de les produire. La surabondance et la superfluité d'une grande partie de la production scientifique ne serait que le prix à payer pour le maintien en état de fonctionnement des circuits de l'innovation. La recherche se conçoit ainsi comme une activité de recyclage collectif perpétuel, à la fois conséquence et expression de l'obsolescence programmée et de l'inflation productiviste de nos sociétés : grandes manœuvres permanentes pour l'entraînement de l'infanterie intellectuelle. De ce point de vue, la question des priorités dans la recherche fondamentale est singulièrement relativisée : à la limite, peu importe ce qu'on cherche, pourvu qu'on cherche. Le but compterait moins que l'activité elle-même...

Cette idée n'est pas contradictoire avec la double argumentation traditionnelle ; au contraire, par un mécanisme opérant pour ainsi dire en amont, elle explique la possibilité subséquente, et d'un impact technologique et d'une incidence symbolique de la science sur la société. Cette conception, que de Solla Price avance avec un brin de provocation mais un considérable poids de réflexion, a l'avantage énorme de n'être pas qu'interprétative. Elle offre en effet la possibilité d'une politique réaliste quant à la taille du système national de recherche, son personnel, son budget. A ce titre, elle ne saurait donc être ignorée des décisionnaires dans une période de réorientation. Au fond, il s'agit essentiellement d'une mise en garde contre la tentation d'une interprétation simpliste et étroitement causale des fonctions sociales de la recherche, qui risquerait de déboucher sur une politique à court terme, volontariste et inefficace.

Si l'on accepte de se donner le temps de la réflexion et de l'élaboration, par-delà les évidentes nécessités urgentes d'une réorganisation plus souple et plus démocratique du système de la recherche, une question majeure se pose, celle des contenus et des fonctions culturelles de la science. L'idée de culture est à prendre ici au sens le plus large, celui d'un ensemble complexe de valeurs, de représentations, de connaissances vivantes et circulantes – *courantes*, donc, en tous les sens du mot : un système social d'irrigation intellectuelle, faisant communiquer aussi bien les méandres complexes de la création scientifique fondamentale que les canaux, avec leurs digues et leurs écluses, de la recherche appliquée et des connaissances techniques, avec les innombrables rigoles, jusqu'ici trop souvent à sec, qui pourraient amener le précieux savoir dans les champs des pratiques communes : travail, santé, loisirs – à l'échelle la plus quotidienne. La conception, évoquée plus haut, de la recherche comme lieu d'origine et moyen d'entretien d'une compétence scientifique et technique collective ne prend en effet toute sa force que par la mise en œuvre de multiples médiations permettant à cette compétence de diffuser dans l'ensemble du corps social. En d'autres termes, une politique scientifique qui prendrait en compte les beoins sociaux majeurs devrait viser le partage du savoir autant que sa production, ce partage resté jusqu'ici alibi, fantasme ou vœu pieux. C'est toute la séparation – moderne ! – des activités scientifiques de recherche, d'enseignement, d'information et de réflexion, qu'il faut remettre en cause.

On se mettra assez aisément d'accord, peut-être, sur de tels principes généraux. Encore faudra-t-il ne pas reculer devant les interrogations majeures sur lesquelles ils peuvent déboucher. Ainsi conduisent-ils à mettre en question l'existence même du CNRS. Après tout, la France est (avec l'URSS) l'un des rares pays industrialisés à s'être doté d'une institution séparée de chercheurs professionnels. Reconnaître les mérites passés du CNRS et le rôle irremplaçable qu'il a jadis joué dans le développement scientifique du pays, en prenant le relais d'une Université alors archaïque et stérile, ne suffit pas à prouver sa nécessité présente. Reprenons donc le problème *ab initio*: une activité de recherche permanente, soit. Mais pourquoi un corps de chercheurs à plein temps ? Pourquoi un organisme séparé de l'Université ? Pourquoi pas des enseignants-chercheurs, consacrant certaines périodes de leur activité, mais pas toute leur carrière, à la recherche exclusivement ? Pourquoi ne pas distinguer l'organisation des laboratoires et des personnels d'une part, l'orientation et le financement des recherches de l'autre ? Pourquoi ne pas essayer d'articuler ainsi la nécessaire stabilité et autonomie de la recherche fondamentale, avec la commande ou l'incitation extérieure ? Pourquoi ne pas envisager que l'Université, chargée d'enseignement *et* de recherche, au sein de l'Éducation nationale, voie ses recherches finalisées par un financement et une impulsion venant d'un *Fonds* national de la recherche scientifique, dépendant, lui, d'un ministère de la Recherche et de la Technologie ?

Certes, les problèmes institutionnels sont complexes et l'on doit réfléchir sérieusement à la répartition, en même temps qu'à l'articulation, des compétences entre les diverses instances, ministères ou agences, qui ont à connaître de la recherche, de l'industrie, de l'éducation, de la culture. Mais, d'ores et déjà, l'attention apportée aux problèmes de la culture et de l'information pourrait et devrait se traduire par une série de mesures, à la fois modestes et assurées, au sein même de la recherche scientifique. Est-il aberrant de demander que le CNRS, s'il est maintenu, soit au moins quelque peu transformé, et se voie attribuer explicitement pour mission non seulement d'impulser la production de science, mais aussi d'assurer sa diffusion ? Chercher, c'est chercher à savoir, mais aussi à faire savoir. Il me paraît donc que la dimension culturelle, éducative et réflexive, des institutions scientifiques devrait se développer. De même que tout enseignant d'université est censé être chercheur (et y est même incité par une prime de recherche – aujourd'hui bien dérisoire, soit dit en passant), ne peut-on considérer comme souhaitable que tout chercheur soit aussi enseignant, vulgarisateur ou diffuseur de connaissances ? Ne devrait-on pas accepter sans réticences qu'un chercheur consacre une fraction, peut-être faible mais ferme, de son temps à donner des conférences publiques, aider des clubs scientifiques dans les MJC, écrire des articles ou des livres de vulgarisation, information ou réflexion, participer régulièrement à des émissions de radio ou de télévision ? De telles activités devraient être considérées comme une tâche professionnelle régulière, suscitées et reconnues par les institutions, prises en compte dans les rapports d'activité et les décisions de promotion.

Il est indispensable de commencer sans tarder à désenclaver la recherche, faute de quoi la science continuera d'être écartelée entre l'élitisme des travaux ésotériques et des applications incontrôlées, et la démagogie des media spectaculaires et des vitrines de prestige. Mais c'est à la modestie de l'échelle aussi que doit se mesurer la profondeur des projets : pour établir les indispensables dialogues et confrontations, des centaines de conférences-débats avec quelques dizaines de participants motivés sont aussi utiles qu'une émission télévisée pour des milliers de spectateurs passifs ; de petites expositions itinérantes, de lycée en MJC, sont aussi importantes qu'un gigantesque et intimidant musée central et universel ; des « boutiques de sciences » locales, comme les envisagent certains chercheurs pour mettre la science à la disposition des acteurs sociaux, sont aussi nécessaires que de vastes actions programmées. C'est dire que les pouvoirs centraux, s'ils doivent jouer un rôle indispensable d'incitation et d'amplification, ne pourront le remplir que si se manifestent, dans les milieux scientifiques, les initiatives les plus diverses et les plus originales. C'est beaucoup demander, certes. Hors de leur domaine spécialisé, l'audace et l'imagination ne sont pas des caractéristiques marquantes des scientifiques comme groupe social. Le conservatisme politique de nombre de dirigeants des organismes scientifiques, intégrés aux couches jusqu'ici dominantes de la société, et le conformisme idéologique de maints chercheurs, acceptant leurs relatifs privilèges professionnels avec un cynisme mou, ne rendent pas notre milieu spontanément apte à prendre les devants pour les indispensables transformations. Un rôle crucial dans la dynamique de ces transformations devra donc être joué par l'articulation des forces de rénovation externes et internes aux institutions scientifiques. Un jeu subtil d'alliance et de confrontation entre les chercheurs, les groupes sociaux (associations, syndicats) et les pouvoirs publics doit ici se développer.

Il y va de l'intérêt même de la science qu'elle puisse ainsi *se mettre en culture*. C'est qu'il ne s'agit en aucun cas de promouvoir une activité unilatérale, des missions paternalistes destinées à porter les lumières de la connaissance scientifique au bon peuple profane... La recherche scientifique, à la fois dans ses applications externes et dans son développement interne, bute en effet aujourd'hui sur des obstacles sociaux que seule une politique audacieuse d'ouverture est en mesure de renverser — ou de contourner :

— certains choix scientifiques et techniques, de nature finalement politique ou économique, ne peuvent être démocratiquement tranchés que dans la mesure où ils s'accompagneront d'un débat scientifique public, patient et profond, explicitant aussi bien les incertitudes et les limites des connaissances actuelles que leurs acquis. Il n'est pas trop tard pour reprendre ainsi le dossier électronucléaire, il n'est pas trop tôt pour ouvrir celui de l'industrie biologique ;

– les priorités de financement, de recrutement, de développement dans la recherche scientifique fondamentale doivent être conçues par rapport à des objectifs à long terme désignés. Il n'est certes pas question d'exiger une rentabilité technique à court terme, mais pas non plus d'accepter les plaidoyers *pro domo*. Puisque pilotage il doit y avoir, que ce soit des rives plutôt que de l'aval ou de l'amont... Ainsi faut-il que soient à chaque instant clarifiées et soumises à l'appréciation publique, par les scientifiques, les motivations de leurs travaux, sans honte et sans forfanterie. Faute de quoi, le consensus collectif conscient qui, en démocratie, doit soutenir toute activité sociale, ferait défaut ;

– enfin, et ce n'est pas le moindre des arguments pour les scientifiques eux-mêmes, il est indispensable aujourd'hui d'ouvrir les fenêtres et les portes de la tour d'ivoire pour éviter la sclérose et l'ésotérisme qui menacent diverses disciplines. Le bain de foule devrait être pour la science un bain de jouvence, permettant de renouveler les sources d'inspiration, de féconder les terrains de recherche, d'enrichir l'imagination créatrice des scientifiques.

Les grands systèmes intellectuels, comme les civilisations qu'ils sous-tendent, sont mortels. A leurs maîtres de choisir, avant qu'il ne soit trop tard, entre la conquête de l'extérieur et la rénovation de l'intérieur. Que le sort des théologiens serve de leçon aux scientifiques. La focalisation sur le sexe des mouches, comme jadis sur celui des anges, pourrait conduire leur nouvelle Byzance à sa perte. Il est possible, cependant, de choisir dès maintenant la Réforme.

L'université, pour quoi faire ?

A propos du livre de L. Schwartz, *Pour sauver l'Université* (Paris, Seuil, 1983).

« Une Université démocratique, largement ouverte aux masses, dispensant à la fois culture générale et formation professionnelle, ouverte sur le monde extérieur, pratiquant à tous les niveaux une sélection-orientation, cultivant la diversité, donnant à la recherche et à la qualité une place fondamentale. » Ainsi L. Schwartz présente-t-il le projet d'Université qu'il défend. Qui n'y souscrirait ? Aussi entreprend-on avec espoir la lecture de son livre, cherchant à voir se concrétiser ce projet. Et la déception est vive de voir qu'au fond, des objectifs énoncés seul le dernier, last but not least, *intéresse vraiment l'auteur. C'est vers la défense et l'illustration de la recherche universitaire que tout son plaidoyer est tendu. J'ai eu, à le lire, un curieux sentiment de déjà-vu, comme si rien n'avait changé depuis une bonne vingtaine d'années, époque où un certain Colloque de Caen se faisait l'ardent promoteur d'une recherche universitaire moderne et de qualité. Et certes, devant les archaïsmes, encore puissants, un tel projet était nécessaire. Mais à l'époque déjà,*

certains, bien jeunes et bien minoritaires, s'inquiétaient de son élitisme unilatéral. Que devenait, dans cette orientation, la fonction première proprement éducative, culturelle au sens le plus profond du terme, de l'Université ?

De fait, si la crise de l'Université n'a fait que s'approfondir depuis vingt ans, c'est beaucoup parce que sa fonction de recherche a bien, dans la pratique, été considérée comme « fondamentale » pour reprendre le terme sans innocence de L. Schwartz. Cette recherche, maintenant, et L. Schwartz le reconnaît, est *de qualité en France, et, dans l'ensemble, ne manque ni de crédits ni d'hommes. N'importe quel bachelier entrant à l'Université constate immédiatement, par contre, la médiocrité matérielle, administrative et intellectuelle de l'enseignement universitaire. L'enseignant-chercheur, pour être recruté, pour faire carrière, doit uniquement être considéré comme un bon chercheur ; on ne lui demande ni formation ni aptitude pédagogiques. Les crédits universitaires et même les locaux vont prioritairement à la recherche. Les cursus et les programmes d'enseignement sont largement déterminés, à rebours, par les exigences des préparations à la recherche que seule atteindra une toute petite minorité d'étudiants. Et c'est cette orientation à sens unique, ces rapports déséquilibrés entre l'enseignement et la recherche, que L. Schwartz propose de reconduire et d'accentuer !*

Nous sommes, je l'espère, nombreux à penser que dans l'Université les étudiants ne sont pas de simples empêcheurs de chercher en rond — ce qui exige qu'ils y soient accueillis dans des conditions matérielles et morales décentes ; que l'urgence est d'élaborer un enseignement, surtout de premier cycle, qui allie culture générale et formation professionnelle — ce qui exige un profond renouvellement de méthodes et de contenus ; qu'il faut rapidement redonner aux universitaires le goût et la fierté de leur mission éducative — ce qui exige qu'ils soient formés à leur profession, et évalués aussi sur leur compétence d'enseignants ; que la qualité de la recher-

che, si elle est une condition nécessaire à celle de l'enseignement, est très loin d'être suffisante — ce qui exige réflexions et initiatives originales sur les transferts de compétence, et la fertilisation réciproque de ces deux champs d'activité ; que l'Université, au lieu de se replier sur l'Aventin de la recherche de pointe, doit largement diversifier ses missions d'éducation et d'animation — ce qui exige qu'elle s'ouvre vers de nouvelles couches de la population et de nouvelles classes d'âge. On cherchera vainement dans le livre de L. Schwartz des propositions concrètes sur ces points. Finalement, L. Schwartz et ses amis nous offrent une conception bien pauvre de la « qualité de la science française », dont on ne peut accepter qu'elle s'identifie au seul prestige des patrons de quelques laboratoires de pointe.

La prochaine loi d'orientation de l'enseignement supérieur repose sur des principes novateurs et riches de promesses. Encore faut-il qu'elle ne soit pas vidée de son contenu par la conjonction de mesures administratives arbitraires et autoritaires, de réactions corporatives étriquées et de refus élitistes.

La science pour tous ?

Le développement de l'information et, plus généralement, de la culture scientifique et technique est à l'ordre du jour. Il fait partie des objectifs clairement exprimés de la prochaine loi d'orientation et de programmation de la recherche. Et si le ministère de la Recherche et de la Technologie s'est ainsi clairement engagé, le ministère de la Culture semble également décidé à orienter son action dans cette direction. On peut souhaiter que d'autres, l'Éducation en premier chef, mais aussi le Temps libre, la Santé, l'Environnement, etc., se saisissent d'un projet qui peut être un élément essentiel de la nouvelle politique culturelle et, par-delà, une condition sine qua non au développement des formes modernes de la démocratie. Les probables péripéties des rivalités de pouvoir et de répartition des compétences, qui accompagneront donc l'élaboration d'une politique générale dans ce domaine, mettront sans nul doute en lumière des questions à la fois précises et fondamentales, auxquelles les généreuses affirmations de principe actuelles ne suffiront pas à répondre. Tentons donc de préparer le terrain des débats à venir en esquissant certaines de ces questions, de nature et d'importance bien diverses. Elles sont par nature sans réponses globales et ne visent qu'à permettre quelque recul par rapport à l'enthousiasme des résolutions neuves, à mettre en garde contre des illusions nuisibles à la poursuite persévérante du travail nécessaire. La conscience des difficultés, le refus de la bonne conscience unanimiste et le maintien d'une interrogation permanente me paraissent constituer une condition essentielle du succès.

- Comment insérer la visée démocratique d'une information scientifique nouvelle dans la logique du profit économique ou de la domination politique qui détermine en fin de compte la plupart des media ?
- La participation des chercheurs à la diffusion de leur savoir pourra-t-elle résulter d'une simple incitation ? Devant cette véritable mutation, on peut craindre une certaine résistance passive d'un milieu jusqu'ici assez replié sur lui-même. Comment échapper alors à la tentation des mesures autoritaires incompatibles avec l'ouverture souhaitée ? Pourra-t-on concilier l'engagement personnel volontaire du scientifique, nécessaire à l'efficacité de son action de diffusion, avec l'urgence et l'ampleur de la tâche collective ?
- Les scientifiques peuvent-ils participer à la diffusion publique de leur savoir sans être conduits par la logique des media à déborder leur compétence propre limitée et à se transformer en vedettes ou, plus grave, en experts omniscients ? Et peut-on éviter que les mécanismes de pouvoir indissolublement liés à l'accès aux media ne renforcent les inégalités hiérarchiques dans le milieu scientifique lui-même ?
- Toute avancée de la connaissance scientifique peut-elle immédiatement se transformer en information publique ? Sous quelle forme organiser *la collaboration* des professionnels de l'information et des spécialistes de la recherche pour qu'il y ait une véritable élaboration de l'information et non une simple transmission ?
- L'information, privilégiant par essence l'actuel et

l'éphémère, peut-elle déboucher sur la formation ? et l'animation sur l'éducation ?

• L'accent mis sur les techniques de communication modernes, en particulier audiovisuelles, ne risque-t-il pas de conduire à sous-estimer les supports traditionnels, en premier chef le livre et l'écrit en général, pourtant irremplaçables par l'intensité, la permanence et l'autonomie du rapport au savoir qu'ils permettent seuls ?

• Le projet giscardien de « Musée des Sciences et de l'Industrie » à La Villette, reconduit pour l'essentiel, peut-il être infléchi dans un sens conforme au changement actuel ? Son ampleur colossale (trois milliards de francs nouveaux !) et sa centralité ne pèseront-elles pas nécessairement de façon négative sur l'indispensable développement de multiples initiatives autonomes et locales, d'échelle plus modeste ?

• La diffusion du savoir ne risque-t-elle pas de comporter une attitude passive devant le spectacle parfois prodigieux de la science moderne (effet de vitrine) au détriment d'une active intégration du savoir qui prenne appui sur des pratiques sociales effectives, liées aux techniques courantes en particulier ?

• La connaissance scientifique qu'il s'agit de diffuser ne s'identifie pas aux résultats de la recherche contemporaine, mais inclut le savoir « classique ». D'où l'importance du rôle à accorder à l'histoire des sciences, à la philosophie des sciences... et l'extrême difficulté à le faire, compte tenu de l'inculture générale des milieux scientifiques eux-mêmes.

• Comment transmettre, plutôt que des énoncés et des faits, une démarche et un état d'esprit ? Comment concilier les apparentes certitudes de la science avec le rôle critique qu'elle prétend jouer ? Au niveau individuel, comment permettre au scientifique d'accepter son ignorance pour qu'il puisse transmettre son savoir ? Le scientifique est-il capable d'écouter une question qui ne vise que partiellement son savoir propre, et d'y répondre sans la réduire, en faisant l'effort d'un dialogue permanent et d'une confrontation des langages ?

• Peut-on affirmer le droit à l'information de tous et tenter de la mettre en œuvre dans une société où le secret couvre une bonne partie du savoir scientifique et technique, dans les domaines industriel et militaire ?

• Comment étendre ces considérations sur la diffusion du savoir scientifique au domaine des sciences sociales et humaines, où l'idée même de vulgarisation et d'information ne peut certainement prendre la même forme que dans les sciences « dures », et où l'expérience concrète fait cruellement défaut ? Le besoin d'informations économiques, sociales, etc., n'est-il pas le plus urgent ?

• La défense systématique de la rationalité scientifique peut-elle éviter de conduire au dogmatisme scientiste ? Jusqu'où peut aller la lutte contre les charlatans de l'irrationnel (astrologie, ufologie, etc.) sans empiéter sur la liberté de penser et de rêver ?

• Enfin, n'est-il pas indispensable d'affirmer, en même temps que le droit à l'information, le droit à l'ignorance ? Le risque est réel de voir scientifiques et « communicateurs » se comporter comme des missionnaires et imposer leur savoir à qui n'a rien demandé, produisant ainsi des effets pervers, inverses à ceux qu'ils recherchent.

Le français scientifique
de la défense à l'illustration

« To you as a specialist, and to us, as producers of scientific information, it is of the greatest importance to refine our mailing list for a quick and proper dissemination of that information » (extrait d'un prospectus adressé pendant l'été 1981 aux physiciens, *français* entre autres, par les Éditions de Physique, instrument éditorial de la Société *française* de Physique).
« Les valeur propre de l'énergie son donnée par la formule, est sont une fois dégênérée » (extrait d'un devoir rendu par un étudiant en licence de physique à l'automne 1981 — orthographe fidèle).

L'évidence empirique semble massive : les rapports entre la science et la langue française posent problème. Nombreux pourtant sont ceux qui veulent régler ce problème en le niant. La science, constatent-ils, possède aujourd'hui une langue internationale, largement majoritaire et même hégémonique, l'anglais. Même si nous regrettons qu'il ne s'agisse pas de *notre* langue, poursuivent-ils, comment ne pas voir les bienfaits de cette homogénéisation linguistique, garante d'une circulation universelle des progrès de la science ? Après tout, l'existence du latin comme langue de culture scientifique commune n'a-t-elle pas joué un rôle majeur dans le développement de la science européene entre la Renaissance et l'Age classique ? Pourtant, même si cette comparaison banale était fondée de fait, on serait en droit d'en questionner les conclusions implicites : au XVIIe siècle l'Empire romain avait disparu, et sa langue, morte, si elle véhiculait sans nul doute une idéologie élitiste, n'était au moins pas celle d'une nation dominante. C'est dire que, aujourd'hui, l'affirmation puis l'acceptation, voire la justification, du *statu quo* engagent, qu'on le veuille ou non, une responsabilité politique et sociale incontournable.

Mais, d'abord, la réalité linguistique de l'activité scientifique contemporaine est-elle si nette ? Ne faut-il pas avoir une conception bien étroite et réductrice de « la science » pour ne l'entendre, aujourd'hui, parler que d'une langue ? Certes, la plupart des disciplines de prestige, les sciences lourdes, qui coûtent cher et/ou rapportent gros, sont essentiellement unilingues. Il serait sans doute absurde, j'en donne acte bien volontiers, de publier systématiquement des recherches en physique des particules ou en biologie moléculaire autrement qu'en anglais. Et des mots comme « spin » ou « crossover » n'auront peut-être pas de sitôt des équivalents français couramment usités. Mais n'est-il pas de plus en plus évident que la famille des sciences ne se réduit pas à ses membres les plus brillants — ou les plus bruyants ? Que les disciplines nouvelles riches ne fassent pas oublier les plus anciennes, souvent pauvres ! Dans les sciences de la nature, du côté des sciences de terrain et d'observation, actuellement en pleine évolution et rénovation, l'hégémonie linguistique américaine est loin d'être un fait accompli. Et en ce qui concerne les sciences humaines, économiques et sociales, la diversité linguistique non seulement se maintient, mais encore s'accroît avec les progrès de la recherche dans de nouvelles nations, et tout particulièrement dans les pays en voie de développement.

Surtout : la science ne se réduit pas à la recherche. Une très large activité d'enseignement, de diffusion, de valorisation et de discussion publique des connaissances scientifiques peut seule fournir la base nécessaire à la pyramide que couronnent les recherches de pointe. C'est là une nécessité qui, de n'avoir été que récemment reconnue — et avec quelle force n'est-elle pas affirmée dans le projet de loi d'orientation et de programmation de la recherche ! —, n'en est que plus impérieuse. C'est par rapport à une telle exigence que la question linguistique prend toute son importance. A refuser de la poser, se perpétuera et s'aggravera dans la science le hiatus entre une langue étrangère réservée et une langue commune dégradée, hiatus qu'illustrent bien les deux citations offertes en tête de cet article. Pouvons-nous admettre ce véritable dédoublement de notre personnalité scientifique collective — Doctor Jekyll et Monsieur Dupont... ? Aujourd'hui, le développement de la science n'est plus séparable de son questionnement, et les progrès de la recherche exigent son contrôle. Le débat social sur l'orientation et l'évaluation de la recherche et de la technologie ne peut être mené que dans la transparence — à conquérir ! — des institutions et des politiques scientifiques. Cela exige la continuité du discours *de* la science avec le discours *sur* la science et donc, d'abord, la continuité linguistique. Un double langage traduit nécessairement une double pensée, et nul ne saurait à la fois prôner en français la démocratisation de la science et n'y apporter sa contribution qu'en anglais.

La langue n'est pas seulement un outil de la science, comme le sont (et encore...) le symbolisme mathématique ou l'appareillage expérimental. La langue, porteuse de culture — expression à la fois des traditions passées et des orientations futures —, n'est pas neutre par rapport à la nature et au contenu de la science qui la parle [1]. Et l'on doit comprendre à quel point la conception instrumentale et empiriste de la langue, que justifie l'acceptation passive de l'apparente domination anglaise, traduit en fait l'intériorisation des valeurs particulières à la culture américaine. Ce n'est pas faire injure à ses remarquables réalisations, scientifiques notamment, que de constater ses limites et de refuser son hégémonie afin de pouvoir proposer de nouveaux modes de développement de la science. Il ne s'agit pas, en effet, de faire la même science dans une autre langue — mais bien, dans notre langue, de faire une science autre, plus ouverte, plus modeste. Publier en français dans les revues spécialisées, parler en français dans les colloques internationaux, cela est certainement difficile, sans doute nécessaire — mais ces gestes, surtout symboliques, n'auront de sens que dans un contexte plus large. Les frontières qu'il importe de franchir avant tout sont moins celles qui nous séparent de nos collègues étrangers à notre pays que celles de nos concitoyens étrangers à notre science. *Défendre* le français comme langue scientifique, et pour cela l'*illustrer* !

Le refus de l'hégémonie linguistique anglo-saxonne est donc la condition obligée du développement ou du renouvellement scientifiques d'autres cultures. Et le pluriel est ici de rigueur car une politique linguistique consciente dans ce domaine ne saurait s'identifier à la défense frileuse et chauvine de la seule langue française. S'il est nécessaire de préserver et d'accroître la place du français comme langue scientifique moderne, ce n'est pas au nom d'une supériorité quelconque, mais en vertu de spécificités

1. Voir par exemple M. Paty, « Monoculture ? », *Fundamenta Scientiae*, 2, 9, 1981.

à ne pas perdre, et de potentialités à laisser éclore. De telles spécificités et potentialités, toutes les langues de culture — donc toutes les langues — en ont. Dans l'état d'incertitude et de confusion où se débat notre monde, la diversité culturelle et linguistique de l'humanité est l'un de ses biens les plus précieux, source possible des alternatives nécessaires. C'est parce que le français est nôtre et pour cela *seulement* que nous devons le défendre et l'illustrer. Nous ne pourrons donc donner à notre langue le rôle que nous voulons lui voir jouer que si nous acceptons d'entendre et de lire les autres langues, anciennes ou nouvelles, de la science. Il ne s'agit d'ailleurs pas seulement de vertu culturelle, mais aussi, tout bonnement, d'intérêt économique et politique. L'établissement de relations scientifiques et techniques étroites avec nos proches voisins, latins en particulier, comme avec les pays du Tiers Monde [1] exige cette ouverture de notre part. De nombreuses initiatives sont à prendre ici : renforcement et diversification de la formation linguistique des chercheurs, aide à la traduction d'ouvrages d'enseignement et de synthèse en des langues jusqu'ici négligées, organisation de colloques et de publications multilingues, etc.

Le débat peut-être ne fait que s'ouvrir. Entre la passivité résignée et l'activisme utopique, il ne sera pas facile de définir une politique réaliste. Que chacun le comprenne en tout cas : la question de la langue engage l'ensemble de nos conceptions du rapport entre la science et la société.

1. Voir, à ce sujet, B. Jurdant, *Hommes et Langues du Tiers Monde*, Strasbourg, Gersulp, 1981.

Pour des centres culturels scientifiques et techniques

La science, aujourd'hui, n'est pas intégrée à la culture, qu'elle soit savante ou populaire — et la technique, si elle en est moins absente, n'y est guère reconnue. Par ailleurs, il n'y a plus de culture professionnelle, digne de ce nom, propre aux milieux scientifiques. Lorsqu'on parle de « culture scientifique et technique », ce ne peut donc être pour la partager ou la développer — mais bien pour la créer : il s'agit de *mettre en culture* la science et la technique. Une condition nécessaire de cette mise en culture est évidemment la prise en compte des sciences sociales et humaines.

Il s'agit là d'une *politique,* au sens plein du terme, qui vise inséparablement *des objectifs sociaux, économiques, culturels :*

— Permettre l'élargissement de la démocratie aux choix technologiques (énergie, défense, santé, etc.) qui conditionnent notre avenir (voir Ph. Roqueplo, *Penser la technique, pour une démocratie concrète,* Paris, Seuil, 1983).

— Assurer une base collective de compétence scientifique et technique, et promouvoir l'aptitude à l'innovation, pour un développement industriel contrôlé.

— Répondre au légitime besoin qu'a chacun de connaître le monde, dans sa dimension sociale autant que naturelle.

Une telle politique exige avant tout l'organisation d'échanges et de confrontations entre les producteurs de science et de technique (chercheurs, ingénieurs, mais aussi techniciens et ouvriers, tant dans les institutions de recherche que dans les entreprises), les diffuseurs (enseignants, journalistes, commerciaux), le « public » organisé (associations, syndicats, collectivités locales, comités d'entreprise, PMI) ou pas — et les responsables politiques et institutionnels. Ces confrontations, voire ces conflits, éviteront tout dérapage de l'entreprise d'acculturation vers une extension sournoise du pouvoir des experts. A l'encontre d'une politique technocratique ou paternaliste, il ne s'agit pas seulement de partager le savoir, mais de le changer. Multiplier les échanges des milieux scientifiques techniques avec le corps social doit modifier, et la science et la société. On ne peut mettre la science en culture sans la mettre en question.

Une telle politique ne peut être menée :
— ni par les institutions de recherche et d'enseignement (Université, CNRS, CNDP, etc.), qui se sont au fil des ans refermées sur elles-mêmes, et qu'il s'agit précisément de désenclaver pour valoriser et féconder leurs activités,
— ni par les institutions culturelles existantes (musées, bibliothèques, centres culturels), même lorsqu'ils prennent en compte certains éléments scientifiques et techniques (muséums d'histoire naturelle, musées industriels), car ils sont plus tournés vers la protection patrimoniale et la conservation du passé que vers l'ouverture au questionnement social et la préparation de l'avenir (reste que ces deux types d'institutions constitueront des interlocuteurs privilégiés pour les nouveaux organismes, qui devront travailler en étroite concertation avec elles — et leur permettre d'accroître leur efficacité).

Une telle politique exige des moyens nouveaux. Elle doit être multiforme et conjuguer des initiatives d'ampleurs très diverses. Mais, pour qu'apparaisse pleinement le caractère novateur et l'échelle nationale de cette entreprise, pour lui assurer un caractère durable et éviter sa marginalisation ou sa gadgétisation, pour matérialiser l'engagement de fond de l'État et des collectivités locales, pour équilibrer le poids et contre-balancer l'inertie des institutions traditionnelles, il convient d'ancrer cette politique sur la création de quelques foyers importants autonomes et permanents que, faute de mieux, on nommera Centres culturels scientifiques et techniques (CCST). Dans cette conception, un CCST doit remplir à la fois des fonctions de sensibilisation et d'attraction, d'animation et d'éducation, d'information et de documentation, de confrontation et de réflexion, de prestation de service et d'assistance (des fonctions plus classiques de conservation pouvant éventuellement s'y ajouter).

C'est la polyvalence même d'un CCST qui doit lui permettre d'assurer son rôle fondamental d'*agora : lieu commun* du discours et des pratiques sur les sciences et les techniques. Un CCST a évidemment une vocation régionale. Il ne doit pas concentrer les activités culturelles scientifiques et techniques, mais les faire rayonner. Il ne doit pas supplanter les initiatives locales et de petite échelle, mais les aider à se développer.

Un CCST ne doit évidemment pas se constituer en nouvelle tour d'ivoire. Il ne s'agit pas d'ajouter une nouvelle institution à celles existantes. Pour maintenir l'ouverture et la circulation qui sont ses raisons d'être, un CCST ne doit devenir la propriété d'aucun groupe, fût-il sa propre équipe. Il convient donc d'affirmer d'emblée que la culture scientifique et technique ne doit pas servir de prétexte à la création d'une nouvelle caste professionnelle. On ne fera pas carrière dans un CCST. Y travailleront ensemble, à temps partiel et/ou pour une période limitée, détachés ou sur contrat, des chercheurs, des enseignants, des ingénieurs, des animateurs, des techniciens, des journalistes, des documentalistes, mais aussi des syndicalistes, des associations, des amateurs.

Un CCST est donc un équipement culturel conséquent, dont l'échelle est comparable à celle d'un Théâtre régional. L'investissement initial correspond à quelques dizaines de mégafrancs et le fonctionnement annuel à quelques mégafrancs. La création d'une dizaine de tels CCST sur le territoire national semble être un objectif raisonnable sur une échelle de quelques années. Il faut évidemment comparer l'effort financier à consentir avec celui du musée de La Villette, qui ne semble pas en mesure actuellement de remplir toutes les tâches assignées à un CCST, et relève d'une conception beaucoup plus traditionnelle. Il doit néanmoins coûter plusieurs gigafrancs en investissement (dont un déjà inscrit au budget 83), et environ un gigafranc en fonctionnement annuel : ce coût est donc celui de plusieurs dizaines de CCST. Le déséquilibre n'a pas besoin d'être souligné.

La création, à titre expérimental, de deux ou trois CCST devrait être décidée et débuter très rapidement, faute de quoi l'actuel mouvement d'intérêt et d'initiative risque d'être découragé et stérilisé.

Après-Propos pour la seconde édition

Plus de deux années se sont écoulées depuis la parution de la première édition de ce livre. Elles ont vu se développer un réel mouvement pour « mettre en culture » la science et la technique. Le Colloque Recherche et Technologie [1], la loi d'orientation et de programmation de la Recherche et son « programme mobilisateur » de développement de la culture scientifique et technique du côté du ministère de la Recherche et de l'Industrie ; l'organisation d'une Mission de la culture scientifique et technique et d'autres initiatives du ministère de la Culture [2] (par exemple la prise en compte de la « littérature scientifique » au Centre national des lettres) ; l'attention portée à la dimension culturelle dans la loi d'orientation de l'Enseignement supérieur au ministère de l'Éducation ; le soutien par les pouvoirs publics de multiples initiatives locales, comme les nombreux projets de Centres culturels scientifiques et techniques ; autant de signes majeurs,

1. Voir *Recherche et Technologie,* Actes du Colloque national (« Points-Sciences », Seuil, 1982).

2. Voir la série de rapports commandés et publiés par le ministère de la Culture : Ph. Roqueplo, *Cultiver la technique* ; J. Zeitoun, *Création et Technologies* ; P.H. Chombart de Lauwe, *Espace et Culture au travail* ; M. de Certeau, L. Giard, *L'Ordinaire de la communication* ; N. Gérôme, B. Rignault, J. Vallerant, *Hommes, Techniques et Sociétés industrielles : traces et identités* (Dalloz, 1983).

parmi bien d'autres, que ce mouvement touche désormais les plus hautes instances responsables de la nation. Les trois derniers textes insérés dans ce livre ont d'ailleurs été écrits dans le cours de ces développements.

Rien pourtant n'est gagné, et les réalisations sont encore rares et fragiles, tant il est vrai que restent ouvertes beaucoup de questions et évidents beaucoup d'obstacles. Ni la définition d'une conception de la culture élargie aux sciences et aux techniques, ni l'affirmation de nouvelles missions de la recherche incluant la diffusion et la valorisation du savoir, ni l'émergence de multiples projets concrets sur le terrain ne suffisent à donner au mouvement l'ampleur et la vigueur que ses potentialités permettent et que la situation exige. La persistance du couple idéologique scientisme/obscurantisme, le conformisme des milieux scientifiques, l'inertie des appareils administratifs, l'impréparation des élus, le poids des orientations passées, autant de facteurs négatifs, plus graves à terme que les difficultés matérielles d'une période de rigueur.

C'est donc la certitude que le débat de fond reste nécessaire sur les relations complexes de la science, de la culture et de la politique qui me permet d'espérer voir les textes ici présentés garder leur utilité quelques temps encore.

J.-M. L.-L.
Nice, été 1983

Sources

« Une science sociale, la physique » : texte d'une conférence donnée à Strasbourg en 1976 et publiée dans le nº 1 (1977) d'*Eris* (Études et recherches interdisciplinaires sur la science), bulletin du GERSULP (Groupe d'études et de recherches sur la science de l'université Louis Pasteur, Strasbourg).

« Métaphysique, maths et physique » : *Impascience,* nº 4-5 (« Les maths ? »), printemps 1976.

« L'empire des lumières » : *Traverses,* nº 12 (« Le reste », 2), septembre 1978.

« Le fantasme de/dans la théorie » : *Ornicar,* nº 17-18.

« Cherche et re-cherche » : *Art-Press,* nº 31 (« La question de la science »), été 1979.

« Connaissances de la matière » : *le Magazine littéraire,* nº 172-173 (« Les enjeux de la science »), mai 1981.

« De la physique à son histoire, et retour » : contribution au colloque « Analisi storica della struttura della scienza e sue funzioni sociali », Cosenza (octobre 1977), publiée dans le *Bulletin de la Société française de physique,* nº 34, octobre 1979.

« Éloge des théories fausses » : contribution aux Secondes Journées de l'éducation scientifique, Chamonix (février 1980) ; Actes des journées : U.E.R. de didactique des disciplines, université Paris-VII.

« La science : où la culture ? » : contribution au colloque de Peyresc, « Science et humanisme en notre temps » (septembre 1980) ; in *la Pensée physique contemporaine,* Moulidans, Éd. Augustin Fresnel, 1982.

« Questions que pose une laborantine en lisant » : *Impascience,* nº 1, hiver 1975.
« B.B. et G.G., la science en scène » : *Obliques,* nº 20-21 (« Brecht »), 3ᵉ trimestre 1979.
« L'horoscope et l'ordinateur » : *Impascience,* nº 6 (« Parasciences »), hiver 1976.
« La leçon de Cordoue » : lettre au *Monde,* octobre 1979.
« Morceau Choisy » : lettre au *Monde,* septembre 1976.
« Le Tao de la physique » : *la Recherche,* nº 111, mai 1980.
« Le dada de l'épistémologie » : *l'Ane,* nº 1, avril-mai 1981.
« Antimatière à réflexion » : une version abrégée a été publiée dans *Esprit.*
« Cellules chevelues » : lettre à *la Recherche,* septembre 1976.
« L'aristotélicien malgré lui » : contribution à la Table ronde de l'UNESCO pour le 23ᵉ centenaire de la mort d'Aristote (juin 1978) ; Actes à paraître (UNESCO).
« L'arbre et la forêt » : *le Monde,* 14 mars 1979.
« La théorie synergétique » : *la Recherche,* nº 69, juillet-août 1976.
« Nouvelle alliance, anciennes puissances » : *la Recherche,* nº 110, avril 1980.
« Jeunes auteurs » : *Pandore.*
« Boîte à outils ou banc d'essai ? » : contribution au séminaire « Arts-Sciences, processus de création et de recherche » ; Inspection générale de l'enseignement artistique (ministère de la Culture et de la Communication, 1979).
« Pour une science ouverte » : *Bulletin de l'AESF* (Association des écrivains scientifiques de France), nº 30, octobre 1981.
« La science jardinière » : *Silex,* nº 18-19 (« La sensibilité écologique »), 4ᵉ trimestre 1980.
« Idées reçues » : contribution à l'ouvrage collectif *Philosopher (matériaux pour un enseignement),* sous la direction de C. Delacampagne et R. Maggiori (Fayard, 1980).
« Quête et conquête » : fragment inédit.
« Les chemins de la critique » : interview inédite en français, parue dans un recueil de textes en traduction allemande, *Das Elend der Physik* (Merve Verlag, 1976).
« La raison tonne en son cratère » : lettre à *la Recherche,* décembre 1976.

« De Lyssenko en Althusser » : *les Nouvelles littéraires,* 24 juin 1976.
« Défense corporative » : lettre au *Monde,* juin 1978.
« La disparition de Majorana » : *les Nouvelles littéraires,* 26 mai 1979.
« Réactions nucléaires » : regroupement de deux textes parus, l'un dans *la Quinzaine littéraire,* 1er février 1976, et l'autre dans *le Monde,* 14 septembre 1978.
« Les salades de *Libé* » : lettre à *Libération,* 15 mai 1976.
« La campagne verte » : lettre inédite, mars 1977.
« Complexité et perplexités » : *le Monde diplomatique,* janvier 1978.
« A Monsieur le Ministre, par anticipation » : lettre inédite, octobre 1979.
« L'éducation scientifique et technique » : *le Monde de l'éducation,* novembre 1981.
« Le changement : au/tour de la science » : *la Recherche,* nº 125, septembre 1981.
« L'Université, pour quoi faire ? » : *les Nouvelles,* octobre 1983.
« La science pour tous ? » : *Non,* nº 12, mars-avril 1982.
« Le français scientifique, de la défense à l'illustration » : *la Recherche,* nº 134, juin 1982.
« Pour des centres culturels scientifiques et techniques » : *Bulletin de l'ADEMAST,* nº 1, été 1982.

Table

La science, la science

La science, la culture

La science, la politique

Collection Points

SÉRIE SCIENCES

dirigée par Jean-Marc Lévy-Leblond

S1. La Recherche en biologie moléculaire, *ouvrage collectif*
S2. Des astres, de la vie et des hommes, *par Robert Jastrow*
S3. Autocritique de la science
par Alain Jaubert et Jean-Marc Lévy-Leblond
S4. Le Dossier électronucléaire
par le syndicat CFDT de l'Énergie atomique
S5. Une révolution dans les sciences de la Terre, *par A. Hallam*
S6. Jeux avec l'infini, *par Rózsa Péter*
S7. La Recherche en astrophysique, *ouvrage collectif*
S8. La Recherche en neurobiologie, *ouvrage collectif*
S9. La Science chinoise et l'Occident, *par Joseph Needham*
S10. Les Origines de la vie, *par Joël de Rosnay*
S11. Échec et Maths, *par Stella Baruk*
S12. L'Oreille et le Langage, *par Alexandre Tomatis*
S13. Les Énergies du Soleil, *par Pierre Audibert*
en collaboration avec Danielle Rouard
S14. Cosmic Connection ou l'Appel des étoiles, *par Carl Sagan*
S15. Les Ingénieurs de la Renaissance, *par Bertrand Gille*
S16. La Vie de la cellule à l'homme, *par Max de Ceccatty*
S17. La Recherche en éthologie, *ouvrage collectif*
S18. Le Darwinisme aujourd'hui, *ouvrage collectif*
S19. Einstein, créateur et rebelle, *par Banesh Hoffmann*
S20. Les Trois Premières Minutes de l'Univers, *par Steven Weinberg*
S21. Les Nombres et leurs Mystères, *par André Warusfel*
S22. La Recherche sur les énergies nouvelles, *ouvrage collectif*
S23. La Nature de la physique, *par Richard Feynman*
S24. La Matière aujourd'hui, *par Émile Noël et al.*
S25. La Recherche sur les grandes maladies, *ouvrage collectif*
S26. L'Étrange Histoire des Quanta
par Banesh Hoffmann, Michel Paty
S27. Éloge de la différence, *par Albert Jacquard*
S28. La Lumière, *par Bernard Maitte*
S29. Penser les mathématiques, *ouvrage collectif*
S30. La Recherche sur le cancer, *ouvrage collectif*
S31. L'Énergie verte, *par Laurent Piermont*
S32. Naissance de l'Homme, *par Robert Clarke*
S33. Recherche et Technologie, *Actes du Colloque national*
S34. La Recherche en physique nucléaire, *ouvrage collectif*
S35. Marie Curie, *par Robert Reid*
S36. L'Espace et le Temps aujourd'hui, *ouvrage collectif*
S37. La Recherche en histoire des sciences, *ouvrage collectif*
S38. Petite logique des forces, *par Paul Sandori*
S39. L'Esprit de sel, *par Jean-Marc Lévy-Leblond*

Collection Points

SÉRIE SAGESSES

dirigée par Jean-Pie Lapierre

Sa1. Paroles des anciens. Apophtegmes des Pères du désert *par Jean-Claude Guy*
Sa2. Pratique de la voie tibétaine, *par Chögyam Trungpa*
Sa3. Célébration hassidique, *par Élie Wiesel*
Sa4. La Foi d'un incroyant, *par Francis Jeanson*
Sa5. Le Bouddhisme tantrique du Tibet, *par John Blofeld*
Sa6. Le Mémorial des saints, *par Farid-ud-Din' Attar*
Sa7. Comprendre l'Islam, *par Frithjof Schuon*
Sa8. Esprit zen, Esprit neuf, *par Shunryu Suzuki*
Sa9. La Bhagavad Gîtâ, *traduction et commentaires par Anne-Marie Esnoul et Olivier Lacombe*
Sa10. Qu'est-ce que le soufisme ?, *par Martin Lings*
Sa11. La Philosophie éternelle, *par Aldous Huxley*
Sa12. Le Nuage d'inconnaissance *traduit de l'anglais par Armel Guerne*
Sa13. L'Enseignement du Bouddha, *par Walpola Rahula*
Sa14. Récits d'un pèlerin russe, *traduit par Jean Laloy*
Sa15. Le Nouveau Testament *traduit par Émile Osty et Joseph Trinquet*
Sa16. La Voie et sa vertu, *par Lao-tzeu*
Sa17. L'Imitation de Jésus-Christ, *traduit par Lamennais*
Sa18. Le Mythe de la liberté, *par Chögyam Trungpa*
Sa19. Le Pèlerin russe, trois récits inédits
Sa20. Petite Philocalie de la prière du cœur *traduit et présenté par Jean Gouillard*
Sa21. Le Zohar, *extraits choisis et présentés par Gershom G. Scholem*
Sa22. Les Pères apostoliques *traduction et introduction par France Quéré*
Sa23. Vie et Enseignement de Tierno Bokar *par Amadou Hampaté Bâ*
Sa24. Entretiens de Confucius
Sa25. Sept Upanishads, *par Jean Varenne*
Sa26. Méditation et Action, *par Chögyam Trungpa*
Sa27. Œuvres de saint François d'Assise
Sa28. Règles des moines *introduction et présentation par Jean-Pie Lapierre*
Sa29. Exercices spirituels, *par saint Ignace de Loyola traduction et commentaires par Jean-Claude Guy*
Sa30. La Quête du Graal *présenté et établi par Albert Béguin et Yves Bonnefoy*
Sa31. Confessions, *de saint Augustin traduction par Louis de Mondadon*
Sa32. Les Prédestinés, *par Georges Bernanos*
Sa33. Les Hommes ivres de Dieu, *par Jacques Lacarrière*
Sa34. Évangiles apocryphes, *par France Quéré*

IMP. HÉRISSEY À ÉVREUX
D.L. JANVIER 1984-N° 6992